GILLES LEGARDINIER

Écrivain, scénariste, producteur et réalisateur, Gilles Legardinier s'est toujours attaché à faire naître des émotions qui se partagent. Après avoir travaillé sur les plateaux de cinéma américains et anglais, notamment comme pyrotechnicien, il a réalisé des films publicitaires, des bandes-annonces et des documentaires sur plusieurs films internationaux. Il se consacre aujourd'hui à la communication de films pour de grands studios américains et européens, ainsi qu'aux scénarios et à l'écriture de ses romans.

Alternant des genres très variés avec un même talent, il s'est entre autres illustré dans le thriller avec *L'Exil des Anges* (prix SNCF du polar 2010) et *Nous étions les hommes* (2011), mais aussi plus récemment dans la comédie, qui lui a valu un succès international avec *Demain j'arrête !* (2011), *Complètement cramé !* (2012), *Et soudain tout change* (2013) et *Ça peut pas rater !* (2014) – tous parus chez Fleuve Éditions.

Retrouvez toute l'actualité de l'auteur sur :
www.gilles-legardinier.com

L'EXIL DES ANGES

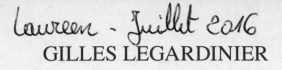

Laureen - Juillet 2016

GILLES LEGARDINIER

L'EXIL DES ANGES

Fleuve Noir

Pocket, une marque d'Univers Poche,
est un éditeur qui s'engage pour la
préservation de son environnement et
qui utilise du papier fabriqué à partir
de bois provenant de forêts gérées de
manière responsable.

© 2009, Éditions Fleuve Noir, département d'Univers Poche.

ISBN : 978-2-266-19633-8

Pour Guillaume et Chloé, sans qui je ne veux pas.
Pour Pascale, sans qui je ne suis pas.

1

Il faisait nuit, un peu froid. Depuis la fin de l'après-midi, comme souvent en cette saison, la pluie tombait, fine, régulière et grise. On ne distinguait même plus le loch, pourtant tout proche en contrebas. L'automne était là. Immobiles, les arbres ruisselants scintillaient dans la clarté échappée des fenêtres du salon.

À l'intérieur, il faisait bon. Le couple était blotti au fond du canapé, dans la douce chaleur du feu de cheminée qui dansait. Cathy eut un long soupir triste et se serra encore un peu plus contre son mari. Perdu dans ses pensées, Marc gardait les yeux fixés sur les flammes. Ils étaient ainsi depuis de longues heures, silencieux, ne se levant que pour remettre des bûches. Ils n'avaient plus rien à faire avant le lendemain – cela ne leur était jamais arrivé.

Marc s'étira lentement; elle leva les yeux vers lui. Leurs regards se croisèrent. Il déposa un baiser sur son front, délicatement, avec encore plus de tendresse qu'à l'accoutumée. Il l'embrassa comme si c'était la dernière fois.

Pour eux, isolés, à l'écart du monde, plus rien n'était pareil. Il n'était plus le professeur Destrel, éminent psychophysicien au sommet de sa renommée, et ce soir-là, elle n'était plus sa collaboratrice. Débarrassés de leur blouse, de leur badge et de leur titre, ils n'étaient plus qu'eux-mêmes, enfin. Éclairés par les seules lueurs du feu, ils ressemblaient à deux adolescents terrifiés à l'idée que quelqu'un puisse les séparer.

Depuis le jour où leurs chemins s'étaient croisés au laboratoire de physique de Sacramento, ils ne s'étaient plus quittés. Lui était français, elle canadienne. En quelques mois, elle lui était devenue indispensable, d'abord dans le travail, puis très vite sur un plan plus personnel. Il avait d'abord remarqué ses regards, comme si elle l'observait. Elle était devenue l'unique personne à pouvoir le distraire de ses travaux. Un seul de ses rires suffisait à lui faire oublier ses expériences, ses rapports d'études, ses protocoles d'observation et sa dévorante passion pour son métier. Cela durait depuis quinze ans, quinze ans de complicité, de travail et d'amour. Leur remarquable carrière ne leur avait pas laissé le temps de mettre au monde autre chose qu'un prix Nobel et une dizaine de découvertes majeures en neurosciences. Ils avaient bien essayé de prendre un peu de recul – c'est d'ailleurs à cette époque qu'ils avaient acheté cette superbe demeure dans les Trossachs, au cœur de l'Écosse – mais le travail n'avait pas tardé à envahir aussi cette partie de leur vie. La cave s'était peu à peu transformée en laboratoire d'appoint, jusqu'à devenir le lieu de prédilection des recherches qu'ils souhaitaient mener loin des contrôles du gouvernement.

Dans le silence seulement ponctué par les craquements du feu, la sonnerie du téléphone retentit soudain. Cathy crispa ses doigts sur l'avant-bras de son époux. Après deux coups, le tintement cessa. Une dizaine de secondes s'écoulèrent avant qu'il résonne encore une fois.

— C'est le code, fit Marc d'une voix atone. C'est Greg.

Il se leva sans hâte et avança vers le bureau où

l'appareil carillonnait avec obstination. Il décrocha sans prononcer un mot. En reconnaissant la voix au bout du fil, il se tourna vers Cathy et lui confirma d'un mouvement de tête qu'il s'agissait bien de Greg.

Cathy s'était redressée et l'observait.

Marc écouta, ne répondant parfois que d'un mot ou deux. De sa main libre, il empilait machinalement des rapports scientifiques épars. La communication fut brève. Il raccrocha et revint s'asseoir près de sa femme.

— Greg t'embrasse.

— Tu aurais pu lui dire quelque chose.

— À quoi bon ? On aurait fini en larmes tous les deux et ça n'aurait avancé à rien…

Cathy hésita avant de demander :

— Où en est-il ?

— Il a reçu les billets d'avion et les réservations d'hôtel pour la conférence d'Oslo. Il va faire comme si nous y allions.

— Pas de nouvelles des chacals ?

Marc prit une inspiration avant de répondre.

— Greg a l'impression de les voir partout. Notre départ précipité a dû les exciter.

— Ils ne mettront plus longtemps à nous retrouver.

— Il sera trop tard…

Elle enroula son bras autour du sien et se lova de nouveau. Ses grands yeux gris-vert s'embuèrent, une larme roula sur sa joue. Marc l'étreignit. Il caressa ses longs cheveux châtains défaits. Elle ne les attachait qu'au laboratoire. Elle ne les attacherait plus jamais.

— Ne t'inquiète pas, lui souffla-t-il. Moi aussi j'ai peur, mais nous n'avons plus le choix.

— Greg n'a rien dit à propos de demain ? s'enquit-elle en frissonnant.

— Il arrivera en milieu de matinée et détruira tout.

Cathy sentit sa gorge se serrer. Elle avait l'impression

que si elle cédait et se mettait à pleurer, elle ne pourrait plus s'arrêter.

— Plus question de reculer, murmura-t-elle. On y est...

— C'est notre seule chance.

Il prit délicatement le doux visage triste et le releva. Il plongea son regard dans le sien et lui confia :

— Tu es ce que j'ai de plus précieux sur cette terre. Je redoute ce qu'ils peuvent te faire pour me contraindre...

— Je ne veux pas être séparée de toi.

— Si nous avons vu juste, nous ne le serons pas longtemps.

— Et si notre théorie est fausse ?

— Au moins nous ne souffrirons plus. Et puis nous sommes des scientifiques, il faut un jour que les théories soient appliquées. Nous serons les cobayes de notre propre travail. De toute façon, nous ne pouvons rien faire d'autre. Nous n'aurons plus jamais la paix.

Elle soupira et lui demanda :

— Comment te sens-tu depuis ton marquage ?

— J'ai eu mal au crâne tout de suite après, mais maintenant, c'est terminé. Il faudra que tu y passes avant de dormir.

Elle hocha la tête, résignée à l'épreuve qui les attendait. Il était probable qu'aucun d'eux ne trouverait le sommeil cette nuit-là. Trop d'interrogations, trop de souvenirs. On ne quitte pas une vie sans rien regretter.

Le vent s'était levé, rabattant sur les petits carreaux les gouttes de pluie qui n'en finissaient pas de tomber. Le canapé était vide devant le feu mourant. Au sous-sol, au centre d'une pièce au plafond bas et aux murs blancs remplie d'appareillages scientifiques, Cathy était assise dans un fauteuil usé. Un étrange casque recouvrait son crâne, ses yeux et ses oreilles. Ses cheveux maintenus vers l'arrière lui faisaient un visage plus sévère qu'au naturel. Marc s'affairait à régler les derniers paramètres en passant d'une console informatique à l'autre. Cathy eut un mouvement nerveux qui secoua les fils la reliant aux machines.

— Reste calme, ce ne sera plus long, lui dit Marc en posant une main rassurante sur son épaule. Tu seras vite sous hypnose.

Elle eut un sourire mécanique et lui caressa le poignet au passage.

Lorsque tout fut prêt, il lui demanda s'il pouvait commencer. Elle acquiesça d'un hochement de tête vif. Elle aurait probablement aimé qu'il lui prenne la main, qu'il lui parle, mais à cet instant, ils étaient avant tout deux scientifiques accomplissant ce qu'aucun humain n'avait tenté avant eux.

Marc entra la séquence de code dans l'ordinateur et le processus s'engagea. Une série de flashs criblèrent les yeux de Cathy à un rythme de plus en plus rapide. Des sons aigus de faible intensité vinrent s'associer aux stimuli visuels. La puissance des éclats lumineux débordait maintenant le casque et illuminait son visage de clartés irréelles.

Marc n'arrivait pas à détacher le regard de sa femme. Il ne supportait pas de la savoir malheureuse ou inquiète. Elle l'était pourtant bien au-delà de ce que l'on peut endurer, et cela nuit et jour depuis des mois. Même s'il s'efforçait de ne pas le montrer, lui aussi était à bout de forces. Il aurait tant voulu que tout cela soit inutile. Il aurait préféré ne rien découvrir.

Il la regarda passer sous hypnose. Il vit ses doigts fins se détendre, ses épaules se relâcher, et ses avant-bras glisser des accoudoirs du vieux fauteuil.

Lorsqu'il se fut assuré que tout se déroulait normalement, il s'assit à une table et ouvrit un carnet à la couverture de cuir vert. D'une écriture appliquée, il y inscrivit la date et l'heure et consigna l'expérience en cours. Depuis qu'ils s'étaient décidés à fuir, plus d'un an auparavant, ils avaient scrupuleusement noté toutes les étapes de leur parcours jusqu'à ce soir. Sans hésitation, Marc alignait les mots. Pas à pas, il décrivait avec rigueur le processus et ses effets. Un bip de l'ordinateur principal attira son attention. Sans appréhension, il consulta l'écran – il ne s'agissait que du signal de passage à la phase de marquage. Cathy était toujours impassible sous son casque.

Avec méthode, Marc poursuivit son compte rendu. Ce qu'il décrivait était incroyable, inimaginable, et pourtant bien réel. Il s'agissait d'une des expériences les plus importantes et les plus prometteuses jamais pratiquées dans toute l'histoire de l'humanité. Pourtant, personne ne devait jamais en avoir connaissance. Les mots sur le carnet seraient la preuve que ni lui ni Cathy n'avaient rêvé. Ces pages contenaient leur vie, leur savoir, leur amour, toute leur histoire résumée pour qu'un jour, ils soient sûrs de se retrouver et de comprendre.

Cathy était à présent comme statufiée. Le processus allait encore durer une bonne demi-heure. Les différents graphiques sur l'écran indiquaient que le marquage se poursuivait sans obstacle. Marc observa sa femme mais un sentiment étrange l'envahit. Il détestait la voir immobile, figée dans ces éclairs froids, comme morte. Il détourna le regard et se concentra de nouveau sur le carnet. Demain, avant de s'envoler vers l'Europe continentale, il leur faudrait le cacher bien à l'abri, avec les sauvegardes informatiques et quelques objets personnels, dans une vallée voisine. Ces pages contenaient des secrets que tous les gouvernements du monde se seraient arrachés. Pour Cathy et lui, ce ne serait qu'une clé.

Lorsque l'ordinateur émit son signal répété et strident, Marc vérifia le listing des phases puis, ayant constaté que tout était normal, clôtura les programmes les uns après les autres. Avec précaution, il retira le casque et libéra sa femme. La sueur perlait sur son front. Il écarta une mèche collée sur sa tempe. Elle n'était pas encore revenue à elle mais respirait vite. Ses yeux grands ouverts et rougis avaient quelque chose d'effrayant : ils ne voyaient rien.

— Cathy, Cathy... appela-t-il doucement en lui frictionnant la main.

Comme si elle émergeait d'un profond sommeil, elle s'anima peu à peu. Sa tête oscilla, son regard reprit vie. Elle le fixa de manière étrange et demanda :

— C'est fini ?

— Complètement. Tout s'est bien passé. Nous sommes prêts.

Elle soupira :

— Au moins d'un point de vue scientifique...

Il lui désigna le carnet vert resté ouvert sur le plan de travail.

— Dès que tu te sentiras mieux, tu y mettras la conclusion...

— Je n'ai pas vraiment la tête à ça.

— J'ai commencé, tu achèves...

— Et tu ne liras que lorsque nous nous retrouverons ?

— Si tu veux. Mais j'espère que cela ne veut pas dire que tu as des choses inavouables à confesser !

Ils remontèrent peu de temps après. Marc attisa les braises et plaça une nouvelle bûche dessus. Dehors, la pluie avait cessé, la surface du loch était lisse et sombre comme un miroir reflétant le clair de lune. Il s'installa au creux du canapé. Elle s'allongea près de lui, la tête posée sur sa cuisse.

— J'ai la sensation d'être ivre, lui confia-t-elle. C'est vrai que ça donne mal au crâne.

— Ça va passer.

Il reprit le rythme régulier des caresses sur sa chevelure. Ses doigts vagabondaient dans les longues boucles.

Il en aimait le soyeux, la douceur. Dieu qu'elle allait lui manquer…

Cathy finit par s'endormir, épuisée de trop d'angoisses et d'interrogations. Marc continua de penser à Greg, leur ami, à leurs travaux trop en avance pour une époque matérialiste et mercantile, à la cachette choisie pour la mallette d'archives. Le repos ne vint pas. Il passa la nuit à effleurer les cheveux et la nuque de celle qu'il aimait plus que tout et que demain il allait tuer.

2

Dans la grande salle de réunion du pied-à-terre londonien, la voix exaspérée du colonel Frank Gassner s'éleva de nouveau.

— Deux ans que nous suivons ce type à la trace, deux ans ! Et tout à coup, il nous file entre les pattes ! Vous vous laissez larguer comme des amateurs ! On aura de la chance si on n'est pas tous virés !

Pour la seconde fois, il frappa du poing sur la table. Face à lui, les cinq agents restèrent silencieux, impavides. D'ordinaire réputé pour sa maîtrise de lui-même, Gassner subissait l'effet dévastateur de trois nuits blanches consécutives et de l'incroyable pression qui pesait sur lui. N'était-il pas en charge du dossier le plus important de ces dernières décennies ? La pièce sentait le café froid et les gobelets vides débordaient de la corbeille. Au second sous-sol de la délégation culturelle américaine, aucun des bruits de la ville ne venait troubler l'atmosphère feutrée du repaire.

Gassner enchaîna :

— Nous ne courons pas après un narcotrafiquant ou un ex-nazi, on n'essaie pas d'obtenir un brevet de plus sur les carburateurs d'avions ou une puce électronique !

Il saisit la photo du professeur Destrel avant de poursuivre :

— Ce type est un génie, ce qu'il a trouvé risque de changer la vie de l'humanité, vous pouvez comprendre ça ? Non ? Eh bien, j'ai du mal moi aussi, mais ce que je comprends en revanche, c'est que nous avons des ordres et que si quelqu'un d'autre rafle ses découvertes, nous serons dedans jusqu'au cou pour très longtemps !

Il ne décolérait pas. Son regard bleu fusilla chacun de ses hommes.

— Dans moins de neuf jours se tiendra cette conférence à Oslo, et si cet idéaliste de Destrel révèle ses résultats au monde entier comme il en a l'intention, il déclenchera une foire d'empoigne historique. Avec sa naïveté et ses idées d'égalité, il va flanquer une panique apocalyptique !

Un grand costaud qui jouait nerveusement avec le cadran de sa montre de plongée hasarda une remarque :

— Colonel, vous savez bien qu'on fait l'impossible. On est moins d'une vingtaine pour surveiller soixante personnes sur trois continents. On dort pas, on bouffe pas. Au départ, c'était une simple surveillance. Et puis c'est devenu une course-poursuite planétaire. Si c'est si important que ça, ils n'ont qu'à nous donner les moyens...

Gassner se prit la tête dans les mains en s'adossant au mur. Il répondit d'une voix contrôlée :

— Wayne, je sais cela et je suis d'accord. Je viens d'un laboratoire de recherche gouvernemental. Je connais le décalage entre les ambitions des politiques et ce qu'ils sont prêts à mettre pour réussir. J'ai accepté cette mission parce que le sujet me passionnait. Cela fait deux ans que je réclame des moyens et des hommes à l'Agence. Mais nous n'en sommes plus là. Ce n'est plus une question de budget ou de chef de service qui fait la sourde oreille. Nous vivons des jours décisifs. Nous sommes à un tournant de l'histoire humaine. Il y aura eu un avant et un après. Tout se joue maintenant. Soit on saisit la balle au bond, soit on est en dehors du coup définitivement. Nous devons découvrir ce que Destrel a mis au point et le sécuriser avant la conférence !

Une jeune femme fit soudain irruption dans la salle. D'un geste fébrile, elle désigna le téléviseur installé dans l'angle de la pièce :

— Allumez, passez sur Sky News, ils ont abattu Destrel !

Gassner, incrédule, prit appui sur la table pour ne pas chanceler. À l'écran, le présentateur du flash spécial remerciait un correspondant joint par téléphone. Il fit face à la caméra et déclara :

— C'est donc ce matin peu avant 10 heures que des agents des gouvernements français et britannique ont interpellé le professeur Marc Destrel et son épouse Catherine à l'aéroport de Glasgow, alors qu'ils s'apprêtaient à embarquer sur un vol à destination de Rome. Les enquêteurs ne savent pas à l'heure actuelle quelles étaient leurs intentions une fois arrivés là-bas. Personne n'aurait pu prédire que ce professeur mondialement respecté pour ses travaux se trouverait un jour mêlé à un tel débordement de violence. La communauté scientifique est sous le choc et les représentants des services de sécurité présents sur place se refusent à faire le moindre commentaire.

L'homme porta la main à son oreillette :

— On m'annonce que nous sommes maintenant en mesure de vous présenter en exclusivité les enregistrements vidéo des caméras de surveillance de l'aéroport qui ont filmé le drame.

L'image clinquante du studio de télé fit place à celle, moins nette, en noir et blanc et muette, des caméras de contrôle de l'aéroport. On y distinguait le couple vu du haut de l'aérogare, se dirigeant avec un maigre sac de voyage vers le comptoir d'embarquement.

Une dizaine d'hommes et de femmes qui, quelques instants plus tôt, semblaient être de simples voyageurs, se regroupèrent pour les encercler. On voyait nettement le professeur étreindre son épouse. S'ensuivit un échange verbal dont le ton, à en juger par les gestes vifs de chacun, était loin d'être cordial. L'absence de son rendait chaque mouvement plus violent, plus révélateur. Destrel repoussa ses interlocuteurs, mais deux hommes agrippèrent alors Catherine Destrel pour la séparer de son mari. Un troisième homme dégaina une arme et s'interposa entre les deux scientifiques pour les écarter l'un de l'autre. C'est alors que le professeur sortit un revolver et fit feu. Sur l'image approximative, l'arme cracha deux éclairs lumineux. L'agent gouvernemental s'écroula aussitôt. La panique gagna le hall, le professeur continua de tirer en direction des hommes qui retenaient sa compagne, mais ce fut elle qui reçut les balles en pleine poitrine. Le professeur fit alors demi-tour et s'échappa en courant.

Il prit la fuite hors du hall et fut bientôt repéré par une autre caméra braquée sur l'accès à la zone de fret. On distinguait clairement la silhouette du professeur courant aussi vite qu'il le pouvait, son arme à la main. C'est en pleine course qu'il fut rattrapé par un projectile qui le traversa, puis par une bonne demi-douzaine d'autres. Il s'effondra au sol en glissant sur quelques mètres.

Le journaliste réapparut à l'image, visiblement bouleversé. Il mit quelques instants à se ressaisir.

— À l'heure où je vous parle, le bilan est donc de trois morts, dont un agent britannique du contre-espionnage, et de quatre blessés graves. Le professeur Destrel et son épouse sont décédés. Des rumeurs, que les autorités refusent également de commenter pour l'instant, font état d'éventuelles découvertes révolutionnaires que le professeur partait vendre à une puissance d'Asie. De source officielle, on nous précise cependant que lui et sa femme étaient soupçonnés d'espionnage et de haute trahison…

Gassner éteignit la télé.

— On peut avoir une copie des bandes de l'aéroport ? demanda-t-il à la jeune femme.

— Laissez-moi deux heures, répondit celle-ci.

— Essayez d'avoir les originales, histoire qu'on ne bosse pas sur des éléments trafiqués…

— Comptez sur moi, fit-elle avant de sortir dans un silence pesant.

Gassner se redressa difficilement. Il était sonné. Comme un robot, il commença à ranger les photos et ses fiches dans les dossiers.

— Je veux comprendre, maugréa-t-il. Minute par minute, je veux savoir ce qui s'est passé entre le moment où nous les avons perdus et ce carnage. Washington va nous rappeler, nous n'avons que quelques heures pour reconstituer le puzzle.

— Je m'excuse, mon colonel, demanda l'un des agents, mais à quoi ça va servir ? C'est fini.

Gassner le fixa d'un regard sévère et rétorqua :

— Eux sont morts, mais pas leurs découvertes. Leurs comptes rendus, leurs dossiers, leur matériel et leurs résultats ne tenaient sûrement pas dans le minuscule sac de voyage de Catherine Destrel. Nous n'avons peut-être pas encore tout perdu.

Le plus jeune des agents risqua une hypothèse :

— En prenant l'avion à Glasgow, ils venaient certainement de leur propriété près d'Aberfoyle.

— Leur maison dans ce trou perdu d'Écosse ? interrogea Gassner. Mais je croyais qu'ils n'y étaient pas hier…

— Nous n'avons fait que téléphoner. Ça ne répondait pas.

Gassner blêmit. L'agent se justifia aussitôt :

— C'est le bout du monde ! On ne peut pas envoyer quelqu'un vérifier chaque fois qu'un téléphone sonne dans le vide… Nous avons parié qu'ils ne se cacheraient pas dans un endroit aussi évident.

Gassner s'appuya des poings sur la table. Son visage devint rouge de colère. Il éructa :

— Vous avez parié ? Vous croyez que tout cela est un jeu, Smith ? Il fallait vérifier, bon sang ! Le hasard ou les suppositions ne doivent pas avoir cours à ce niveau d'enjeu. Vous les avez perdus alors que les Anglais et les Français, eux, ont réussi à les localiser ! Préparez l'hélico, on file là-bas. Personne ne doit fouiller leur maison avant nous…

3

Après s'être assuré à maintes reprises que personne ne suivait sa voiture de location, Greg Hyson s'engagea sur l'unique route en direction du loch Ard. Il était en retard. La pluie venait de cesser et déjà le soleil brillait comme en plein été. En temps normal, Greg l'aurait remarqué et se serait dit, comme souvent, que ce pays était étrange et magnifique, mais aujourd'hui le cœur n'y était vraiment pas. Sur la petite route qui serpentait entre les chapelets de lochs et les pentes boisées, il surveillait constamment son rétroviseur. Cette voie étroite était un long cul-de-sac. Hormis quelques touristes égarés, personne n'y venait par hasard. Il dépassa le hameau de Milton puis bifurqua deux kilomètres plus loin sur un chemin de terre qui montait en forêt. Il continua sur quelques centaines de mètres et arrêta son véhicule devant une barrière en bois. Il descendit, l'ouvrit en se dépêchant puis alla se garer derrière le sous-bois.

Greg connaissait bien l'endroit. Il était souvent venu s'y reposer avec les Destrel, et parfois y travailler avec eux. D'un pas pressé, il remonta vers la maison. En la découvrant au milieu des immenses arbres, les larmes lui montèrent aux yeux. Il s'arrêta. La demeure était là, majestueuse et grise, tournée vers le loch qu'elle dominait dans un spectaculaire panorama. Tout était à sa place et pourtant, Greg le savait, plus rien n'était comme avant. Sa gorge se noua. Rien ne l'avait préparé à vivre cela.

Il s'élança vers la porte de service. Il n'avait pas une minute à perdre. Il avait appris la tragédie par la radio, sur la route. Même si depuis quelques semaines, il savait qu'il ne les reverrait jamais, il était horrifié que tout se soit passé d'une manière aussi barbare. En tournant la clé dans la serrure, il sentit une chape de plomb lui tomber sur les épaules. Ses deux meilleurs amis étaient morts.

Il pénétra dans la cuisine. Pour la première fois de sa vie, Greg n'était pas heureux d'y être. Tout était anormalement silencieux, pesant. Il ne s'était jamais trouvé seul dans cette maison. Il laissa courir sa main sur le plan de travail froid. Les casseroles de cuivre pendaient, alignées au mur. Près de la gazinière, il aperçut les petits bougeoirs que Cathy aimait disposer sur la table pour illuminer les soirées. Les souvenirs de dîners lui revinrent. La maison des Destrel avait toujours été ouverte. Ils recevaient leurs amis, le peu de famille qu'ils avaient, mais aussi des collègues et d'éminents scientifiques. Combien de théories avaient-elles vu le jour dans ces murs ? Combien de collaborations s'étaient-elles scellées autour d'un vieux cognac, devant un bon feu ?

Greg traversa le salon et se dirigea vers le bureau. Il ramassa les dossiers sans même vérifier ce qu'ils contenaient et les emporta près de la cheminée. Il prit le tisonnier et remua les cendres. Des braises rougeoyaient encore. À l'idée que seulement quelques heures auparavant, Marc et Cathy étaient là eux aussi, contemplant ce même âtre, l'émotion le submergea. Il recula et buta sur le canapé derrière lui. Il lutta de toutes ses forces pour ne pas pleurer comme un gamin. D'un geste mécanique, il enflamma une liasse de pages de notes et la jeta au centre du foyer. Pour se redonner du cœur à l'ouvrage, il prit une longue inspiration. Ce qu'il avait à accomplir était essentiel.

« Si nous avons bien travaillé, nous nous reverrons un jour », lui avait dit Marc lors de leur dernière entrevue. Comment avaient-ils pu en arriver là ? Comment une équipe de chercheurs pouvait-elle subir de pareilles pressions dans un monde qui se prétend libre ? Greg l'ignorait et aurait voulu ne jamais avoir à se poser la question.

Sans relâche, il passa la fin de la matinée à brûler les papiers, des liasses de listings, des notes. Il était à peine midi lorsqu'il s'attaqua au laboratoire de la cave. Avec méthode, il commença par rassembler les disquettes et les fichiers pour les effacer du poste principal. Il s'apprêtait à débrancher les derniers périphériques lorsqu'une puissante détonation résonna dans toute la maison.

Gassner et ses agents firent irruption dans le salon après avoir fait exploser la serrure de la porte principale. Arme au poing, les hommes en gilet pare-balles prirent possession de chaque pièce en quelques instants. Désignant la cheminée, Gassner donna l'ordre d'éteindre le feu et de sauver tous les documents qui n'avaient pas encore été consumés. Lui-même se précipita pour arracher quelques pages aux flammes et les piétina pour en stopper la combustion.

— Colonel ! Présence détectée à la cave !

Gassner fit volte-face.

Immédiatement, ses hommes prirent position de chaque côté de l'escalier. Prêts à faire feu, l'agent Wayne et un spécialiste des forces d'assaut en treillis noir descendirent pas à pas. Une fois en bas, ils lancèrent :

— Nous avons un homme, mon colonel. Il n'est pas armé.

Gassner dévala les marches et découvrit Greg, pétrifié devant sa chaise, tenu en joue par les deux agents.

— Baissez vos armes, ordonna le colonel.

Il jeta un rapide coup d'œil circulaire sur la pièce aux murs recouverts de graphiques et de feuilles de tests. Avec l'œil du connaisseur, il commenta :

— Calculateurs, générateurs d'ondes basse fréquence, matériel dernier cri… Joli. C'est un véritable petit laboratoire de pointe.

Puis s'adressant à ses agents, il ordonna :

— Prenez des photos en situation avant de tout évacuer. Ne laissez aucune trace. Faites vite ! Nous ne serons probablement pas les seuls à venir chercher ici. Si les Britanniques découvrent qu'on est venus sans leur autorisation, ils vont encore nous faire une crise.

Calmement, Gassner s'approcha de Greg.

— Asseyez-vous, lui dit-il.

Livide, Greg se laissa tomber sur son siège. Le colonel s'accroupit pour se placer à sa hauteur et commença d'une voix posée :

— Cher monsieur Hyson, que faites-vous ici ?

Greg resta muet.

— Vous savez sans doute ce qui est arrivé au professeur et à sa femme ? continua-t-il sans obtenir plus de réaction.

Il passa la main dans ses cheveux courts et reprit :

— Je veux que vous sachiez que nous n'y sommes pour rien. Ce sont les…

— Vous ou d'autres, quelle importance ? lâcha Greg. Vous êtes tous les mêmes !

— Non, monsieur Hyson, reprit le colonel d'une voix qui avait déjà perdu de sa douceur. Je n'aurais pas l'audace de vous expliquer votre métier, alors laissez-nous le nôtre. Nos services servent aussi à protéger…

— Vous vous moquez de qui ?

— Les travaux du professeur ne doivent pas tomber entre de mauvaises mains !

— Mauvaises pour qui ? rétorqua Greg. Le professeur travaillait sur la mémoire et ses mécanismes. Sa découverte aurait guéri d'innombrables pathologies et permis de comprendre le fonctionnement du cerveau ! Avant que les gens de votre espèce n'arrivent à détourner le vrai but de ses recherches, ça n'aurait tué personne !

Gassner eut un mouvement d'impatience. Greg tressaillit et se tut. Le colonel demanda :

— Puis-je savoir ce que vous avez jeté au feu ? Car je présume que c'est vous qui étiez en train de détruire des documents ?

— Qui êtes-vous pour exiger cela ? Faites-moi voir votre mandat de perquisition ! s'entêta Greg.

Gassner dégaina son arme et la pointa sous le nez de son interlocuteur.

— Ça vous va comme réponse ? Laissez-moi vous faire le topo : vous avez volontairement détruit les éléments cruciaux d'une enquête de sécurité nationale, monsieur Hyson. Personne ne sait que vous êtes ici. Si j'en donne l'ordre, on vous embarque et vous irez pourrir le reste de vos jours au fin fond d'une prison qui n'existe même pas officiellement. Ni procès ni dossier. Rayé de la surface de la terre. Vous n'existerez plus. Alors je vous conseille de vous montrer plus coopératif. Laissez-nous faire notre job. Nous voulons les comptes rendus des expériences du professeur.

Greg ne bougea pas. Gassner s'emporta d'un coup :

— Est-ce qu'ils sont en train de brûler à l'étage du dessus ? Oui ou non ?

— Oui, obtempéra Greg.

— En existe-t-il des copies ?

Greg hésita, puis baissant les yeux, répondit :

— Plus aucune.

— Connaissez-vous suffisamment les travaux du professeur pour pouvoir nous dévoiler ses résultats ?

Greg paniquait complètement. Il ne s'attendait pas à les voir débarquer, il ne pensait pas avoir à les affronter face à face. Parmi les idées les plus folles qui traversaient son esprit, il prit soudain conscience que certains fichiers essentiels étaient toujours dans l'ordinateur, juste derrière lui. L'analyse des séquences de marquage pouvait mettre ce type et ses experts sur la voie. Il réfléchit à toute allure. En faisant semblant de céder, il pourrait en profiter pour tout détruire. Il se leva, mais aussitôt Wayne lui posa le canon de son revolver dans le dos. Greg se tourna vers le colonel les mains en l'air et demanda :

— Je peux vous montrer quelque chose ?

Gassner acquiesça et l'autorisa à marcher librement. Les deux hommes s'approchèrent de l'unité principale toujours allumée. Wayne suivait Greg pas à pas, son arme pointée. Greg s'assit face à l'ordinateur et tapa une séquence chiffrée sur le clavier en disant :

— Vous allez voir.

— Pourquoi cette soudaine bonne volonté ? interrogea Gassner, méfiant.

Greg continua comme s'il n'avait rien entendu. Chiffres et lettres lui venaient comme par réflexe, il avait fait cela tant de fois avec Marc et Cathy. Plus que quelques lignes de code, et il aurait réussi…

Gassner se pencha jusqu'à pouvoir lui murmurer à l'oreille :

— Qu'avez-vous derrière la tête, monsieur Hyson ?

Greg sourit avant de répondre :

— Rien, rien du tout. Vous voulez savoir, alors j'obéis…

— Il est en train de tout détruire ! s'exclama Wayne.

Gassner empoigna Greg par l'épaule et tenta de l'écarter du clavier, mais celui-ci se cramponnait, continuant à taper avec frénésie, les yeux rivés à l'écran. L'agent s'approcha pour prêter main-forte à son chef, mais Hyson résista.

Le coup de feu partit sans que personne ne s'y attende. Greg sursauta et porta les mains à son flanc. L'auréole de sang gagnait déjà tout son bassin. Gassner se releva, stupéfait ; Wayne s'écarta, son arme encore fumante à la main.

L'agent jeta un regard ahuri à son supérieur. Au coup de feu, les autres s'étaient précipités vers la cave. Wayne n'avait jamais perdu son sang-froid. L'équipe était à bout de nerfs, une bavure était prévisible, mais ce qui venait de se produire allait bien au-delà. Greg était la seule personne capable de leur en apprendre davantage sur la découverte du professeur. Wayne venait d'ouvrir le feu sur leur unique chance…

Quatre hommes remontèrent Greg et l'étendirent sur le canapé devant la cheminée. Il haletait et perdait rapidement son sang.

Le médecin de l'équipe découpa la chemise imbibée. La blessure était vilaine et l'hémorragie impossible à contenir sans équipement lourd. Le toubib adressa un regard sans équivoque au colonel, qui s'approcha du blessé en éloignant ses agents :

— Greg, écoutez-moi. Vous devez me dire ce que Destrel avait découvert, je vous en supplie.

Les yeux affolés du blessé sautaient d'un visage à l'autre, implorant de l'aide, cherchant désespérément quelqu'un qui puisse le sauver. En vain. Alors, résigné à en finir, Greg agrippa Gassner par sa veste et lâcha dans un dernier souffle :

— Prie le Ciel que je ne te retrouve pas…

4

Un baraquement miteux au fond de la zone technique, c'est tout ce qu'il avait obtenu. Et encore, il avait dû batailler ferme, faire jouer les appuis. On lui avait assigné un petit bâtiment désaffecté, derrière l'atelier d'entretien des voitures, plus loin que la chaufferie, à la limite de la zone militairement gardée. La pluie martelait les tôles ondulées ; il faisait froid, mais au moins, si loin et en pleine nuit, il avait la paix.

Avec précaution, Gassner sortit des caisses la dernière pile de documents à demi brûlés. Il la déposa sur un coin de table déjà bien encombré. Éplucher cette masse de documentation en quelques heures ne l'effrayait pas. Cela lui rappelait l'université, à l'époque où il se destinait encore à une carrière scientifique. Gassner n'avait pas la prétention de pouvoir comprendre ce que renfermaient ces dossiers, il comptait simplement sur son flair pour dénicher quelques feuilles intéressantes capables de convaincre sa hiérarchie.

D'un geste las, il attrapa la boîte d'archives qu'il venait de vider et se dirigea vers la porte de son taudis. Il fit coulisser le verrou et ouvrit. L'allée battue par la pluie était déserte. Par-dessus les toits des hangars, il apercevait le bel immeuble illuminé qui servait de quartier général à l'Agence. Là-bas, il y avait de la moquette épaisse et des sièges en cuir, les baies vitrées des façades étaient nettoyées deux fois par semaine. Il devait y faire chaud. Gassner siffla un coup bref. Surgissant d'un recoin abrité, le militaire de garde apparut. Le jeune homme s'avança sous la pluie.

— Vous êtes encore là, mon colonel ? demanda le soldat.

— Et bien décidé à y rester. Si je m'éloigne, ils sont capables d'en profiter pour tout balancer à l'incinérateur.

Poussant la boîte du pied, il ajouta :

— Mettez-la aux ordures avec les autres, c'est la dernière. Après, je vous fiche la paix.

— Bien, mon colonel.

Le soldat saisit la boîte de carton brun et s'éloigna à petites foulées dans la nuit.

Gassner inspira une grande bouffée d'air frais et rentra sans oublier de s'enfermer. D'un revers de manche crasseuse, il essuya les gouttes de pluie sur sa figure. À présent, son visage aussi était sale.

Le retour à Washington ne s'était pas bien passé. Comme prévu, il avait reçu l'ordre de plier bagages à Londres et de se présenter avec ses hommes dans les plus brefs délais au siège de l'agence de contre-espionnage, la toute-puissante NSA.

Dès leur arrivée à l'aéroport, on leur avait bien fait sentir que ce ne serait pas facile. D'abord, il y avait eu le camion de transport de troupes dans lequel ils avaient été obligés de s'entasser avec les caisses d'archives et les bagages, puis l'arrivée à l'Agence.

Comme souvent en cas d'échec de la mission, les hommes avaient été immédiatement séparés de leur supérieur pour être interrogés les uns après les autres. À chacun, on allait demander son analyse du fiasco, puis les bandes enregistrées seraient décryptées par des cohortes de secrétaires ; ensuite, des bataillons d'experts en feraient de volumineux rapports à charge et le tout serait tamponné d'un impressionnant « secret défense ». Gassner passerait sur le grill en dernier. Des mois plus tard, un ponte de la Maison Blanche entouré de ses conseillers spéciaux déciderait, entre deux réunions géopolitiques stériles, à qui faire porter le chapeau du ratage.

Être déclaré responsable et voir sa carrière brisée laissait pourtant Frank Gassner complètement indifférent. Il n'avait que faire des médailles et de l'avancement accordé par des bureaucrates aux ordres des politiques. Ce qu'il aimait, c'était son métier. Chercher à comprendre, pister les scientifiques, voir venir et anticiper. C'était sa vie. Il aurait pu devenir un bon chercheur, mais, peut-être par manque de confiance en lui, il avait préféré saisir l'opportunité que lui avait offerte le gouvernement : aider la sécurité nationale à se tenir informée des progrès naissants. Il combinait de bonnes connaissances scientifiques et un sens aigu de la tactique. Quelques beaux succès lui avaient valu une excellente réputation, y compris chez les services secrets des pays concurrents. Pour la première fois, il venait d'échouer, mais avec ce coup-là, il décrochait la palme du plus beau loupé de l'Agence. Les conséquences étaient incalculables, pour lui et pour l'image des services de renseignement. Comment avait-il pu en arriver là ?

Depuis des années, lorsqu'il ne passait pas ses nuits à plancher sur des urgences, il se levait chaque matin aux aurores, avec l'obsédante volonté de connaître le professeur Destrel sous tous ses aspects. Au début, il avait fait son travail comme un bon agent de renseignement scientifique, mais rapidement, il s'était pris au jeu. Le professeur était très doué et ses découvertes de premier ordre. Gassner avait mis un point d'honneur à le suivre comme une ombre, à découvrir l'objet de ses recherches avant tout le monde. Les premiers temps, tout avait été facile. La vie du professeur et de son épouse était limpide et simple ; ses découvertes compréhensibles et d'une portée technique accessible. Peu à peu pourtant, Destrel s'était attelé à des sujets autrement plus complexes, s'engageant sur des voies scientifiques jusque-là inexplorées. Sa réputation grandit et Gassner ne fut plus le seul à le surveiller de près. D'autres nations s'intéressaient désormais au couple. Alors, il s'était acharné de plus belle. Il avait eu connaissance de chacun des déplacements de Destrel. Il possédait des dossiers sur tous ses proches. Il avait entendu la majeure partie de ses conversations, lu la plupart de ses correspondances. Il connaissait chacune de ses manies, sa façon de manger, il pouvait décrire son horrible pyjama préféré, toutes ses habitudes. La vie du couple n'avait aucun secret pour lui. Et pourtant, en deux jours, tout avait dérapé.

Aujourd'hui, Destrel et sa femme étaient morts, leurs découvertes introuvables, peut-être perdues à jamais, et Gassner attendait son tour pour se justifier avant une mise au placard en règle.

Face au bric-à-brac saisi en Écosse, Gassner s'assit sur l'unique chaise rouillée au dossier fendu. Il soupira et attrapa le jeu de photos réalisé par ses hommes. Il n'arrivait pas à se concentrer. Trop de fatigue, trop de sentiments contradictoires.

De façon paradoxale, le fait d'être remis en cause professionnellement et séparé de ses adjoints n'était pas son premier motif de désarroi. La disparition brutale du professeur et de son épouse le touchait bien davantage. Avec eux, Gassner jouait au chat et à la souris depuis des années et soudain, Destrel avait quitté la partie. Le colonel était non seulement en deuil de quelqu'un qui lui était en définitive très proche, mais aussi de celui qui était devenu sa principale raison de vivre. Il était frustré de ne pas pouvoir achever un puzzle depuis longtemps commencé.

Gassner et Destrel ne s'étaient jamais adressé la parole. Ils n'avaient même pas échangé un regard. Le professeur ignorait d'ailleurs certainement jusqu'à l'existence de cet agent qui le suivait comme une ombre. Souvent, le colonel s'amusait de cette relation intime à sens unique. Il y trouvait quelque chose de surréaliste. Pendant des années, il s'était rarement tenu à plus de quelques dizaines de mètres de son sujet. Gassner avait organisé sa vie en fonction des déplacements des Destrel. Il les suivait en vacances. S'ils allaient à la neige, il chaussait ses skis ; s'ils rentraient de Floride, il était bronzé.

Quel que soit l'angle sous lequel le colonel abordât la situation présente, il en revenait toujours à ce blocage, à cette rage impossible à exprimer. Il n'acceptait pas que tout se soit achevé ainsi, dans un sordide bain de sang. Plus il songeait à la fin des Destrel, plus il avait la conviction que quelque chose lui avait échappé. Son instinct et un flair affiné au fil des années lui soufflaient qu'il devait y avoir autre chose. Derrière les apparences, il devinait une autre réalité qu'il ne parvenait pas à saisir. Il en était certain. Il devait chercher ailleurs que dans la logique ou la version officielle. Une partie de la solution se trouvait peut-être devant lui, dans l'impressionnante masse de documents et d'équipements informatiques saisie chez le professeur. Il lui fallait tout passer au peigne fin. Personne ne l'aiderait.

Si ses estimations étaient exactes, il lui restait un peu plus de vingt-quatre heures avant d'être convoqué. Le temps pour ses hommes d'être entendus.

D'ici là, il lui fallait tout lire, tout reprendre point par point pour avoir une chance de comprendre. Il n'y avait plus que cela qui comptait. Il n'avait plus rien à perdre. Il remonta ses manches noires de suie et se remit au travail.

5

L'homme en survêtement militaire bleu s'arrêta devant le bâtiment F 8. Jusqu'à ce matin, il ignorait même que l'Agence avait des locaux aussi délabrés sur son domaine. Il tenait à la main un petit sac en plastique. Il évita les larges flaques d'eau que le soleil matinal n'avait pas encore asséchées et, d'un bond puissant, sauta sur le perron métallique. Il essaya d'ouvrir la porte, mais elle était verrouillée. Il frappa. Devant l'absence de réponse, il fit le tour du baraquement, mais il n'y avait aucune fenêtre. Il revint vers la porte et frappa cette fois avec le plat de la main, beaucoup plus fort.

Il s'apprêtait à renoncer lorsque la porte s'entrebâilla. Gassner passa la tête, aussitôt ébloui par la lumière.

— Dumferson, qu'est-ce que vous faites là ? demanda-t-il.

L'homme dévisagea son supérieur, incapable de répondre. Il ne l'avait jamais vu ainsi, débraillé, avec une barbe de deux jours, les yeux rougis de fatigue.

— Eh bien qu'est-ce qui vous arrive, fit Gassner, ils vous ont arraché la langue ?

— Mon colonel, bafouilla Dumferson, je suis venu vous apporter à manger et vous dire…

— Rentrez, ne restons pas dehors, ça grouille d'oreilles indiscrètes.

Dumferson pénétra dans le bâtiment. Gassner referma derrière eux et verrouilla. Il fallut aux yeux de l'agent quelques instants pour s'habituer à la pénombre du lieu.

— Pardonnez-moi, mon colonel, mais vous êtes dans un sale état… Vous devriez dormir un peu.

Dumferson étudiait les yeux cernés de son chef. Au-delà de l'état d'épuisement visible, il reconnaissait ce regard pétillant, celui qui signifiait que le colonel était sur une piste et qu'il n'y aurait de repos pour personne avant d'avoir trouvé…

Non sans fierté, Gassner désigna son installation d'un mouvement du menton. Dumferson pivota et découvrit l'étonnante reconstitution du laboratoire des Destrel.

En s'aidant des clichés, Gassner avait disposé à l'identique les ordinateurs et tous les appareils saisis sur des tables de fortune. Avec de vieux clous et des ferrailles récupérées, il avait accroché les graphiques aux murs crasseux comme sur les photos et partout, sur le sol poussiéreux, jusque dans les recoins sombres du local, s'alignaient des documents répartis en petits tas soigneusement triés et empilés.

— Alors, qu'en pensez-vous ? fit Gassner. Je commence à peine à comprendre. Nous n'avions jamais eu la chance de lire directement leurs notes de travail personnelles. Je n'ai pas encore étudié tous les détails mais sur les grandes lignes, j'entrevois le but de leurs recherches. C'est inimaginable !

Dumferson se retourna vers le colonel. Au vu de ce travail insensé, ce qu'il avait à lui annoncer était encore plus difficile.

— Mon colonel…

Gassner n'entendit pas et poursuivit avec enthousiasme :

— On a bien fait de tout embarquer. Je savais que

quelque chose clochait dans leur disparition. Il va sûrement nous manquer des éléments, mais on devrait pouvoir s'en sortir avec ce qu'on a sauvé. Hyson n'a pas eu le temps de tout détruire – une chance pour nous ! Ils ont fait un truc avec un casque, ils parlent de « marquage ». Je ne sais pas encore précisément de quoi il s'agit, mais je vais trouver et je vais même essayer. D'après les horloges internes des ordinateurs, c'est ce qu'ils ont fait juste avant de quitter leur maison. Il y a d'autres éléments, plus généraux, sur leur découverte. C'est une mine d'or ! Sur certains points techniques précis, il faudra que les gars du labo informatique me donnent un coup de main et on pourra lancer…

— Mon colonel, coupa Dumferson d'une voix ferme.

— Quoi ?

— C'est fini. Notre équipe est dissoute et le projet est classé. Ils vous attendent…

Gassner reçut la nouvelle comme un coup de poing. Hébété, il bredouilla :

— Maintenant ? Déjà ?

— Oui. Ils en ont terminé avec nous. Malgré les pressions qu'ils ont exercées, ils n'ont pas réussi à convaincre les gars de vous charger. On est restés solidaires.

— C'est bien, je n'avais aucun doute sur vous tous, fit Gassner en lui posant la main sur l'épaule avec un sourire.

Dumferson baissa les yeux et ajouta :

— Je crois qu'ils vont vous mener la vie dure.

— Ne vous inquiétez pas, ils ne peuvent pas arrêter la mission maintenant. Je sens que j'approche de la solution, mais j'ai encore besoin de vous tous, des budgets. On n'a pas fini le boulot ! C'est énorme !

— Mon colonel, avalez un sandwich et allez-y. Ne les faites pas attendre, vous savez comment ils sont.

Avec un bruit feutré, la porte d'ascenseur s'ouvrit sur l'étage du commandement opérationnel. Gassner n'avait pas eu le temps de se changer. Il remonta le couloir. Tous ceux qu'il croisait le dévisageaient. Au milieu des uniformes rutilants, sa tenue sale et fripée tranchait.

Il pénétra dans le secrétariat privé du général Morton. En le reconnaissant, Martha, la secrétaire, bondit de son siège et contourna son bureau.

— Frank ! s'exclama-t-elle. Mais où donc étiez-vous ? Le général vous cherchait et j'étais inquiète.

Réalisant à quel point il était négligé, elle fronça le sourcil avant de lui adresser un sourire compatissant. Elle ajouta en secouant la tête :

— Mon pauvre Frank. Ils vous en auront fait voir de toutes les couleurs.

Elle se pencha vers lui et, baissant le ton, ajouta :

— Vous savez, le général est d'une humeur de chien…

Gassner soupira tristement.

— Ma pauvre Martha, j'ai bien peur que votre héros n'en soit plus un. Ils vont essayer de me broyer.

— Ne dites pas cela ! Le général vous a toujours soutenu. Il vous aime bien.

— On va être vite fixés. Il est seul ?

Martha eut l'air embarrassé :

— Il y a des fédéraux et un type de la CIA. Ils ont vraiment l'air de croque-morts.

— Je ne suis pas certain que leur présence soit un gage d'affection…

Gassner se dirigea vers la porte du bureau du général. Martha lui attrapa le bras et souffla :

— Soyez prudent, Frank. Ils n'ont pas l'air commodes et je n'ai jamais vu le général dans cet état…

Gassner lui serra doucement la main.

— N'ayez aucune inquiétude, répondit-il. J'ai quelques bonnes cartes dans ma manche. Je vous raconterai.

Lorsque Gassner entra, les conversations cessèrent et tous les regards convergèrent vers lui. Solennel, le général Morton se tenait derrière son grand bureau. Sur la droite, trois hommes en civil, costume strict gris foncé, étaient assis face à une chaise vide. Un peu en retrait, un aide de camp se tenait devant un magnétophone, prêt à tout enregistrer. Aucun doute n'était possible, l'ambiance était celle d'un tribunal. Tous détaillèrent le colonel de la tête aux pieds. Le général semblait particulièrement gêné de découvrir son officier dans un état aussi piteux.

— Mon général, commença aussitôt Gassner, je suis heureux que ce soit avec vous que l'on règle ça parce que…

— Colonel, l'interrompit froidement le gradé, ceci est un entretien préliminaire officiel.

— Préliminaire à quoi ? demanda Gassner.

Son supérieur ne daigna pas répondre et présenta directement ses voisins.

— Nous avons ici messieurs Kelman, représentant du gouvernement pour les affaires scientifiques, Travis, de la CIA, et Delware, du FBI.

Gassner resta impassible. L'agent de la CIA intervint, la mine dégoûtée :

— C'est à cet homme-là que vous aviez confié la mission ?

Mal à l'aise, le général Morton ne releva pas.

— Asseyez-vous, colonel Gassner, ordonna-t-il. Nous sommes ici pour essayer de tirer les conséquences de ce qui s'est passé en Grande-Bretagne.

— Sauf votre respect, mon général, il est trop tôt.

— Écoutez, Gassner, ne me compliquez pas la tâche. Je connais vos états de service et nous en tiendrons compte. Je n'aime pas plus que vous vous voir ici, sale comme un clochard et en infraction sur tous les points du règlement militaire. Nous allons vous poser des questions et vous allez y répondre. C'est tout.

— Mais mon général, certains éléments n'ont pas encore été portés à votre connaissance !

Le général pivota vers son aide de camp et grogna :

— N'enregistrez pas ce que je vais dire.

Il se tourna vers Gassner et, la mâchoire crispée, lâcha :

— Frank, pour une fois vous allez faire ce que l'on vous dit. Nous sommes tous dans le même bain. J'ai Washington sur le dos. Les huiles de la Maison Blanche sont furieuses. Le Congrès va demander des comptes. Tous les services secrets du monde se payent notre tête, mais ce n'est pas le plus grave. Il semblerait que la découverte des Destrel ait été exceptionnelle.

— Elle l'est effectivement, coupa Gassner.

Le général resta interloqué.

— Reprenez l'enregistrement, demanda Delware.

— Que voulez-vous dire ? interrogea Morton.

— Depuis notre retour, expliqua Gassner, je passe au crible tous les documents que nous avons sauvés de la destruction ainsi que leurs archives informatiques. Je n'ai pas encore eu le temps de recouper toutes les données, mais j'ai au moins acquis une certitude : l'affaire ne s'arrête pas avec la mort des Destrel.

— Expliquez-vous ! gronda le général.

— Nous avons été manipulés par les deux scientifiques. Si vous étudiez soigneusement les bandes vidéo filmées à l'aéroport, vous verrez que ce n'est pas par accident que le professeur a tiré sur son épouse.

— Vous divaguez ! intervint Kelman, l'expert scientifique du gouvernement. Leur attachement était notoire, nous avions même préconisé que vous vous en serviez pour faire pression.

Gassner ne se démonta pas.

— Je crois que le professeur Destrel a délibérément tué sa femme parce qu'il l'aimait et voulait la protéger.

La stupéfaction se lut sur tous les visages. Travis ricana.

— Mon pauvre Frank, déclara le général d'une voix triste, manifestement, vous délirez. Je ne vous voyais pas sombrer sur un échec, mais il faut se rendre à l'évidence.

— Comprenez-moi, mon général, se défendit Gassner. Je ne vous demande pas de me croire sur parole, laissez-moi quelques jours et vous aurez les preuves de ce que j'avance. La partie n'est pas terminée !

Morton interrogea du regard les hommes en costume.

— Deux jours, insista Gassner, c'est tout ce que je réclame.

Le général regarda sa montre pour se donner contenance.

— De toute façon, nous n'avons plus le temps, dit-il.

— Vingt-quatre heures ! supplia le colonel.

— J'ai une semaine chargée et tout doit être réglé aujourd'hui, continua le général sans même lui prêter attention. Je vous propose donc de nous retrouver ici même à 19 heures pour clore le dossier.

Le FBI et la CIA opinèrent.

— Pourrai-je avoir accès aux pièces saisies ? demanda l'expert du gouvernement.

Le général acquiesça et se leva pour abréger l'entretien. Il s'adressa à Gassner :

— Dès ce soir, je veux que toutes les archives de l'affaire Destrel soient transférées au bureau du gouvernement. Pas d'histoires, colonel, et prenez une douche avant de revenir tout à l'heure.

6

L'après-midi passa trop vite. Pour la première fois de sa carrière, Gassner allait désobéir à un ordre. Il n'avait pas l'intention de lâcher cette mission.

D'un pas décidé, le colonel entra dans le hall du quartier général. Il portait son uniforme des grandes occasions. Il était impeccablement coiffé et rasé de près. Sur sa poitrine, cinq médailles alignées tintaient au rythme de ses pas vifs. Son ceinturon blanc lustré contrastait sur sa veste bleu marine et marquait sa taille. Le planton de garde fut si impressionné par sa prestance qu'il n'osa même pas vérifier son badge d'accès. Il se mit aussitôt au garde-à-vous.

Gassner se dirigea vers l'ascenseur. Dans la cabine, il vérifia rapidement son reflet dans le miroir. Il ajusta son col et rectifia sa casquette galonnée. Il ne manquait pas d'allure. Sa carrure et son regard bleu faisaient leur petit effet. D'une main, il se massa la tempe. Décidément, ce maudit mal de crâne ne le lâchait pas.

Il avait trente minutes d'avance sur l'heure de la réunion, mais comptait dessus pour trouver le général seul dans son bureau.

Arrivé à l'étage, Gassner ne rencontra plus que la permanence de garde. Le secrétariat du général était

42

désert. Martha était partie plus tôt ce soir-là. Dommage. Gassner aurait bien aimé la voir. Depuis toutes ces années qu'ils se connaissaient, elle avait toujours été gentille avec lui. Ils avaient eu de bons moments ensemble. Il leur était même arrivé d'aller prendre un verre. Ce soir, plus que jamais, il aurait eu besoin de son affectueuse complicité.

Il salua le permanent de faction et se dirigea sans hésiter vers le bureau du général. Il frappa et entra sans attendre la réponse. Dans le halo lumineux de sa haute lampe cuivrée, Morton était occupé à lire un rapport. Il leva les yeux.

— Vous êtes en avance, colonel.

— Je sais, mon général, mais je souhaitais vous voir seul à seul.

— Désolé, je n'ai pas le temps. De toute façon, ce n'est plus moi qui décide.

Le général baissa les yeux et fit mine de se concentrer sur la page qu'il tenait.

Gassner s'approcha du bureau et déclara d'une voix monocorde :

— Ce n'est pas grave. Cela n'a plus d'importance.

— J'ai de l'estime pour vous, Gassner, argumenta Morton, et je vous assure que si tout ce merdier dépendait de moi, ça ne se passerait pas comme ça. Mais que voulez-vous, cette fois-ci, ça me dépasse…

— Vous ne m'avez pas compris, mon général. Je vous ai dit que cela n'avait aucune importance.

Morton, surpris par le ton sec de la remarque, se redressa et dévisagea son subalterne. Gassner reprit :

— Je ne suis pas venu vous demander une faveur ou une protection. J'ai toujours fait mon job du mieux que je le pouvais, en faisant attention à mes gars et en servant les intérêts de mon pays. J'ai la conscience tranquille.

— Alors que voulez-vous ?

— Vous dire que vous commettez la plus grande erreur de votre vie.

Le général lâcha sa feuille.

— Colonel, vous dépassez les bornes !

Morton allait se mettre en colère, mais Gassner le coupa :

— Je démissionne, mon général.

— Cela ne changera rien aux sanctions, rétorqua le général. Même si vous me remettez votre lettre ce soir, ça ne vous sauvera pas : ils antidateront le rapport.

— Vous ne comprenez toujours pas, mon général.

Avec sérénité, Gassner porta la main à sa ceinture et d'un geste souple, dégaina son revolver.

— Frank, ne faites pas de bêtise ! s'alarma le général en se levant. Posez cette arme !

Il recula d'un pas.

— J'ai été heureux de servir sous vos ordres, mon général, mais cette fois, vous avez tort. Je vous le dis, c'est la plus grande erreur de toute votre existence.

— Frank, vous n'êtes pas dans votre état normal. Ressaisissez-vous ! Si vous me remettez calmement votre arme maintenant, j'oublierai ce qui vient de se passer. Cela restera entre nous. Je vous donne ma parole qu'il n'y aura pas de sanction disciplinaire.

Morton était en sueur et ses mains tremblaient.

— Inutile d'avoir peur, mon général. Vous ne risquez rien. Pour vous, l'affaire Destrel est terminée. Pour moi, elle ne fait que commencer. Je vais les retrouver.

Lentement, sous le regard horrifié du général, Gassner retourna le canon de l'arme contre lui. Il l'appliqua sur son cœur et fit feu. Il s'effondra sur le tapis, mort.

Désormais, sa vie était ailleurs.

7

C'était la plus belle période de l'année, celle qu'ils attendaient tous avec l'impatience de leur âge. L'été était là. Une fois le semestre de cours achevé, ils n'avaient plus rien d'autre à faire que de se retrouver pour faire la fête en attendant les résultats des concours. Plus question d'horaires, de contraintes ou de problèmes existentiels sur ce qu'ils allaient devenir, seul le présent comptait. Les jours étaient baignés de soleil et les nuits trop courtes. L'université de Madrid prenait des allures d'auberge de jeunesse. La vénérable institution se métamorphosait, l'atmosphère studieuse n'était plus de mise et les étudiants s'interpellaient d'un bâtiment à l'autre par les fenêtres grandes ouvertes. On entendait de la musique, les tubes à la mode que des voix hilares reprenaient en chœur.

Avant de se quitter, tous vivaient à fond cette période magique d'amitié et d'insouciance. Les étudiants en bermuda et chemise ouverte avaient troqué leurs livres contre des raquettes et des vélos. Les filles, belles comme savent l'être les jeunes Espagnoles, allaient de rendez-vous en soirées, se promenant en petits groupes que l'on entendait rire dans toute la ville. Tous se retrouvaient, s'amusant et flirtant, jeunes, libres.

Comme souvent, les troisième année de fac de langues s'étaient donné rendez-vous à l'ouest de la ville, au bord de l'Henares. À coups de SMS, de portable en portable, la nouvelle s'était répandue. Il fallait peu de temps pour alerter la bande. Tous s'entassaient dans quelques voitures pour rouler en klaxonnant sur les petites routes vallonnées et sinueuses. Leur point de ralliement se trouvait au bout d'un chemin de campagne perdu entre deux plantations d'orangers, au pied des falaises du plateau Piniete. L'eau de la rivière y était fraîche et ses berges désertes. À cet endroit, le flot n'était pas trop profond mais le courant puissant. Un terrain de jeu idéal. Personne ne leur disputait ce petit coin de paradis. Disséminés par groupes, garçons et filles prenaient possession des grands rochers surplombant les méandres du cours d'eau. La joyeuse troupe dépensait son énergie en chahutant. Les garçons multipliaient les démonstrations de force et les paris stupides sous les yeux amusés des filles. L'après-midi s'écoulait au rythme des plongeons et des couples qui se formaient.

Un peu à l'écart, Valeria s'était étendue sur une dalle rocheuse chauffée au soleil. Les yeux perdus dans le bleu du ciel, elle écoutait d'une oreille distraite ses amis chahuter. Leurs voix s'évanouissaient parfois, couvertes par le bruissement des feuilles agitées par le vent léger. Sa main caressait la pierre tiédie, son regard se perdait dans le bleu du ciel. Elle avait nagé un peu, puis avait préféré aller se reposer sur les plus hauts rochers avant que les garçons n'aient l'idée de la précipiter dans l'eau. Sous les rayons qui lui doraient la peau, elle ne songeait à rien en particulier. Elle s'abandonnait simplement au climat d'euphorie complice.

— Tu ne veux plus te baigner ? lui demanda Sofia, venue chercher à boire dans son sac posé à côté.

— Pas pour le moment. Les mecs n'ont pas l'air décidés à nous laisser tranquilles.

— Et alors ? On est plus nombreuses, nous aussi on peut les jeter dans la rivière !

Valeria fit une moue désapprobatrice.

— Ce serait l'escalade, dit-elle, et quand il s'agit de faire les idiots, ils ont toujours le dernier mot.

— Alors, à plus tard !

— Bonne chance !

La jeune femme dévala les marches naturelles que la rivière avait sculptées au fil du temps. Valeria ferma les yeux. À travers ses paupières closes, la lumière du soleil filtrait, teintée de rouge. Elle passa les doigts dans ses longs cheveux bruns qu'elle étala sur sa serviette pour qu'ils sèchent. Un frisson de bien-être la parcourut. Elle se laissa envahir par le bonheur de l'instant. Elle savourait cet après-midi comme une parenthèse. Au soleil, il n'y avait plus de soucis ; au bord de l'eau, plus de travail ; entre amis, plus de peurs. Elle prit une longue inspiration, comme pour s'imprégner de cet état de grâce.

Les gouttes d'eau froide qui tombèrent sur sa peau tiédie la firent frémir. Elle ouvrit les yeux. Bien qu'aveuglée dans le contre-jour, elle reconnut tout de suite sa haute silhouette. Il s'ébrouait comme un jeune chien, tout heureux de son mauvais tour.

— Merci, Diego ! J'étais presque sèche.

— Désolé, je n'ai pas pu résister !

Le jeune homme bien bâti posa un genou au sol. Il fit mine de se calmer puis soudain, par surprise, déposa un baiser sur le nombril de Valeria. La jeune femme eut un sursaut en sentant le visage ruisselant se plaquer contre son ventre. En riant, elle agrippa la tête de son compagnon et la frictionna avec vigueur.

Ils retombèrent tous les deux l'un près de l'autre.

— Diego, tu es fou, déclara Valeria solennellement.

— De toi, oui.

Elle sourit. Il se redressa sur un coude et la contempla. Elle avait les traits fins, une peau hâlée et un petit quelque chose qui trahissait sa vitalité. Diego n'attendait qu'une chose : qu'elle ouvre les paupières pour apercevoir ses grands yeux verts.

— Viens avec nous à Malaga, demanda-t-il.

Elle se tourna vers lui.

— Je ne peux pas, tu le sais bien.

Elle posa un index sur son torse nu. Avec délicatesse, elle se mit à suivre du doigt les gouttes qui y roulaient. Diego paraissait triste.

— C'est notre été, dit-il. Je ne serai peut-être plus à Madrid à la rentrée.

— Je sais, dit-elle. Cela ne me fait pas plus plaisir qu'à toi. Mais tu dois me comprendre. C'est important pour moi. C'est ma seule chance. Si je n'y vais pas cette année, je n'irai probablement jamais et je veux en avoir le cœur net. Après, je te rejoindrai.

— Laisse-moi au moins venir avec toi.

Elle caressa ses pectoraux de ses longs doigts fins.

— Non, Diego. Je n'y vais pas pour m'amuser. On n'a pas assez d'argent pour se payer des vacances là-bas, et puis il pleut tout le temps. La dame de l'agence de voyages m'a même dit que les portables ne passaient pas.

— On dirait que tu veux te débarrasser de moi.

— Ne sois pas bête. Je crois juste qu'il est préférable que j'y aille seule.

Soudain, Diego la regarda étrangement :

— Tu es bien certaine d'y aller seule ?

Valeria se redressa.

— Bien sûr, qu'est-ce que tu crois ? Que je te laisse pour aller rejoindre mon amant ?

Pris en flagrant délit de jalousie, Diego baissa les yeux. Il marmonna :

— Sacrifier notre été pour un cauchemar, je trouve ça trop bête.

— Ce n'est pas un cauchemar, c'est un rêve. Et je le fais depuis que je suis toute petite.

— N'empêche que si cette cinglée de Lola ne t'avait pas montré cette photo, tu n'aurais jamais su que l'endroit existait en vrai et tu resterais avec moi.

— Grâce à « cette cinglée de Lola », comme tu dis, je vais peut-être enfin pouvoir comprendre pourquoi je fais ce rêve depuis si longtemps.

Diego s'assit en tailleur et attira Valeria dans ses bras. La jeune femme s'abandonna contre sa poitrine.

— Je sais que c'est important pour toi, dit-il. Mais notre vie à tous les deux, elle n'est pas importante, elle aussi ?

— Évidemment que si. Après ce voyage, je compte bien savoir à quoi m'en tenir. Peut-être que le fait d'aller sur place mettra fin à ce rêve. Peut-être qu'enfin, je ne le ferai plus. Ces derniers temps, il revient de plus en plus souvent. Depuis que je sais que cette chapelle existe, j'y pense tout le temps. Je vois un chemin, la porte d'entrée, le lierre autour de la fenêtre, la toiture de pierre. C'est étrange, j'ai l'impression de pouvoir le toucher tellement cela semble réel…

— Alors va voir ton rêve, dit-il en l'embrassant.

— Tu sais, découvrir cette photo m'a fait un choc. Je m'étais faite à l'idée que tout cela n'existait que dans mon imagination. Quand je l'ai vue, mon cœur s'est mis à battre, mon cerveau a commencé à s'emballer.

— Peut-être as-tu déjà vu cette photo quand tu étais toute jeune sans que tu en aies conscience ?

— Non, il y a autre chose.

Au bord de l'eau, une jeune fille criait en tentant d'échapper aux quatre gaillards qui la poursuivaient.

Valeria s'empara du visage de Diego et l'embrassa avec fougue.

— Oublions tout ça pour aujourd'hui, dit-elle en se levant. Allons nous baigner.

8

— Ma perception a changé.
— Que voulez-vous dire ?
— La conscience se réveille. Je sens leurs esprits.
— Où sont-ils ?
— La sensation est trop diffuse pour les localiser.
— Quand pensez-vous y parvenir ?
— Qui sait ? Je ne suis que médium. C'est un don qui n'a que faire de votre obsession du contrôle.

Lorsque les roues de l'Airbus touchèrent enfin la piste de l'aéroport de Glasgow, Valeria ne fut pas surprise : il pleuvait. Instinctivement, elle se recroquevilla comme pour se protéger de la grisaille écossaise. Autour d'elle et malgré la consigne, les groupes d'enfants et les passagers se levaient déjà pour sortir. Valeria resta assise à sa place, seule, les yeux perdus au-delà du hublot que les gouttes striaient presque à l'horizontale. La jeune femme éprouvait un sentiment inconnu, déstabilisant. Elle qui avait pour habitude, comme tous les jeunes de vingt ans, de se déplacer avec sa petite bande se retrouvait pour la première fois isolée, loin des siens et des visages familiers qui faisaient partie de sa vie. Elle se sentait perdue. Elle eut une pensée pour Diego et ses amis qui devaient se la couler douce au soleil de la côte espagnole. Peut-être avait-elle fait une erreur en venant ici, à la poursuite de ce que tous les autres considéraient comme une chimère…

Elle se reprit vite : elle était juste fatiguée du voyage et pressée d'arriver. Afin que le périple lui coûte moins cher, elle avait pris un premier charter pour Paris puis un autre vers l'Écosse. Son vol de retour était prévu trois jours plus tard – cela lui laissait assez de temps pour aller voir la chapelle, l'étudier sous toutes les coutures, faire quelques photos et rentrer vers le soleil.

Valeria ne savait pas exactement comment qualifier son voyage. Elle le ressentait comme un étrange mélange de tourisme et de pèlerinage. Elle en espérait beaucoup sans pourtant parvenir à définir son attente.

En débarquant dans l'aérogare avec son sac à dos plein à craquer, elle frissonna. Quelque chose de glacial la saisit et la pénétra jusqu'aux os. Elle n'avait jamais éprouvé ce sentiment auparavant. Valeria le mit sur le compte de la lassitude et du changement de climat. Elle se félicita d'avoir préparé son paquetage comme pour une expédition au pôle Nord.

Elle traversa le hall d'un pas vif. Au comptoir de l'office de tourisme, elle demanda la gare routière. Un homme lui indiqua la porte la plus à gauche. Il fut d'abord étonné qu'une jeune femme si latine parle aussi bien anglais, puis il ne vit plus que ses grands yeux émeraude…

Valeria le remercia d'un sourire et sortit. Elle se planta devant le panneau des horaires. Le bus Red Line pour Aberfoyle ne partait que dans une heure. Elle décida d'aller se réfugier au Starbucks, presque désert à cette heure, pour étudier encore son guide touristique. Elle connaissait pratiquement par cœur les pages sur les Trossachs. Elle avait lu et relu toutes les descriptions, tous les commentaires sur cette région. Elle s'était usé les yeux sur les photos de paysages qu'on aurait dit tout droit sortis d'un film. Pourtant, elle n'y avait trouvé aucune trace de l'unique but de sa visite : la chapelle Sainte-Kerin. Entre les châteaux et les abbayes, sans doute était-ce un monument trop modeste pour avoir les honneurs du guide.

La jeune femme attacha ses cheveux en queue-de-cheval. Elle extirpa une écharpe de son sac et s'en protégea le cou. Devant son thé fumant, comme pour conjurer le ciel plombé qui bouchait l'horizon, elle se répétait que c'était le mois de juillet, le plein été. La solitude la gagna de nouveau ; elle essaya bien de résister, de ne penser qu'à son étonnante visite dans cette contrée. Rien n'y fit. Elle se sentait fragile. Diego lui manquait. Elle aurait bien aimé sentir ses bras autour d'elle, son souffle chaud sur son cou. Si, au moins, elle avait pu lui téléphoner… Mais ce n'était pas raisonnable. La communication allait la ruiner, et si elle n'arrivait pas à tenir seule après deux jours, elle devait redouter le pire au bout d'une semaine. Elle se raisonna et se replongea dans l'étude de son guide.

Lorsque le bus se gara enfin le long du trottoir, ils ne furent que six à y monter. Valeria salua le chauffeur et lui acheta un ticket.

Le nez collé à la vitre, Valeria vit défiler les quartiers nord de Glasgow, uniformes et ternes. Après la sortie de la ville pourtant, en quelques kilomètres seulement, le décor changea du tout au tout. À un morne paysage urbain succéda sans transition une nature sauvage et souvent exempte de toute construction. Même sans soleil, Valeria devait admettre que ces vallons boisés et ces lacs avaient beaucoup de charme. L'autobus frôlait les parapets de pierres sèches qui bordaient la route. Par endroits, la chaussée était si étroite que Valeria se dit que le bus ne pourrait pas passer.

En fin d'après-midi, le soleil était revenu, donnant aux

couleurs une intensité de carte postale. Mais au bout de plusieurs heures de route, les nombreux virages avaient fini par lui donner mal au cœur. C'est avec soulagement qu'elle aperçut enfin, planté au milieu des hautes fougères, le panneau annonçant l'entrée d'Aberfoyle. Le bus marqua son terminus dans l'unique rue du petit village. Au pied des monts arrondis, de jolies maisons de pierre grise se serraient les unes contre les autres. Quelques enseignes annonçaient les commerces et une cabine téléphonique rouge vif trônait sur le trottoir. Il n'y avait pas grand monde.

Le chauffeur ouvrit la porte et les trois passagers encore à bord descendirent. Valeria les imita. L'air frais lui fit du bien. Il embaumait la terre et la forêt. Le soleil avait à présent disparu derrière l'imposant Ben Lomond et tout le village était dans l'ombre. L'énorme montagne aux formes rondes et douces s'élevait dans le contre-jour, couverte de bois jusqu'aux deux tiers.

Le bus repartit dans un grondement de moteur et Valeria resta seule, debout, son sac à dos appuyé contre ses jambes. Elle repéra un pub, souleva son sac et remonta la rue. Au-dessus de la porte trônait un lion en relief majestueusement couché, la patte posée sur un blason. À travers les petits carreaux de la vitrine, elle aperçut des gens attablés autour d'une pinte. Elle entra et se dirigea vers le vieux comptoir martelé pour demander où trouver des chambres d'hôtes. Le barman, plutôt jeune, avait un accent marqué qui lui faisait rouler les « r » et manger la fin des mots. Il lui indiqua un petit cottage un peu plus haut sur la route du nord où, ce matin encore, il restait une chambre libre.

Valeria traversa le bourg et suivit la route qui montait vers la forêt. Elle n'eut aucune difficulté à trouver la maison, basse et fleurie telle que l'homme la lui avait décrite. Un peu en retrait du bord de la chaussée, un panneau « Bed & Breakfast » se balançait sur une potence noyée au milieu d'un impressionnant bac de fleurs multicolores. La jeune femme tira la chaîne de la cloche, qui tinta. Une dame d'un certain âge ouvrit la porte de la modeste demeure. Menue, elle était vêtue d'une robe presque aussi fleurie que sa clôture. Son visage ridé, encadré de cheveux blancs impeccablement coiffés en volutes, s'éclaira d'un sourire. Elle s'avança sur l'étroite allée pavée.

— Bonjour ! dit-elle. Je peux vous aider ?

— Je l'espère, répondit Valeria. Je cherche une chambre pour trois nuits.

La femme vint ouvrir le portail de bois peint. Son regard était aussi chaleureux que malicieux et son accent moins marqué que celui du barman.

— Nous avons de la chance toutes les deux, fit-elle. Je me désespérais de voir ma chambre vide et vous risquiez de dormir à la belle étoile. Entrez donc, chère enfant.

Valeria sourit et la suivit à l'intérieur. Il faisait bon dans la cuisine. Sur les nombreuses étagères s'alignaient des bibelots vieillots en porcelaine – une bergère aux teintes fades voisinait avec un chat deux fois plus grand qu'elle, mais le pire était sans doute un paon multicolore dont la roue d'un rose indéfinissable annonçait une prochaine pluie. Une grande pendule en forme de pâquerette marquait les heures au-dessus d'une table encombrée de revues à scandale.

— Vous savez, déclara la propriétaire des lieux, ici, on ne fait pas de manières. Je suis Mrs Jenkins, mais appelez-moi Madeline, dit-elle en lui tendant la main. Et vous ?

— Valeria Serensa, répondit la jeune femme en serrant la main tendue.

— Vous avez un joli prénom ! Venez, je vais vous montrer votre chambre. Elle n'est pas grande, mais elle est confortable et calme.

Au bout d'un couloir au papier peint chargé, décoré

de gravures représentant de charmants animaux des bois, la logeuse ouvrit une porte.

— C'est un lit double, vous aurez de la place.

Valeria posa son sac et jeta un coup d'œil à la pièce. Les petites fleurs du papier peint avaient depuis longtemps perdu leur couleur. La tête du lit était encombrée de coussins au crochet, autant de témoins de longues soirées passées seule. L'édredon semblait moelleux. Tout paraissait bien à sa place. La petite lampe sur la petite table, un bouquet de chardons séchés sur la commode. Le rideau en dentelle laissait entrevoir un jardin.

— Cela vous convient-il ? s'enquit la dame.

— C'est parfait. Je dois peut-être vous régler d'avance ?

— Nous verrons cela plus tard. Ne vous inquiétez pas. Vous m'avez l'air épuisée, ma petite. Je suis sûre qu'un bon thé chaud avec quelques *shortbreads* vous fera le plus grand bien.

— Ce n'est pas de refus.

Les deux femmes revinrent à la cuisine.

— C'est la première fois que vous venez en Écosse ? demanda Madeline en remplissant d'eau une grande bouilloire qu'elle plaça ensuite sur le gaz.

— Oui.

— Ne vous fiez pas au temps qu'il fait, ça change vite.

— C'est ce que j'ai lu dans le guide.

La dame invita Valeria à s'asseoir. Elle posa deux tasses sur la table en prenant bien soin d'orienter l'anse correctement. Lorsque la bouilloire siffla, elle jeta deux bonnes cuillères d'un thé noir dans une théière ventrue et y versa l'eau. Avec précision, elle disposa les petits biscuits faits maison sur une assiette de faïence dont le vernis était tout craquelé.

— Puis-je vous demander d'où vous venez, jeune fille ?

— D'Espagne, de Madrid exactement.

— J'imagine que ce doit être assez différent d'ici.

— Chez nous, il fait très chaud, et les cabines téléphoniques comme les boîtes aux lettres ne sont pas rouges. Pour le moment, c'est tout ce que j'ai remarqué !

La dame se pencha légèrement en avant.

— Je vous ennuie, avec mes questions, dit-elle, mais vous savez, les gens comme moi louent leurs chambres surtout pour rencontrer des jeunes. On se sent moins seul.

Valeria sourit en réchauffant ses mains autour de sa tasse brûlante. Avec malice, Madeline fit remarquer :

— D'habitude, dans notre région, les jeunes viennent toujours en groupe ou en couple.

— Mon ami est resté en Espagne. Ce voyage est un peu particulier pour moi.

Trop heureuse que sa curiosité soit satisfaite, la dame continua :

— Tout de même, trois jours, c'est court.

— Je ne suis là que pour une seule chose.

— Ah oui ? répondit la dame, impatiente d'en apprendre plus.

— La chapelle Sainte-Kerin.

Madeline réfléchit un instant, puis plissant le front, déclara :

— Ça ne me dit rien. Il faut dire que je ne suis à Aberfoyle que depuis trois ans. Avant, j'habitais à Édimbourg. C'est ma sœur qui vivait ici, elle est morte sans enfant et j'ai hérité de cette bicoque. Je me suis dit que je serais mieux ici avec des touristes qu'à la ville avec tous ces stressés, alors j'ai sauté le pas. Mais je parle, je parle… Vous n'avez pas fait tout ce voyage pour m'entendre raconter mes histoires. Pour en revenir à votre chapelle, il faudrait demander à Mrs Dwight, elle fait souvent la guide dans les parages, elle connaît chaque tas de cailloux par son petit nom.

— D'après le peu que je sais, la chapelle se situe à l'extrémité ouest du loch Chon.

— Ah ça, par contre, je sais où ça se trouve. Il faut prendre la route qui va vers Lomond, et continuer jusqu'au bout. Le loch Chon est le dernier, au bout du bout. Mais ça fait une trotte d'ici. Cela dit, le vieux Sheridan se fera un plaisir de conduire une jolie mignonne comme vous !

La femme lui lança un clin d'œil complice. Valeria n'avait pas l'habitude de rougir, c'est pourtant ce qu'elle fit.

— Je compte y aller dès demain matin.

— C'est joli là-bas, vous verrez. Mais dites-moi, pour venir d'Espagne dans le seul but de voir une chapelle, il faut une bonne raison.

— C'est un peu spécial. Je ne savais pas qu'elle existait et pourtant j'en rêve depuis que je suis toute petite. Alors, quand j'ai découvert une photo, je me suis dit qu'il fallait que j'aille voir.

— Et vous voilà. Eh bien, ça c'est une histoire ! Il faut que ça vous travaille vraiment pour que vous vous donniez la peine d'accomplir un pareil périple.

— J'y pense tout le temps. J'ai l'impression que cela ne pourra s'arrêter que lorsque je l'aurai vue.

— Vous savez, ce genre de chose ne se commande pas, ça vient d'en haut.

Mrs Jenkins leva les mains en désignant les cieux.

Contrairement à ce qu'avait d'abord espéré Valeria, elle ne se coucha pas de bonne heure. La soirée fut pourtant délicieuse et son hôtesse réussit même à la distraire de ses préoccupations. La jeune femme se détendit. Pendant des heures, elles se parlèrent de tout et de rien, de ces choses insignifiantes qui font les existences, de leur passé, de leur pays, de leurs sentiments. Madeline Jenkins posa beaucoup de questions sur

Diego. Elle voulait tout savoir, s'il était beau, galant, ce que Valeria comptait faire avec lui dans le futur. À plusieurs reprises, Valeria se surprit à constater qu'en définitive, elle se confiait plus librement à cette inconnue du fin fond de l'Écosse qu'à ses propres parents. Dans quelques jours, Mrs Jenkins et elle se quitteraient pour, sans doute, ne plus jamais se revoir. Cette situation autorisait bien des franchises.

Elles firent la vaisselle ensemble, en papotant encore. Valeria s'endormit vite, sans rêver cette fois de la chapelle dont elle n'avait jamais été aussi proche.

Le lendemain, à l'heure dite, Madeline frappa doucement à la porte :

— Valeria, chère enfant, il est l'heure de vous lever.

Émergeant de sous l'édredon, la jeune femme répondit d'une voix enrouée :

— J'arrive, merci.

Fébrile, elle enfila un jean et un gros pull. Elle était à l'aube du jour historique où son rêve allait enfin prendre corps.

Lorsque Valeria entra dans la cuisine, les œufs au bacon frémissaient dans la poêle et le thé fumait sur la table.

— Alors, bien dormi ? demanda Madeline.

— Comme un *saco*. Je suis en pleine forme.

— Un *saco* ?

— C'est comme ça qu'on dit chez nous. J'ai dormi comme une masse, comme un sac.

— Ici, on dit plutôt *as a squirrel in winter*, comme un écureuil en hiver.

— C'est plus joli.

— Question de météo… Chez vous, les écureuils n'ont pas besoin de se protéger du froid. Pour en revenir à votre affaire, tôt ce matin, je suis allée voir le vieux Sheridan. Il doit être à Callander à 10 heures, mais il a tout de suite accepté de vous déposer au loch Chon. Il ne devrait pas tarder.

— C'est très gentil. Il ne fallait pas vous donner tout ce mal.

— Je lui ai dit que vous veniez de loin et que vous étiez très belle. Il n'a pas hésité.

— Je suis certaine qu'il le fait pour vous plaire plus que pour croiser une étrangère.

— Ma petite, je vais vous donner un conseil : ne cherchez jamais à comprendre les hommes, contentez-vous de vous réjouir lorsqu'ils font ce que vous voulez !

Elles éclatèrent de rire. Valeria, qui d'ordinaire ne mangeait rien le matin avant d'aller en cours, termina son assiette et accepta même d'être resservie.

Un coup de Klaxon poussif venu de la rue mit un terme au petit déjeuner.

— Il est l'heure, jeune demoiselle.

Valeria enfila son coupe-vent et glissa dans son sac à dos la bouteille d'eau et les sandwichs préparés et soigneusement emballés dans du papier d'aluminium par sa logeuse. Au moment de sortir, elle se retourna vers Mrs Jenkins.

— Je suis tout excitée, avoua-t-elle.

— Je le vois, répondit Madeline. Les gens qui ne font que du tourisme n'ont pas ce regard-là.

— Merci pour tout. Je reviens le plus vite possible et je vous raconte.

Madeline sourit.

— Sauvez-vous. Profitez-en et, en revenant, faites du stop. Ici, vous ne risquez rien.

Valeria ouvrit la porte, fit un petit signe d'au revoir et sortit.

L'homme était bourru mais courtois. À travers les vitres sales de la vieille Vauxhall un peu cabossée, Valeria regardait la forêt sombre qui enserrait la route.

Madeline Jenkins était sévère en traitant M. Sheridan de vieux ; il ne devait avoir qu'une cinquantaine d'années. La casquette enfoncée jusqu'aux sourcils, il conduisait les yeux consciencieusement rivés à la chaussée. Il gardait toujours une main sur le levier de vitesses, ce qui ne l'empêchait pas d'oublier d'en changer, et ne mettait jamais son clignotant quand il tournait. Chaque fois qu'il parlait, c'était pour poser des questions sur Mrs Jenkins. À l'évidence, les autres sujets – dont les jolies Espagnoles – n'avaient aucune importance pour lui.

— On va aller jusqu'à Kinlochard, expliqua-t-il. Après, y a que des chemins de terre. Je pourrai pas forcément passer. Je vais vous larguer aussi loin que la voiture pourra aller. Ensuite, faudra marcher. Je connais pas, mais on dit que c'est pas vilain. Moi, dans la région, je fais pas de marche. Quand on a coupé du bois toute la journée et retourné son lopin de terre, on va pas se balader.

— C'est très aimable à vous de m'emmener.

— Normal. Pas la peine de remercier. Pour revenir, vous guettez les voitures. Y en a pas beaucoup, mais on les entend venir de loin. Pas besoin de coller l'oreille sur l'asphalte comme les Sioux !

La route déboucha de la forêt sur un petit loch. Coincé entre deux collines boisées, il reflétait le ciel, toujours nuageux mais avec quelques trouées bleues.

— C'est joli par ici ! déclara Valeria.

— Y a pas grand-chose à y faire, mais c'est vrai que c'est pas moche. Nous à force, on fait plus attention. Ça nous étonne toujours que les gens viennent des quatre coins du monde pour marcher dans la gadoue sous la flotte…

— Tout est serein chez vous, et les gens ont l'air gentils.

— Allez dire ça aux Anglais !

Valeria sourit. La vieille rivalité entre Écossais et Anglais était toujours vivace…

Plus ils progressaient vers l'ouest, plus le ciel se découvrait. L'alternance de nuages et de franches éclaircies colorait le paysage d'une surprenante variété de teintes. On y trouvait toutes les nuances de vert, de brun. Sur les versants ombragés des collines, la végétation était si dense et luxuriante que l'on aurait pu se croire en Amérique du Sud. À chaque virage, un nouveau tableau surgissait.

Valeria et Sheridan ne croisèrent que quelques voitures avant d'atteindre la dernière maison de Kinlochard. Il quitta la route principale, tourna à gauche et s'engagea sur un chemin forestier. Ils arrivèrent bientôt au bord du loch Chon, qu'ils longèrent aussi loin que possible. La voiture était de plus en plus secouée par le chemin défoncé. L'homme ralentit et finit par s'arrêter.

— Et voilà, ma petite dame. Le reste, c'est avec vos pieds.

Valeria le remercia encore et descendit.

— Bonne promenade ! fit le bonhomme. Et n'oubliez pas de saluer Mrs Jenkins pour moi !

Valeria le regarda faire un demi-tour acrobatique entre les ornières et les gigantesques buissons de ronces avant de s'éloigner. Le ronflement du moteur resta audible bien après que la voiture eut disparu. La jeune femme se tourna vers le loch. Sa surface légèrement ridée par le vent avait quelque chose d'apaisant. Ici régnait un autre rythme. De part et d'autre, les collines s'élevaient, couvertes de bruyère. Sur les hauteurs, quelques moutons paissaient en liberté, parsemant leurs flancs de petites taches blanches. Le ciel se dégageait à vue d'œil. L'air était frais et pur. Valeria prit une longue inspiration. Aussi loin que son regard portait, les arbres et les rochers se découpaient nettement. Valeria prit soudain conscience du silence. Il n'y avait pas un bruit humain, pas un avion. L'incessant brouhaha du monde avait disparu. Elle n'avait jamais ressenti cela auparavant. Le vent courait dans les arbres, quelques oiseaux criaient au loin et les ajoncs oscillaient le long des berges. Valeria se sentait bien. Paradoxalement, ici, la solitude ne l'effrayait pas, au contraire.

Elle s'engagea sur le sentier qui suivait le bord marécageux du loch. Plus loin, elle regarderait sa carte ; elle s'arrêterait pour boire, mais pour le moment, elle ne voulait pas rompre le charme, elle voulait s'adonner au plaisir de marcher, légère et impatiente de son futur.

La matinée s'écoula au rythme de ses pas. En quelques heures, elle avait appris une autre façon d'avancer. Tous ses sens étaient en éveil. Elle retrouvait le goût de l'observation, elle savait qu'aux abords des grands buissons de fougères, elle entendrait les lapins détaler. Elle s'était habituée aux envols sonores des oiseaux des marais. De chaque fleur tiédie par le soleil montaient des parfums différents.

Elle arriva bientôt à l'extrémité ouest du loch. Le sentier, envahi de hautes herbes parsemées de fleurs sauvages d'un magnifique mauve, ne devait pas être très fréquenté. La chapelle n'était sûrement plus loin. Les rives étaient à présent rocheuses, et Valeria marchait juste au bord. Parfois, un mouvement de l'onde laissait deviner les poissons qui s'y cachaient. Peut-être existait-il ici aussi un monstre marin légendaire ? L'eau limpide était brunie par la tourbe.

Valeria décida de faire une pause et choisit une grande pierre plate. La roche n'était pas aussi chaude que celle de l'Henares en Espagne, mais elle y était bien. Assise en tailleur, elle observa attentivement les bois touffus qui bordaient le loch. Les arbres trapus aux formes noueuses ressemblaient à des créatures échappées d'un conte de fées. Elle tira la bouteille d'eau de son sac puis, cherchant plus au fond, l'enveloppe dans laquelle elle avait emporté une photocopie de l'image de la chapelle. Valeria étudia le cliché avec attention. Le petit bâtiment se trouvait sur un promontoire rocheux, à quelques mètres de l'eau. Tenant la photo à bout de bras, Valeria la compara avec le paysage. Elle ne pouvait pas se repérer avec les monts en arrière-plan, l'image était cadrée trop serrée. Sur la photo, les abords immédiats de la chapelle ressemblaient beaucoup à l'endroit où elle se trouvait. Son cœur battait fort : elle n'était plus loin, elle le sentait.

Elle s'obligea à un court repos avant de poursuivre sa recherche. Elle voulait éviter d'arriver épuisée à la chapelle. Pour sa rencontre avec le lieu, elle se devait d'être en forme. Plus rien d'autre n'avait d'importance.

Valeria n'avait aucun doute. En suivant le sentier qui longeait le loch, elle finirait forcément par tomber sur ce qu'elle cherchait. Il faisait beau, elle avait un excellent moral et se plaisait de plus en plus dans ce pays froid et pluvieux. Pour un peu, elle se serait sentie chez elle.

Elle but encore quelques gorgées, avala un demi-sandwich sans quitter le loch des yeux, puis se remit en route. Elle progressa à bonne allure, convaincue que l'anse suivante servait d'écrin à la petite chapelle.

Pourtant, au fil des heures, à mesure qu'elle avançait sans découvrir Sainte-Kerin, un étrange sentiment s'immisça en elle. Elle commença à douter. L'allégresse des premières heures céda peu à peu la place à une sourde angoisse. Elle avait parcouru les trois quarts du tour du loch et n'avait toujours pas découvert son monument. Ce n'était pas du découragement, non – le sentiment était plus puissant, plus profond. Il était proche de la panique. La jeune femme n'était plus sûre de rien. Mentalement, elle passait en revue tous les éléments les uns après les autres. L'indication sous la photo pouvait comporter une erreur. Ainsi, sa seule preuve de l'existence réelle de la chapelle s'en trouverait-elle réduite à néant. Après tout, ni Madeline ni le vieux Sheridan n'avaient entendu parler de Sainte-Kerin…

Maintenant, la fatigue se faisait sentir. Les crampes menaçaient. Valeria avançait comme un robot, son regard traquant tout ce qui pouvait ressembler à un empilement de pierres, même en ruine. Plusieurs fois, elle se faufila sous des enchevêtrements de ronces, espérant y dénicher son sanctuaire. Plus elle approchait de la fin de son tour du loch, plus elle se sentait faiblir, comme si ce rendez-vous manqué avec son rêve la vidait de toute énergie. En elle, une mystérieuse voix lui murmurait qu'il était trop tard, que la découverte n'aurait pas lieu. Presque étourdie, elle trébucha sur une branche et se rattrapa de justesse à un jeune chêne. Ses tempes battaient. Elle crut apercevoir un pan de mur, mais il ne s'agissait que d'un tas de vieilles bûches. À force de trop vouloir, son esprit allait finir par faire surgir des mirages.

Au détour d'un bois, alors qu'elle avait de plus en plus de mal à garder les idées claires, elle reconnut le sentier où Sheridan l'avait déposée. Elle avait achevé le tour du loch. La chapelle ne s'y trouvait pas. Sans qu'elle puisse s'expliquer pourquoi, les larmes lui montèrent aux yeux. Son sac pesait soudain très lourd. Elle avait la gorge sèche. Abattue, elle se dirigea vers la route principale. Son cerveau était en ébullition. Pour rentrer, il fallait encore qu'elle marche pendant des heures. La nuit serait bientôt là. Elle se sentit fléchir. Sur le sentier, loin de tout, anéantie, elle s'effondra sans connaissance.

9

— Je n'arrive pas à clarifier le flux. Son contour est flou.

— Vous le perdez ?

— Non, au contraire. Il est de plus en plus puissant, mais diffus.

— Êtes-vous certain qu'il s'agisse d'eux ?

— Si vous aviez le don, vous sauriez que c'est une question stupide.

— Ne me provoquez pas. Je n'attends pas de leçons, mais des informations concrètes…

D'abord, la voix résonna, lointaine, comme venue du fond d'un puits, déformée et dans un écho. Puis elle entendit un prénom, plusieurs fois. Le sien. Elle ne sentait pas son corps, tout au plus percevait-elle une force qui maintenait son visage.

— Valeria, Valeria… insista la voix.

Elle sentit une pression sur son bras, à moins que ce ne soit sur son épaule, tout était si confus. Elle était allongée, sans énergie, incapable du moindre mouvement. La voix se fit plus nette. Elle prononça autre chose que son nom, mais Valeria ne comprit pas. Elle entrouvrit les yeux. Elle vit d'abord un grand rectangle blanc, avec au centre, une lumière aveuglante. « Suis-je morte ? » se demanda-t-elle. Un visage fit irruption, tout proche. Regard inquiet, cheveux impeccablement coiffés, les lèvres qui remuent, et toujours son prénom.

— Elle revient à elle, constata la voix.

La jeune femme toussa et referma les yeux. Quelque chose lui toucha la tête. Elle rouvrit les paupières. Le visage était toujours là, avec un autre à côté. On lui posa quelque chose sur la bouche et le nez.

Valeria sentit l'air lui emplir les poumons presque malgré elle. Elle respirait. Quelqu'un souleva son bras. La main qui la tenait était chaude, ferme. « Madeline », se dit-elle en reconnaissant enfin le visage aux lèvres qui s'animaient.

— Vous m'entendez ?

Valeria hocha la tête.

— Oh, mon Dieu ! Ma petite, vous nous avez fait une de ces peurs !

On lui retira son masque à oxygène. Madeline Jenkins lui tapota la main.

— Parlez, dites quelque chose.

— Comment suis-je arrivée ici ? fit la jeune femme d'une voix faible.

— Un garde forestier vous a découverte. Heureusement ! Vous vous rendez compte, vous auriez pu passer la nuit là-bas ! Qui sait dans quel état on vous aurait retrouvée, sans soins…

Valeria chercha à se redresser.

— Restez allongée et si vous éprouvez des difficultés à respirer, reprenez le masque, conseilla fermement l'autre personne, un homme.

— Que vous est-il arrivé ? questionna Madeline. D'après le vieux Sheridan, vous étiez exactement là où il vous a déposée. Vous avez eu un malaise ce matin ?

— J'ai fait le tour du loch, mais je n'ai pas trouvé la chapelle.

— Il faut prévenir votre famille, ce n'est pas normal à votre âge de faire ce genre de malaise. Vous aviez l'air en pleine forme en partant.

— Non, supplia Valeria. Je me sens déjà mieux.

Repoussant la main masculine, elle s'assit sur le lit. Sa tête lui parut si lourde qu'elle crut qu'elle allait se décrocher de ses épaules et rouler sur le sol. Elle la saisit à deux mains.

— Je vais vous donner un analgésique, déclara le médecin.

— Ma pauvre petite ! s'exclama de nouveau Mrs Jenkins.

— Ça va aller, la rassura Valeria.

— Vers quelle heure avez-vous perdu connaissance ? demanda le médecin.

— Aucune idée. La dernière fois que j'ai regardé ma montre, il était 3 heures, et j'ai encore marché un bon moment.

— Vous n'êtes pas enceinte ?

— Non.

L'homme posa sa main sur le front de Valeria.

— Pas de fièvre, déclara-t-il, pensif. C'est vraiment très étrange.

Il se tourna vers Madeline.

— Je vous la laisse pour cette nuit. Si demain elle a encore des maux de tête, on l'enverra faire des examens à Glasgow. Au moindre problème, vous savez où me joindre, n'hésitez pas.

— Merci, docteur.

À peine fut-il sorti que Madeline se précipita au chevet de la jeune femme.

— C'est épouvantable ! Quelle histoire ! J'en tremble encore. Quand le garde forestier vous a ramenée en ville, personne ne savait d'où vous veniez, c'est le patron du pub qui vous a reconnue. Ma pauvre enfant, j'espère que ce n'est pas grave.

— Je ne comprends pas. Je n'ai jamais eu ce genre de trouble. Ne pas trouver la chapelle m'a vraiment fait un sacré effet.

— Ce n'est quand même pas à cause de cela que vous vous êtes évanouie ?

— Je ne vois pas d'autre explication.

— Mon Dieu ! J'avais bien vu que cette histoire était importante pour vous, mais je ne pensais pas qu'elle l'était à ce point-là.

— Moi non plus.

— Vous aurez certainement manqué la chapelle. Vous êtes passée à côté sans la voir. Ici, un printemps suffit pour que les granges disparaissent sous la végétation.

— Non, je suis certaine d'avoir bien regardé. Elle n'y était pas.

Valeria avait répondu d'un ton dur.

— Nous verrons cela demain, dit Madeline, apaisante. En attendant, je vais vous faire du bouillon. Il faut vous reposer. Vous savez, vous êtes une célébrité au village maintenant. Tout le monde connaît votre histoire.

Mrs Jenkins retourna à la cuisine faire chauffer un bouillon léger. Elle en versa une louche dans un bol et s'essuya machinalement les mains sur son tablier. Se retournant, elle sursauta et faillit lâcher le récipient : Valeria se tenait debout, appuyée sur le chambranle de la porte.

— Excusez-moi, annonça la jeune femme d'une voix encore faible. Vous allez me prendre pour une folle, mais c'est très important pour moi.

— Qu'y a-t-il ?

— Vous m'avez parlé d'une femme guide qui connaît bien les environs.

— Oui, Mrs Dwight.

— Je voudrais lui parler.

Madeline Jenkins regarda sa montre.

— Eh bien, j'ai peur qu'il ne soit trop tard, l'office du tourisme est fermé.

— S'il vous plaît…

La voix de Valeria se fit implorante.

— J'ignore ce qui m'arrive, continua-t-elle, mais je sais que c'est en rapport avec cette chapelle. Je le sens.

Madeline la dévisagea. Elle était si pâle…

— On va voir ce qu'on peut faire, dit-elle en attrapant son téléphone.

Dès que la cloche tinta, Madeline se précipita vers la porte d'entrée. Elle ouvrit en grand. Une femme plutôt forte à la démarche très volontaire pénétra dans le couloir.

— J'espère que nous ne vous avons pas trop perturbée, Rose, s'excusa Mrs Jenkins. Merci d'être venue si vite.

— Vous m'aviez l'air dans un tel état ! Et puis ce n'est pas grave, pour une fois Roger mettra la table lui-même, ça le changera !

Valeria l'attendait assise à la table de la cuisine, son guide touristique ouvert devant elle.

— Voilà donc la jeune fille à qui l'Écosse fait tant d'effet, s'exclama Mrs Dwight en souriant.

Valeria était confuse et s'excusa pour le dérangement. Elle était néanmoins soulagée de rencontrer celle qui connaissait chaque recoin de la région.

D'un geste aérien, Rose Dwight ôta son manteau et le déposa sur le dossier d'une chaise.

— Nous avons besoin de vos lumières, Rose, fit Madeline. Cette demoiselle veut absolument vous poser des questions sur une chapelle qui se situerait à l'extrémité du loch Chon.

La femme eut l'air surprise.

— Eh bien, dit-elle, ça c'est amusant !

— Pourquoi ? demanda Valeria.

— Parce que pas plus tard que lundi dernier, un jeune homme est venu me poser des questions sur le même sujet.

— Et alors ? fit Madeline.

— Alors, en plus de quinze ans, personne ne m'en a jamais parlé, et soudain, en quelques jours, deux personnes s'y intéressent.

— C'est un Espagnol ? s'enquit Madeline.

— Non, un Hollandais, d'une vingtaine d'années. Il était hébergé chez les MacPherson. Je crois qu'il est toujours dans les parages. Du moins, il y était encore ce midi puisque je l'ai croisé à l'épicerie.

— Il cherchait aussi la chapelle Sainte-Kerin ?

— Tout à fait. La seule construite sur les bords du loch Chon. Elle était d'ailleurs assez jolie.

— « Était » ? interrogea Valeria, anxieuse. Elle n'existe plus ?

— Ça devait être en 1983 ou 84, ils ont agrandi le loch Katrine – un de ceux qui alimentent Glasgow en eau potable. Le loch Chon faisait partie du nouveau dispositif hydrologique. Ils l'ont agrandi aussi, en le remplissant au-delà de son niveau naturel, et la chapelle s'est trouvée submergée…

— Vous voulez dire que la chapelle est engloutie dans le loch ? s'exclama Valeria.

— C'est cela. Lorsqu'ils ont construit les barrages sur les grands lochs, l'eau est montée en cascade dans les plus petits, dont le loch Chon. La chapelle a disparu. À l'époque, une petite chapelle de plus ou de moins, tout le monde s'en fichait.

— La chapelle est donc vraiment là ! s'enthousiasma Valeria.

— Certes, mais engloutie à jamais, répondit Rose. Au fait, que lui voulez-vous donc, à cette chapelle ?

Valeria raconta son rêve :

— Ma vision est tellement précise que j'ai l'impression de sentir les pierres sous mes doigts. J'entends le vent qui souffle dans le clocher. Je connais chaque pli de la robe de sainte Kerin sur le vitrail, la ferrure de la porte est décorée de clous forgés, il en manque un seul près de la serrure…

— C'est impressionnant, commenta Mrs Dwight. On jurerait que vous y êtes allée…

Valeria posa de nombreuses questions sur la chapelle elle-même. Rose n'avait eu que de rares occasions d'y pénétrer. En faisant appel à ses souvenirs, elle décrivit avec précision la porte en ogive, l'unique fenêtre et son vitrail, le lierre qui l'entourait, le petit clocher à l'aplomb du pignon et la toiture de pierres sèches. Valeria écoutait, avide d'entendre cette femme lui décrire son rêve. Tout coïncidait. Elle n'avait rien inventé. C'était à la fois rassurant et encore plus mystérieux. Valeria était tout à coup volubile, enthousiaste à l'idée d'avoir résolu son énigme. Le fait de comprendre pourquoi elle avait manqué la chapelle lui redonnait toutes ses forces.

— C'est incroyable, tout ce que vous me dites correspond !

— Il fallait venir quelques années plus tôt, et vous l'auriez vue en vrai.

Rose lui confia tout ce qui lui revenait. Le parfum des fleurs, l'eau qui ruisselait du toit sans gouttière lorsque la pluie tombait.

Valeria n'en perdait pas un mot. Elle bondissait sur sa chaise chaque fois qu'elle reconnaissait un élément précis de sa vision.

Lorsque, ayant épuisé tous les aspects du sujet, Rose réussit enfin à prendre congé, elle salua poliment Valeria et entraîna Madeline avec elle dans le jardin. Discrètement, elle lui souffla :

— L'autre, le Hollandais, il ne m'a rien raconté, mais il n'avait pas l'air plus net…

— Allons, Rose, vous n'avez jamais été jeune ? Ils ont bien l'âge de rêver et de se raconter des histoires !

Ce soir-là, Mrs Jenkins ne parvint pas à distraire sa jeune pensionnaire. Valeria ne dormit pratiquement pas. Elle n'attendait qu'une chose : l'aube, pour aller chez les MacPherson rencontrer ce jeune Hollandais…

10

— Cette fois, il s'agit d'autre chose.
— Encore une de vos visions imprécises ?
— Non, je n'ai jamais ressenti cela.
— Expliquez-vous.
— Je pressens une autre force. Elle a surgi.

Sous le soleil revenu comme par enchantement, les toits des maisons luisaient de l'averse à peine terminée. Valeria rejeta sa capuche en arrière et dégagea ses cheveux. Seules les boucles sur son front étaient humides. Elle sortit du recoin abrité de la devanture du drugstore où elle avait trouvé refuge. En quelques minutes, la rue reprit vie.

Tôt dans la matinée, lorsqu'elle avait traversé le village, personne n'avait reconnu la frêle touriste retrouvée inconsciente la veille. Depuis plus d'une heure, elle guettait le retour du jeune homme qui logeait chez les MacPherson. Madeline, qui décidément connaissait tout le monde, les avait appelés le matin. Ils lui avaient appris qu'il était parti en excursion du côté de Stirling. Il s'appelait Peter Apledoorn.

Valeria aurait pu aller se promener en attendant, mais

elle n'en avait pas envie. Elle ne voulait surtout pas courir le risque de le manquer. Elle se rendait bien compte que cette histoire de chapelle tournait à l'obsession, mais elle n'y pouvait rien. C'était plus fort qu'elle. Tout cela ne lui ressemblait pas, elle qui était si raisonnable d'habitude. Mais rien de tout ça n'avait de logique. L'idée de rencontrer quelqu'un qui avait le même but qu'elle lui avait redonné l'espoir de comprendre ce qui lui arrivait. Elle était impatiente de connaître ses raisons à lui.

À chaque voiture qui passait, elle espérait que ce serait enfin celle qui viendrait se garer devant chez les MacPherson. Elle observait aussi les allées et venues des gens. Il y avait les touristes, plutôt routards dans les environs, et les gens du cru. Beaucoup la saluaient. Le temps passait finalement assez vite. Son vol de retour était prévu pour le lendemain soir. D'ici là, elle aurait sûrement le temps de rendre visite à Mrs Dwight pour la remercier. Peut-être aurait-elle des vieilles photos de la chapelle ?

Une voiture blanche décéléra pour venir se parquer juste en face. Valeria essaya de voir à travers la vitre, mais les reflets l'en empêchèrent. Un grand jeune homme mince s'extirpa du véhicule. Il se cogna la tête et jura. Il était blond comme les blés, mal coiffé et habillé d'un T-shirt informe et d'un pantalon usé aux genoux. Il se contorsionna maladroitement pour attraper un sac plastique sur la banquette arrière, ce qui fit sourire Valeria. Elle le trouva instantanément sympathique. La situation avait quelque chose de surréaliste. Ils ne se connaissaient pas, ne vivaient pas dans la même région du globe, mais ils étaient tous les deux venus ici pour la même chose. Une histoire de fous. Valeria le savait, Peter pas encore.

Elle traversa la chaussée et marcha vers lui. Il ne l'avait même pas remarquée quand elle se planta devant lui.

— Bonjour ! dit-elle d'une voix chantante.

— Salut.

Il lui rendit son sourire mais ne s'arrêta pas.

— Attendez ! dit-elle. Je voudrais vous parler.

Le jeune homme se retourna, incrédule.

— À moi ?

— Oui, à vous.

— Vous savez, dit-il avec un sourire malicieux, je suis toujours content quand une jolie fille m'adresse la parole, mais ça ne m'arrive pas souvent. Vous voulez me vendre quelque chose ?

— Pas vraiment.

— Vous êtes du coin ?

— Plusieurs kilomètres au sud. Madrid.

Peter mit quelques instants à comprendre.

— Et vous voulez me parler de quoi ?

— C'est un peu compliqué, je ne sais pas par où commencer. On pourrait aller boire un verre au pub…

— Eh ben vous, vous ne perdez pas de temps !

Valeria rougit aussitôt.

— Non, non ! se défendit-elle. Ce n'est pas ce que vous croyez, c'est très sérieux.

— Dommage ! plaisanta Peter.

Elle si latine et lui si nordique, le couple ne passa pas inaperçu au Black Lion. Le barman reconnut la jeune femme et lui demanda comment elle allait.

— Très bien, tout va très bien, répondit-elle, un peu embarrassée.

— Tant mieux, fit-il en retournant derrière le comptoir pour chercher leur commande.

— Vous avez eu des soucis de santé ? s'enquit Peter.

— Hier, un malaise pendant une randonnée.

— Vous êtes marcheuse ?

— D'habitude non, mais hier, oui.

Le barman revint avec les thés et les tranches de cake aux raisins. Dès qu'il fut reparti, Valeria se lança :

— Je ne veux pas vous faire perdre de temps. Ce que j'ai à vous demander est assez bizarre.

Peter haussa un sourcil, curieux de la suite.

— J'ai appris que vous vous intéressiez à la chapelle Sainte-Kerin.

Aussitôt, l'air jovial de Peter s'effaça.

— Ça me regarde, répondit-il laconiquement.

— Je m'y intéresse aussi.

— Vous êtes quoi, un agent des monuments historiques, une journaliste ?

— Non, pas du tout. Je suis venue exprès d'Espagne pour voir cette chapelle. Hier, je suis allée au loch et je l'ai cherchée, sans succès. J'ai appris ensuite qu'elle avait été engloutie pendant l'agrandissement du loch. C'est la dame de l'office de tourisme qui me l'a dit. C'est aussi elle qui m'a dit que vous étiez venu lui poser des questions sur Sainte-Kerin.

Peter resta silencieux. Il fixait la jeune femme droit dans les yeux, méfiant.

— J'ai voulu vous rencontrer, continua Valeria. Ne pas visiter la chapelle m'a frustrée. Plus que ça, même. J'ai cru qu'à deux ce serait moins dur à supporter.

Devant le mutisme de Peter, elle se mit à douter. Elle se sentait de plus en plus mal à l'aise. Elle ajouta :

— Mais je me suis peut-être trompée…

Elle n'osait plus le regarder, lui la fixait toujours. Honteuse et affreusement gênée, Valeria n'avait plus qu'une envie : être ailleurs.

— Excusez-moi de vous avoir dérangé, dit-elle. Je vais vous laisser.

Elle se leva, confuse, lorsque d'un geste vif, il la retint par le bras.

— Vous en rêviez ? questionna-t-il avec brusquerie.

— Pardon ?

— La chapelle, vous en rêviez ?

Elle se rassit.

— Aussi loin que je me souvienne de mes rêves, oui. De plus en plus souvent ces derniers temps. Et puis j'ai découvert une photo.

— Vos parents ne vous ont jamais emmenée en Écosse quand vous étiez gamine ?

— Non, jamais.

Peter baissa les yeux et se tritura les doigts. Il semblait décontenancé.

— Je croyais être le seul, fit-il d'une voix grave.

— Moi aussi, répondit Valeria.

Le jeune homme redressa le visage. Il était comme métamorphosé. L'expression enjouée qui avait d'abord séduit Valeria avait disparu. Il était livide, les lèvres presque tremblantes. D'une voix blanche, il déclara :

— Depuis que je suis môme, on me prend pour un dingue. Mes parents m'ont même envoyé voir un psy. Ce brave homme leur a expliqué aussi doctement que stupidement qu'il s'agissait de « la manifestation d'un désir refoulé de devenir prêtre »... Alors je n'en ai plus parlé. J'ai gardé ça pour moi. J'ai même essayé d'oublier, de ne plus y penser. Pendant des années, j'ai tenté de me convaincre que tout cela n'était qu'une lubie d'enfant. Mais le rêve revenait quand même, malgré toutes les excuses que je pouvais trouver pour le minimiser. Alors j'ai décidé de changer de tactique. Pendant trois ans, j'ai travaillé le soir et durant les vacances pour me payer ce voyage. J'ai fait croire à mes vieux que je partais avec des potes et je suis venu.

— Tu savais que la chapelle était engloutie ?

Le tutoiement était venu naturellement.

— Non, je savais juste qu'elle était en Écosse.

— Tu as cherché longtemps ?

— Ça fait un peu plus de deux semaines que je suis

ici. Je vais d'office du tourisme en office du tourisme et je montre le dessin.

Peter sortit son portefeuille et l'ouvrit. Protégé par un rabat plastique, se trouvait un morceau de page découpé représentant une gravure au trait en noir et blanc, avec comme seule légende « chapelle écossaise ».

— Je l'ai trouvée dans un bouquin d'architecture, il y a trois ans. Un vrai choc. C'est là que j'ai décidé de la retrouver, coûte que coûte.

Valeria comprenait exactement ce qu'il voulait dire. Peter la regarda enfin dans les yeux. Il se sentait soudain libéré d'avoir confié son secret à quelqu'un. Ils restèrent un moment silencieux. Chacun prenait conscience de ce que cette rencontre signifiait.

— Tu fais toujours le même rêve ? demanda-t-il.

— Oui, j'arrive par le sentier, je passe près de la fenêtre au vitrail, la porte est ouverte. J'entre, il y a quelqu'un au fond, dans l'ombre. Je ne sais pas qui c'est, mais je n'ai pas peur. Je regarde dehors. Il pleut.

Valeria sentit une larme couler sur sa joue. Par réflexe, elle l'essuya aussitôt.

— Que t'arrive-t-il ? demanda Peter.

— Je n'en avais jamais autant dit, à personne.

— Moi non plus.

Il faillit poser sa main sur la sienne mais retint son geste.

— Pour moi, reprit-il, ce n'est pas aussi précis. Je suis à l'intérieur, je ne sais pas ce que je fais mais je veux atteindre une dalle à droite de l'autel et je n'y arrive pas. C'est tout.

— C'est peut-être toi dans l'ombre de mon rêve.

— Tu sais, depuis trois jours, plus rien ne m'étonne. Viens, je vais te montrer quelque chose…

Pendant l'heure du déjeuner, la rue principale d'Aberfoyle était déserte. Peter marchait rapidement vers sa voiture. Valeria le suivait en se demandant vers quoi il l'entraînait. Il posa la main sur le coffre et la regarda droit dans les yeux. Il avait dans les pupilles une lueur étrange.

— Je ne te connais même pas, déclara-t-il, visiblement préoccupé. Je ne sais pas si je fais une connerie en te disant tout, mais je préfère courir le risque plutôt que de regretter.

Valeria commençait à s'inquiéter.

— Tu dois me promettre de garder le secret, ajouta-t-il.

La jeune femme hocha franchement la tête. Se penchant vers elle, il reprit à voix basse :

— Tu m'as dit que tu avais été frustrée de ne pas voir la chapelle.

Elle opina.

— Eh bien, moi, ça m'a carrément rendu malade. Alors voilà.

D'un mouvement sec et précis, il ouvrit le coffre de sa voiture. Valeria découvrit tout un équipement de plongée, des palmes. Le détendeur et le masque brillaient.

— Si tu veux, dit-il, tu viens avec moi. Cet après-midi, je récupère ce qu'il faut pour toi à Glasgow, et ce soir on y va.

Valeria ne savait que répondre. Tout allait trop vite. Cette histoire lui échappait et prenait une ampleur qui la dépassait. Elle n'avait jamais plongé, elle ne connaissait pas ce garçon et pourtant, l'envie de *voir* par elle-même balayait ses peurs et toutes les objections que sa raison brandissait.

— D'accord, dit-elle pour couper court à toute réflexion.

— Je te préviens, c'est interdit et on risque de gros problèmes.

— C'est d'accord, répéta-t-elle.

Il referma le coffre aussi vite qu'il l'avait ouvert. Il

regarda le ciel, inspira longuement et dévisagea la jeune femme. Elle tremblait.

— Je suis terrifiée, confessa-t-elle.

— Moi aussi.

Peter fit un pas vers elle, ouvrit les bras et la serra contre lui.

11

— Que disent les médiums ?
— Ils ont un contact, ils perçoivent quelque chose.
— Rien de plus précis ?
— C'est déjà plus que jamais.
— Vous n'avez pas tort. Placez les équipes en état d'alerte. Et pas un mot en haut lieu avant d'avoir des certitudes...

Dans l'obscurité de la nuit sans lune, les abords du loch n'offraient plus le spectacle enchanteur d'un paysage préservé. En disparaissant, la lumière du jour avait emporté avec elle la quiétude. Des ombres fantomatiques semblaient glisser sur les flots et les rives n'étaient qu'une succession d'insondables zones d'ombre. Le vent courait dans les arbres, sifflant et agitant les branches et les fourrés d'innombrables mouvements suspects. Au creux d'un buisson, Valeria se tenait près des sacs. Peter était reparti garer la voiture près de la route pour ne pas attirer l'attention sur leur expédition.

Entre les feuilles, Valeria scrutait la nuit. Pour tenter de se rassurer, elle songea à Diego. Que penserait-il s'il la voyait ainsi cachée dans ce pays perdu, attendant dans l'obscurité un inconnu rencontré le matin même ?

Imaginer sa jalousie la fit sourire. Aurait-elle seulement le courage de lui raconter son aventure ?

L'après-midi, Mrs Jenkins avait cherché à savoir pourquoi elle était rentrée bouleversée après le déjeuner. Valeria n'avait rien révélé. Du coup, Madeline soupçonnait une idylle avec le grand Hollandais. La brave femme avait bien tenté quelques allusions sur l'ami resté en Espagne. Elle avait aussi parlé de la faiblesse dont les femmes font preuve en cas de déprime et dont les hommes abusent parfois…

Valeria entendit craquer une branche. Elle se figea. Une ombre à peine visible apparut.

— Où es-tu ? demanda Peter à voix basse.

Soulagée, elle sortit de sa cachette. À tâtons, les deux jeunes gens attrapèrent les sacs.

— Il ne faut pas traîner, dit Peter. Porter le matériel jusqu'à la crique fera un excellent échauffement.

Dans la nuit noire, ils s'engagèrent sur le sentier.

— Fais bien attention, recommanda Valeria à son compagnon qui la précédait. Ne va pas tomber dans l'eau.

— On est pourtant là pour ça ! plaisanta-t-il. Et puis ne t'inquiète pas, moi aussi j'ai déjà fait le chemin.

À cette heure, plus aucun lapin ne détalait et les oiseaux étaient au nid. Seul le vent lugubre hantait le silence de la nuit.

— Qu'est-ce que tu fais dans la vie ? demanda Peter.

— J'étudie les langues étrangères. Je prépare un diplôme d'interprète. Et toi ?

— Je viens de terminer ma troisième année d'ingénieur en physique appliquée.

— On n'avait aucune chance de se rencontrer.

— Sauf si j'avais participé à un voyage organisé ou si ton tour operator avait programmé la visite d'une centrale nucléaire où j'aurais bossé…

Ralentis par la charge du matériel, ils mirent près

d'une heure pour parvenir sur le site. L'endroit se situait à quelques dizaines de mètres seulement de celui où Valeria avait fait halte la veille.

Peter tira une lampe torche de ses sacs et l'alluma en limitant la portée du faisceau avec sa main. Valeria jeta un coup d'œil circulaire.

— C'est étrange, dit-elle, tout est différent. Les arbres semblent plus proches.

— Depuis hier, pour nous deux, tout est différent, répliqua Peter en déballant les combinaisons sur le sol.

Il extirpa les bouteilles en précisant :

— Nous avons environ deux heures d'autonomie. C'est largement suffisant. La chapelle ne devrait se trouver qu'à quelques mètres sous la surface.

Sans hésiter, Valeria saisit la plus petite des combinaisons. Elle l'étudia d'un air dubitatif et descendit la fermeture à glissière.

— C'est le moment, dit-elle.

En se tournant pudiquement le dos, ils se déshabillèrent et passèrent leur vêtement de plongée. Valeria faillit tomber deux fois en enfilant les jambes et Peter se coinça les doigts dans la fermeture. S'équiper des bouteilles fut relativement plus simple. Chacun aida l'autre à placer son équipement sur le dos. En se découvrant l'un l'autre ainsi vêtus, ils ne purent s'empêcher de s'amuser de la situation. Il y avait quelque chose de surréaliste à se retrouver en pleine nuit au bord d'un loch perdu habillés en pingouins… Les deux jeunes gens s'assirent sur le rebord rocheux pour enfiler les palmes. En plongeant la main dans l'eau froide, Valeria frissonna.

Peter mouilla son masque avant de l'enfiler.

— Tu as l'air d'avoir déjà fait de la plongée, remarqua Valeria.

— Un peu, quand j'étais ado.

Elle sourit. Le jeune homme fixa un grand couteau

sur le côté de son mollet. En apercevant le coup d'œil que Valeria lui jetait, il justifia :

— C'est juste au cas où il faudrait dégager des plantes…

Il lui tendit une torche.

— N'éclaire jamais vers le haut, dit-il. On pourrait se faire repérer de loin. Et ne nous éloignons pas l'un de l'autre.

Valeria acquiesça et positionna son embout respiratoire.

— Tu es prête ? demanda Peter.

Elle répondit d'un mouvement de la tête affirmatif.

— Alors on y va.

Il ajusta son masque, ouvrit les réserves d'air et contrôla sa montre. Il se laissa glisser dans l'eau sombre. Valeria s'appuya sur les rochers et s'immergea progressivement. Le flot glacé s'introduisit peu à peu entre la combinaison et sa peau. Il ne faudrait que quelques minutes pour que cette couche aqueuse se réchauffe, mais en attendant, Valeria hoquetait de froid. Face à face, Peter et elle n'avaient plus que leur tête hors de l'eau. La jeune femme se mouilla les cheveux en claquant des dents. Peter lui fit un OK avec le pouce et l'index et dirigea sa torche sous l'eau. Il plongea. Valeria alluma à son tour et, d'un coup de palme, s'enfonça à sa suite.

L'eau était limpide et les myriades de petites particules en suspension ne gênaient pas la visibilité. Le balai des faisceaux était féerique. Valeria n'avait aucun mal à suivre la grande silhouette qui s'enfonçait. Les chapelets de bulles d'air passaient devant elle en scintillant dans le halo de sa lampe.

La lumière de la torche de Peter se perdait dans le fond sans rien en révéler. Le jeune homme amorça un large virage. Ils frôlèrent d'imposants rochers, les contournèrent et descendirent encore plus profond. Il y avait peu de végétation, le relief était recouvert d'une fine couche de vase brune. En palmant, Valeria se réchauffait progressivement.

Soudain, comme un monstre émergeant des profondeurs, une masse apparut juste au-dessous d'eux. Valeria faillit s'étouffer et se cabra. La surprise passée, Peter s'en approcha. Il posa sa main sur le sommet pointu. Il regarda en direction de Valeria et désigna le monticule en hochant la tête. Aucun doute : il s'agissait d'un clocheton.

En se guidant le long de la faîtière, Peter remonta le toit. Il pivota vers la jeune femme. À travers son masque, elle vit son regard enthousiaste. La chapelle était là. Même s'ils ne pouvaient pas se parler, chacun devinait ce que ressentait l'autre.

Valeria caressa les pierres du clocher. Elle touchait enfin son rêve.

En tournoyant, ils descendirent au niveau de l'entrée. La petite fenêtre était à sa place, le lierre avait disparu, le sentier aussi. Le modeste édifice semblait posé au milieu du néant. Peter nagea jusqu'à la porte cintrée. Dans son sillage, il souleva quelques volutes de vase.

Les rares plantes aquatiques qui avaient réussi à se fixer dans les joints et les fissures ondulaient à leur passage. La porte décorée de ferrures était bloquée. Peut-être avait-elle été fermée à clé avant l'immersion, ou plus simplement était-elle gonflée par l'eau. Peter dégagea son couteau et essaya de l'insérer entre la porte et le mur au niveau de la serrure. Sans succès. Les gestes ralentis par l'eau, il commença à marteler le pourtour de la serrure avec la pointe de sa lame. Mais les années sous l'eau n'avaient pas pourri le bois et il dut renoncer.

Valeria aperçut une petite fenêtre en ogive et donna quelques coups de palme pour s'en approcher. Le vitrail semblait intact, mais il était recouvert d'une pellicule de micro-algues. La jeune femme tendit un doigt et effleura la surface. Le contact était doux et onctueux. Elle entreprit de dégager le petit vitrail. En quelques balayages, elle fit apparaître une scène de bénédiction. Une femme en grand manteau clair faisait le signe de croix devant une assemblée recueillie. « Sainte Kerin », songea Valeria. Achevant de nettoyer le vitrail, elle se rendit compte que les sertissages de plomb ne tenaient plus.

Peter nagea vers elle avec un geste de dépit : il n'avait pas trouvé le moyen de pénétrer dans l'édifice. Valeria lui fit signe d'approcher. Avec la paume, elle poussa délicatement sur l'assemblage de verre coloré, qui s'enfonça sans résistance. Les morceaux tombèrent, planant dans l'onde comme autant de feuilles à l'automne. Le passage ainsi ouvert était étroit mais suffisant. Il leur fallut déharnacher leurs bouteilles pour se glisser à l'intérieur.

Franchir le passage était comme entrer dans un autre monde. L'émotion était puissante. Les deux jeunes gens éclairaient les moindres recoins de la chapelle, chacun comparant ses propres visions avec la réalité engloutie. Valeria s'approcha de Peter et posa sa main sur son avant-bras. À la lueur de leurs lampes, ils échangèrent un regard qu'aucun d'eux n'oublierait. D'un coup de palme, Valeria monta jusque sous le toit de pierre, maintenu par une charpente d'énormes troncs parfaitement conservés. Dans un gracieux demi-tour, elle redescendit vers l'autel au milieu des bulles. Peter consulta sa montre et son manomètre de pression. Ils consommaient plus d'air que prévu. Leur inexpérience et les émotions les faisaient sans doute respirer plus qu'ils n'auraient dû.

Dans l'enceinte de la chapelle, l'eau était claire. Les parois de pierre taillée renvoyaient les faisceaux des lampes, irradiant une douce clarté. Personne n'était entré ici depuis plus de quinze ans.

Au hasard de leurs explorations, les deux jeunes gens se retrouvèrent côte à côte, face à l'autel. Jamais ils n'auraient imaginé que leur rêve les conduirait ici un jour, ensemble. La scène était irréelle, magique. À les voir ainsi, on aurait pu les croire au jour d'un mariage imaginaire. Comme des milliers d'étoiles scintillantes, leurs bulles d'air s'élevaient dans la lueur. Valeria était subjuguée. Elle avait toujours été convaincue que voir la chapelle apaiserait son esprit, mais il n'en était rien. Depuis leur entrée à l'intérieur, elle se sentait différente, infiniment vivante. Après cela, elle le savait, elle ne serait plus jamais la même. Elle ne mesurait pas à quel point.

Peter remonta la petite nef en rase-mottes, éclairant les larges dalles les unes après les autres. Arrivé à la droite de l'autel, il effleura trois grandes plaques polies par des siècles d'offices. Il se concentra sur celle qui était située dans l'angle. Soigneusement, il en étudia le pourtour. Valeria l'observait d'en haut, l'éclairant de son mieux. Avec son couteau, Peter fouilla le joint rempli de vase. Il parvint à introduire la lame entre deux dalles et tenta de faire levier. La plaque ne bougea pas. Comprenant son intention, Valeria vint lui prêter main-forte. Ensemble, ils pesèrent de tout leur poids pour la faire jouer. À la troisième tentative, la pierre se débloqua. Ils redoublèrent d'efforts. Peu à peu, ils réussirent à la décaler de quelques centimètres. Peter glissa ses doigts dans l'interstice et s'arc-bouta pour parvenir à la soulever.

Pour quelle raison agissait-il ainsi ? Quelle force le poussait à chercher à cet endroit précis ? À cet instant, de tout son être, Peter voulait percer le secret de cette dalle, découvrir pourquoi depuis vingt ans il se voyait en rêve accomplir ces gestes.

Valeria l'aida de nouveau et, à eux deux, ils finirent par redresser la pierre. La vase retenue dessous tour-billonnait autour d'eux, troublant l'eau. Peter repoussa la dalle contre la paroi et sans visibilité, plongea la main dans l'espace révélé. Il rencontra quelque chose de solide, couvert d'une couche visqueuse. Valeria l'éclairait, sondant l'eau saumâtre. Peter sentit une encoche, y glissa un doigt et dégagea une poignée. D'un coup de reins, il décolla l'objet du fond et l'extirpa du trou.

Ils se reculèrent vers l'eau plus claire pour étudier leur trouvaille. Il s'agissait d'une petite mallette en métal brossé. Peter la nettoya grossièrement et regarda Valeria. Des centaines de questions se bousculaient dans leur esprit. Quel mystérieux instinct avait guidé Peter ? Pourquoi un objet si moderne était-il enfoui dans une chapelle séculaire ? Et plus que tout, que contenait-il ?

Peter et Valeria abandonnèrent la chapelle pour remonter à la surface. En retrouvant l'air libre, ils éprouvèrent à la fois un soulagement et une réelle appréhension face aux nouvelles interrogations que soulevait leur découverte. Ils nagèrent en direction du bord rocheux. Valeria s'agrippa la première et aussitôt, ôta son masque et son embout respiratoire. Avec précaution, Peter glissa la mallette sur la pierre.

Ils étaient là tous les deux, dans l'eau, incapables de parler tant ils avaient de choses à dire. Ils partageaient le sentiment troublant d'être les acteurs d'une scène que quelqu'un d'autre aurait écrite pour eux.

Depuis combien de temps cette mallette attendait-elle au fond ? La réponse se trouvait certainement à l'intérieur.

À la force des bras, Peter se hissa sur le bord et aida sa compagne.

— Mon Dieu, articula-t-il d'une voix essoufflée. Qu'est-ce qui nous arrive ?

— Ton rêve n'en était pas un, répondit Valeria. Sinon, comment aurais-tu su qu'il y avait quelque chose sous cette dalle ?

— Je ne sais pas. Tout se déroule comme si j'avais été programmé pour venir chercher cette mallette…

— Que peut-elle contenir ?

— On va vite le savoir.

Il s'agenouilla et fit pivoter l'avant de la mallette vers lui. Il saisit son couteau et chercha comment forcer les serrures.

Valeria se pencha au-dessus de lui pour l'éclairer. Elle entendit un léger bruissement dans les bois. Par réflexe, elle jeta un coup d'œil. Ce qu'elle découvrit lui arracha un cri d'effroi. Peter sursauta. Là, à moins de trois mètres d'eux, à demi dissimulé par un arbre, un homme en cagoule, entièrement vêtu de noir, les tenait en joue avec un revolver.

— Posez doucement vos lampes sur le sol et levez les mains, ordonna-t-il avec un léger accent.

Valeria et Peter obéirent.

— Que voulez-vous ? demanda Peter. Nous n'avons pas d'argent.

— Ce n'est pas ce qui m'intéresse. Reculez ! Retournez dans l'eau !

Malgré l'arme et le fait qu'il soit solidement charpenté, Peter songea un instant à se jeter sur lui.

— À votre place, je n'essaierais pas, siffla l'homme dont on ne voyait que les yeux déterminés. Je n'hésiterai pas à faire feu, je vous le garantis.

Valeria saisit son compagnon par les épaules et l'entraîna vers le loch. Leur adversaire s'avança, l'arme toujours pointée.

— C'est bien, dit-il. Allez, au bain !

Les deux jeunes gens reculèrent et se laissèrent glisser dans l'eau. Valeria claquait des dents, à la fois de peur, de fatigue et de froid. Peter fixait rageusement leur agresseur. L'homme enjamba les bouteilles et d'un geste souple, attrapa la mallette par sa poignée. Valeria sentit Peter frémir, mais elle le retint.

— Votre amie a raison, dit le mystérieux voleur.

89

Rien ne vaut la vie. Restez au frais quelques minutes et oubliez tout. C'est votre seule chance.

L'homme donna un coup de pied dans les lampes, qui coulèrent à pic. Les faisceaux furent bientôt engloutis dans les profondeurs du loch. Dans l'obscurité, sans aucun bruit, comme par magie, l'homme disparut avec la mallette.

12

— Vous devez venir, monsieur.
— Que se passe-t-il ?
— Le médium s'est évanoui.
— Qu'est-ce que vous racontez ?
— Son encéphalogramme, personne n'a jamais vu ça. Il devrait être mort.
— Il faut tout arrêter.
— Aucun humain n'a ce pouvoir.

— Je repars ce soir. Mon vol est à 20 h 40.

Valeria était décidée. Peter cherchait son regard, mais la jeune femme l'évitait délibérément, fixant sa tasse vide. Ils étaient arrivés au pub dès l'ouverture et s'étaient assis à la table la plus isolée, au fond, dans un recoin, sous des reproductions de blasons écossais noircies par des années de fumée. Ils n'avaient pas dormi de la nuit. Valeria n'avait même pas osé repasser chez Madeline prendre une douche et des vêtements propres. Elle avait trop peur des questions.

— Tu ne peux pas partir maintenant, c'est impossible, ce serait une erreur... insista le jeune homme.

— L'erreur, c'était de venir. Je n'aurais jamais dû.

Cette chapelle était un rêve. J'aurais mieux fait de m'en tenir là.

— Mais elle existe, tu l'as vue comme moi, et cette mallette aussi !

Valeria releva les yeux et foudroya Peter du regard.

— Oui, et je me pose beaucoup de questions.

— Qu'est-ce que tu veux dire ?

— Pourquoi m'as-tu proposé de venir plonger avec toi ? Comment se fait-il que tu aies su ce qui se cachait sous le dallage ?

— Calme-toi, fit Peter. Ne me reproche pas quelque chose que je subis aussi. Arrête ta parano et n'oublie pas que c'est toi qui es venue me trouver ; c'est toi qui m'as parlé de ton rêve...

— Alors, comment fais-tu pour rester si serein après ce qui s'est passé cette nuit ?

Sa voix était montée d'un cran. Elle avait du mal à contenir sa colère.

— Tu voudrais que je devienne fou furieux ? Que j'aille alerter les flics en leur expliquant qu'on a fait de la plongée dans une chapelle engloutie dont on rêve depuis qu'on est gosses, qu'on y a découvert une mystérieuse mallette, et qu'à notre sortie de l'eau un grand baraqué cagoulé, prêt à nous tuer, nous attendait pour la piquer ? Ce n'est pas en prison qu'ils vont nous jeter, c'est à l'asile !

Valeria ferma les yeux et inspira à fond, tentant de se reprendre. Elle le regarda avec moins d'agressivité. Peter continua :

— Je comprends ce que tu ressens, mais ce n'est pas à moi qu'il faut t'en prendre. Ce rêve, je n'ai pas choisi de le faire non plus. J'ignore ce qui m'a poussé à venir ici. Je ne sais pas pourquoi nous nous sommes rencontrés, pourquoi nous y sommes allés, pourquoi ce type savait où nous attendre ni pourquoi il était prêt à nous éliminer pour ce satané attaché-case.

— Avant, je rêvais de cette chapelle, dit Valeria d'une voix éteinte. Maintenant, je vais en faire des cauchemars. Je préfère rentrer en Espagne et essayer d'oublier tout ça.

— Tu n'y arriveras pas.

Sans lui laisser le temps de répliquer, il enchaîna :

— Qu'est-ce que tu crois ? Tu vas retourner à ta gentille vie d'avant en faisant une croix sur ce que nous avons vécu ? Pour toi, pour moi, pour notre santé mentale, je voudrais vraiment que ce soit possible, mais ça ne l'est pas. Je veux savoir ce que contient cette mallette, je veux comprendre.

Valeria ne laissa entrevoir aucune réaction. Sur un ton détaché, elle dit simplement :

— Cet après-midi, nous irons rendre les combinaisons. Je tiens absolument à payer pour ma torche perdue. Ensuite, si tu veux bien, tu me déposeras à l'aéroport.

— Et puis quoi ? *Ciao, bye bye*, plus rien ? On aura vécu tous les deux la chose la plus incroyable, la plus dingue, la plus frustrante de notre existence, et on ne se reverra jamais ?

— Je crois que c'est mieux. Cette histoire a déjà pris une ampleur démentielle. Inutile de tenter le diable en allant plus loin.

— Désolé, c'est au-dessus de mes forces, dit-il en secouant la tête. Je ne suis pas capable de lâcher. Je voudrais pouvoir me mentir, me dire que j'ai déliré, mais tu es la preuve que je n'ai pas rêvé. Tu n'oublieras rien, et moi non plus. Notre seule façon de retrouver la paix, c'est d'aller au bout, de comprendre…

La porte du pub tinta et une bande de joyeux jeunes gens entra. À eux seuls, ils envahirent trois tables. Peter repoussa son verre et se leva.

— De toute façon, tant que ton avion n'a pas décollé, rien n'est joué. Nous n'allons pas rester enfermés ici toute la journée. Viens, allons faire un tour.

Il n'était pas nécessaire de marcher longtemps pour sortir du hameau. Très vite, la forêt était là. Les deux jeunes gens avaient suivi la route qui montait vers le Lomond. Même si d'imposants nuages gris ardoise traversaient le ciel poussés par un vent d'est, il ne pleuvait pas. Ils empruntèrent un chemin forestier qui serpentait à flanc de montagne entre des massifs boisés et des plateaux rocailleux envahis de bruyère.

Ils n'avaient pratiquement pas échangé un mot depuis le pub. Chacun affrontait ses propres interrogations. Peter espérait réellement convaincre Valeria de rester avec lui ; à présent qu'il l'avait rencontrée, il n'arrivait plus à envisager de continuer seul. La jeune femme, elle, essayait de penser à ce qu'elle allait faire à son retour. Rejoindre ses amis n'était peut-être pas le mieux. Trop de bruit, trop de jeux, trop de légèreté. Et elle sentait qu'il lui faudrait du calme, l'absence de jugement, de vrais projets et du temps pour surmonter la désastreuse expérience de son voyage.

De petites colonies de moucherons dansaient dans les rayons du soleil. Même en plein été, la forêt sentait la terre et la mousse, comme en automne. Peter rompit le silence :

— C'est une chance pour moi d'avoir fait ta connaissance.

La réflexion tira Valeria de ses idées noires. Elle sourit. Le vent rabattait obstinément ses cheveux sur son visage.

— Tu es toujours aussi positif ? demanda-t-elle.

— Pas vraiment. Tous mes proches te diraient même le contraire. Mais je considère sincèrement que tu es un cadeau du destin. Si j'avais été seul hier soir, je crois que j'aurais sauté sur le type et il m'aurait sans doute tué. C'est à devenir fou.

— Qui sait ? J'ai l'impression que je deviens folle moi

aussi. Je n'ai plus la sensation de vivre dans le même monde qu'avant. Je perçois tout différemment. Cette histoire m'obsède.

— Et c'est toi qui parlais d'oublier...

— Qu'est-ce que tu comptes faire ? demanda-t-elle.

— Je ne sais pas trop. Chercher, avec toi j'espère. Chez moi, personne ne m'attend avant deux semaines. Et toi ?

— Je suis censée aller rejoindre des amis sur la côte.

— Un petit ami ?

Valeria marqua le pas et dévisagea Peter. En découvrant le regard offusqué de la jeune femme, celui-ci se défendit en souriant :

— C'est juste pour savoir ! On a fait le même rêve toute notre enfance et on ne se connaît même pas !

Valeria passa la main dans ses cheveux.

— Oui, j'ai quelqu'un, répondit-elle. Il s'appelle Diego.

— Il sait pourquoi tu es là ?

— Je le lui ai dit, mais il ne comprend pas très bien. Lui ne voulait pas que je vienne.

— Tu vas lui parler de notre rencontre ?

— Plus tard, peut-être. Je verrai. Et puisque nous en sommes aux confidences, de ton côté, il y a quelqu'un ?

— Non. Je suis tristement célibataire. Ce n'est pas faute d'avoir commencé des histoires, mais ça ne dure jamais bien longtemps. Toutes me trouvent gentil mais trop brouillon et toujours dans la lune...

— Ce n'est pas l'image que j'ai de toi.

— Eh bien, lorsque tu viendras me rendre visite en Hollande, tu essaieras de les convaincre !

Valeria éclata de rire. Redevenant soudain sérieuse, elle demanda :

— Tu crois que nous nous reverrons ?

Peter s'arrêta.

— Honnêtement, je ne sais pas. Pour le moment, je n'envisage même pas que l'on se sépare.

Valeria resta silencieuse un moment puis, indiquant un tronc couché sur le bord du sentier, elle dit :

— Je m'assoirais bien un moment.

Emportées et déformées par le vent, les rumeurs de la petite bourgade montaient parfois jusqu'à eux. On entendait aussi les bêlements des moutons, éparpillés sur la colline d'en face. Les deux jeunes gens étaient de nouveau silencieux, regardant la forêt à travers laquelle ils apercevaient la vallée. Un bruissement attira leur attention. Ils se retournèrent et virent arriver un homme assez jeune qui faisait son jogging. En les découvrant soudain, le sportif sursauta, surpris. Sans ralentir sa foulée, il les salua d'un mouvement de tête et continua son chemin.

— Il a la santé, remarqua Peter. Un kilomètre à ce rythme suffirait à m'envoyer à l'hôpital pour deux semaines…

Valeria ne broncha pas. Peter se tourna vers elle. Il ne voyait pas son visage, masqué par ses cheveux. Il se pencha. Elle pleurait.

— Et alors ? dit-il en lui prenant la main. Qu'est-ce qui te met dans un état pareil ?

Elle s'abandonna contre lui sans répondre.

— C'est pas grave si toi non plus tu ne peux pas courir comme le jogger… plaisanta-t-il gentiment. Si ça se trouve, au bout du chemin, un loup ou le monstre du loch va le bouffer. La région est bizarre, tu sais…

Blottie entre ses bras, elle sanglotait.

— Qu'est-ce que je dois faire ? gémit-elle.

— T'arranger pour que Diego ne nous surprenne pas comme ça, sinon il va me courser pour me taper et je viens de te dire que je ne sais pas courir… Tant pis, ça me fera trois semaines d'hôpital !

Valeria pouffa de rire entre deux sanglots.

— Je ne sais pas ce qui nous arrive, dit Peter plus gravement. Mais je suis sûr que fuir ne servira à rien.

Une première goutte tomba sur son épaule. La pluie arrivait. Ils restèrent pourtant encore longtemps l'un contre l'autre, perdus dans leurs pensées. Ici, malgré la pluie, malgré le vent, ils étaient au calme. Ils auraient presque pu se croire en sécurité.

13

— Médicalement, c'est impossible.

— Sauf si l'on accepte enfin que notre pauvre science n'ait pas réponse à tout.

— Vous vous rendez compte ?

— Très bien. C'est vous qui étiez sceptique.

— Vingt ans de rationalisme balayés en quelques heures.

— Il va falloir vous y faire. Nous avançons dans un domaine où tout est à découvrir.

Valeria franchit le portillon du jardin de Madeline, la tête rentrée dans les épaules. Trempée, frigorifiée, elle frappa au carreau de la porte.

— Entrez, répondit la voix chantante de sa logeuse.

La jeune femme passa le seuil et s'immobilisa sur le paillasson intérieur.

— Eh bien, ma pauvre petite, vous allez attraper du mal ! Ne bougez pas, je vais vous chercher de quoi vous sécher.

Elle revint bientôt avec un drap de bain.

— Tenez, dit-elle. En plus, il est tiède.

Valeria ne savait que dire.

— Je suis désolée de ne pas vous avoir donné de

nouvelles, commença-t-elle timidement. J'espère que vous ne vous êtes pas trop inquiétée…

Madeline s'approcha et lui posa une main complice sur le bras.

— Ma chère enfant, souffla-t-elle, s'il fallait se ronger les sangs chaque fois qu'un jeune découche, il n'y aurait plus un adulte vivant sur terre ! D'ailleurs, continua la logeuse, vous n'êtes pas venue en Écosse pour me voir ! Ne vous faites donc pas de souci…

Puis, avec une pointe de malice, elle ajouta :

— Par contre, si j'étais votre petit ami espagnol, je m'inquiéterais…

— N'allez pas croire qu'il se soit passé quoi que ce soit ! se défendit Valeria.

— Promis, je ne vous taquine plus ! Allez donc vous changer et venez prendre un thé.

Valeria accepta. Elle ôta ses chaussures et, pour éviter de répandre de l'eau partout, se hâta de gagner la salle de bains sur la pointe des pieds.

— Vous voyez, lui cria Madeline à travers la porte, je vous avais bien dit que vous alliez tomber sous le charme de notre belle région. Ah ! L'Écosse, ses profondes forêts, ses petits villages pleins de charme, ses moutons, ses beaux Hollandais…

Dans la salle d'eau, Valeria leva les yeux au ciel en souriant.

— Au fait, ajouta Madeline, ce matin, quelqu'un a déposé une lettre pour vous.

— Du courrier d'Espagne ?

— Non, c'est une enveloppe avec juste votre prénom. Ça vient du coin.

Valeria rouvrit la porte.

— Vous avez vu qui l'a déposée ?

— Non, j'étais partie en courses. Je l'ai trouvée en revenant

La jeune femme saisit l'enveloppe que Madeline lui

tendait et la décacheta en toute hâte. Elle en extirpa une feuille pliée en deux.

« Si le mystère de Sainte-Kerin vous intéresse vraiment, rendez-vous ce soir à minuit à la croix MacPhermus. »

Valeria blêmit et s'appuya au montant de la porte.

— Vous savez, ma pauvre petite, dit Madeline d'une voix pleine de compassion, ces gars-là, ils vous laissent tomber aussi vite qu'ils vous séduisent…

— Non, non, il ne s'agit pas de cela. Je peux vous louer la chambre encore quelques jours ?

— Aussi longtemps que vous le voudrez.

— Je crois que je vais de nouveau sortir ce soir…

— Alors, ce qu'on dit sur les Espagnoles est vrai ?

— Que dit-on sur les Espagnoles ?

— Plus elles sont belles, plus elles sont passionnées…

Lorsque Valeria traversa le village pour aller prévenir Peter, elle le rencontra au milieu de la rue principale, courant en sens inverse. Il serrait une enveloppe dans sa main. Hors d'haleine, il demanda :

— Tu en as reçu une aussi ?

— Oui. Un rendez-vous à minuit à la croix MacPhermus ?

Le jeune homme hocha la tête en reprenant son souffle.

— C'est très étrange, dit Valeria.

Peter grimaça sous l'effet d'un point de côté. Le voyant tout rouge et tellement essoufflé, la jeune femme esquissa un sourire moqueur.

— Qu'y a-t-il ? demanda Peter.

— C'est donc vrai, tu es incapable de courir un kilomètre !

Peter sourit et se courba en deux en toussant.

Rentrant probablement de son travail, Mrs Dwight passa près d'eux sur le trottoir et les salua.

— Bien le bonsoir. Comment vont nos chasseurs de chapelle ?

— Plutôt bien, répondit Valeria.

Un instant, la jeune femme songea à l'interroger sur l'endroit où se situait la croix MacPhermus, mais elle se ravisa. Elle préférait se débrouiller seule et éviter que tout le village ne soit au courant dans l'heure…

Rose Dwight s'éloigna avec un petit air goguenard qui en disait long sur ce qu'elle soupçonnait.

— Ça y est, soupira Valeria, tout le monde va penser qu'on est ensemble…

Peter se redressa.

— Pourquoi dis-tu ça ?

— Ce serait trop long à t'expliquer, mais dans le coin, le charme hollandais et la passion espagnole, ça enflamme les imaginations… Au fait, tu sais où c'est, la croix MacPhermus ?

— Oui, répondit le jeune homme, j'arrive de l'office du tourisme, j'ai demandé à Mrs Dwight juste avant qu'elle ferme…

La lune n'était qu'un mince croissant noyé dans la brume. Sur l'étroit sentier, Peter ouvrait la marche, une lampe à la main. Valeria le suivait, éclairant le chemin devant elle, à quelques dizaines de centimètres de ses pieds, afin d'éviter de trébucher. Pour avoir soigneusement étudié la carte, Peter estimait qu'ils avaient encore une bonne demi-heure de marche. La croix MacPhermus était un ancien point de ralliement dans la forêt, à l'ouest du village, une haute borne sculptée au pied de la montagne, à la croisée des chemins, qui marquait jadis les limites des terres du clan.

— À cette heure-ci, dit Peter, ton avion doit être au-dessus du continent.

— Ne me parle pas de ça, c'est déjà assez compliqué.

— Ça ne s'est pas bien passé au téléphone avec Diego ?

— Ni avec Diego ni avec mes parents. Mets-toi à leur place. Je pars pour trois jours, je ne donne pas signe de vie et lorsque j'appelle, c'est pour dire que je ne sais pas quand je vais rentrer.

— Évidemment.

— En plus, j'ai peur.

Peter haussa les sourcils.

— Le côté rendez-vous à minuit en pleine forêt, j'aime bien ça dans les films, grimaça Valeria, mais là, sincèrement, surtout après le coup d'hier soir…

— On n'a plus rien à se faire voler et puis cette fois, il n'aura pas l'avantage de la surprise.

— Je te rappelle que s'il faut se battre, je suis nulle, et que s'il faut courir tu vas y rester… Non, sérieusement, j'aimerais mieux être ailleurs. J'aurais dû rêver d'une église aux Baléares ! On ne sait même pas à quelle sauce on va être mangés.

— Je suppose que ça a quelque chose à voir avec notre mystérieuse rencontre au bord du loch.

— Bien joué, Sherlock, gloussa Valeria, j'imaginais que c'était pour un défilé de mode !

— Qu'est-ce qui te prend ? demanda Peter. Depuis tout à l'heure, tu es bizarre…

Il pivota brusquement et braqua sa lampe sur sa partenaire.

— Ce matin tu voulais partir, ensuite tu pleures, puis tu racontes que tout le village s'intéresse à notre histoire, et ce soir, tu plaisantes comme si nous faisions une chasse au trésor chez les scouts. T'es inconsciente ou quoi ? Je me méfie aussi de ce rendez-vous à la noix. J'ai pas envie de me faire flinguer, moi. J'y vais parce que je n'ai vraiment pas le choix.

Valeria n'en revenait pas. Il était en train de la sermonner comme une gamine !

— D'accord, se renfrogna-t-elle. Je dois t'avouer un petit secret.

Peter la regarda d'un air soupçonneux.

— Primo, c'est vrai que je voulais rentrer chez moi. Secundo, c'est vrai que toutes les commères du village croient que nous deux c'est une affaire qui roule.

Peter s'approcha de Valeria, qui dansait d'un pied sur l'autre et le regardait d'un drôle d'air.

— Mais qu'est-ce qui t'arrive ? s'énerva-t-il.

Il marqua un temps et renifla.

— Mais… On dirait que tu sens l'alcool ! s'exclama-t-il soudain, indigné.

— J'y viens, fit-elle, en dressant un index en l'air. J'en étais à tertio, c'est vrai que j'ai les chocottes et que je vais peut-être même encore pleurer. Alors, pour me donner un peu de courage, tout à l'heure, j'ai sifflé un grand verre du whisky de Madeline. J'ai cru que j'allais mourir tellement ça m'a brûlé la gorge, mais maintenant, je me sens bien…

— C'est pas vrai ! fit Peter en levant les bras au ciel. Dites-moi que je rêve !

— Et tu vois la chapelle ? demanda Valeria en s'étouffant de rire.

Peter la fusilla du regard et consulta sa montre :

— Nous avons rendez-vous dans une heure et demie. Si d'ici là, on croise un ruisseau, je te jure que je te fiche la tête dedans.

Furieux, il tourna les talons et reprit sa marche.

14

— *Nous avons une bonne et une mauvaise nouvelles.*
— *Ne jouez pas à cela avec moi.*
— *La bonne, c'est que les millions de dollars dépensés depuis des années n'auront pas été inutiles.*
— *Et la mauvaise ?*
— *Nous n'avons aucune idée de ce à quoi nous sommes confrontés. Il semble que nous ayons franchi un pas décisif dans l'observation des phénomènes parapsychologiques.*
— *Soyez plus clair.*
— *Je voudrais bien…*

L'immense croix aux motifs celtiques se dressait, sculptée dans le flanc rocheux de la montagne. La pierre était patinée par des siècles d'intempéries et tachée de lichens. Peter éclairait les superbes entrelacs en essayant d'en découvrir le début, mais chaque fois, le tracé bouclait, revenant sans fin là où il avait commencé avec une fascinante virtuosité. Peter était prêt à tout pour se changer les idées. Dans une demi-heure, il serait minuit.

Valeria n'avait pas eu à se plonger dans un ruisseau pour se dégriser, une averse s'en était chargée. Elle était assise, grelottante, dans une des niches creusées de chaque côté de la croix. Au moindre bruit, elle se cramponnait un peu plus à sa lampe et braquait le faisceau en retenant sa respiration. Le vent sifflait comme dans les vieux films d'horreur.

— On ne sait même pas d'où il va venir, dit la jeune femme en désignant tour à tour les trois chemins qui se croisaient devant elle.

— C'est vrai. Et d'ailleurs, qui nous dit qu'il sera seul ? Nous n'avons vu qu'un type hier soir, mais il avait peut-être des complices...

— C'est pas drôle. Tu me fais encore plus peur. Là, tu vois, si j'avais la bouteille de whisky, je crois que je la finirais.

Peter s'accroupit devant elle.

— Réfléchis deux secondes. S'il avait voulu nous tuer, il aurait pu facilement le faire hier soir.

— Alors, pourquoi ce rendez-vous ?

Un roulement de cailloux leur parvint des sous-bois. Peter fit volte-face et braqua sa torche. Il leur sembla distinguer le mouvement d'une ombre qui disparut aussitôt.

Valeria agrippa le bras de Peter et l'attira à elle.

— Ne t'éloigne pas, dit-elle. Même pas d'un mètre.

Elle claquait des dents.

— Tu as froid ? demanda le jeune homme à voix basse.

— Non, je suis en manque d'alcool. Trois verres et je suis accro. On est comme ça, nous les Espagnols. Et puis je déteste attendre. Maintenant, vraiment, je préférerais voir surgir un monstre énorme avec des yeux rougeoyants et une bouche pleine de dents pointues et baveuses plutôt que d'attendre au beau milieu de la nuit dans cette forêt qui fout les jetons. Mon imagination s'emballe et c'est pire que tout. Quelle heure est-il ?

— Minuit moins dix. Nous devrions peut-être éteindre les lampes et nous poster un peu à l'écart pour le surprendre.

— Pas question ! Si en plus on se retrouve dans le noir, je te jure, je hurle.

Adossés côte à côte à la paroi rocheuse qui les dominait, ils comptaient les secondes. Peter passa son bras autour des épaules de Valeria. Il essayait de donner le change, mais au fond, il n'en menait pas large non plus.

Un nouveau bruit suspect résonna dans la nuit, plus proche. Valeria se mordit les lèvres.

— Je vais devenir folle, souffla-t-elle.

Avec leurs lampes, les deux jeunes gens balayèrent rapidement les quelques mètres de clairière devant eux. Plus que tout, ils redoutaient une apparition surprise.

— Il est minuit, murmura Peter.

Valeria prit une profonde inspiration et serra les poings.

— Ne bougez pas, ordonna une voix. Éteignez vos lampes.

Valeria se tétanisa. Peter la serra plus fort. Ils obéirent. L'injonction était venue de la gauche, de tout près. La voix était rauque et métallique, inhumaine.

— Que voulez-vous ? demanda Peter.

— Obtenir des réponses.

— Qui êtes-vous ? questionna Valeria.

— Vous le saurez peut-être un jour.

Peter se pencha et murmura à l'oreille de sa compagne :

— Il est à quelques pas, sûrement dans un repli de la paroi rocheuse, à quatre mètres tout au plus. Cette fois-ci, ne me retiens pas…

— Pourquoi cherchiez-vous la mallette ? fit la voix.

— Nous ne la cherchions pas. Nous étions là pour la chapelle, expliqua Peter.

— Qui vous a envoyés ?

— Personne, répondit la jeune femme.

Peter dégagea lentement son bras.

— Alors, comment saviez-vous…

D'un mouvement sec du pouce, Peter ralluma sa torche et se précipita en direction de la voix. En deux enjambées, il fut dessus. Mais là, dans une faille, il ne découvrit qu'un petit récepteur radio. Avant qu'il ait pu se retourner, il entendit un choc sourd et le cri de Valeria. Il dirigea sa lampe vers elle. L'homme en cagoule avait sauté du surplomb et la maintenait contre lui. D'un bras, il la bloquait fermement en tenant sa lampe pendant que, de l'autre main, il lui plaquait le canon de son revolver contre la gorge.

— Peter ! gémit-elle.

À en juger par la silhouette athlétique et les vêtements noirs, il s'agissait du même individu que la veille.

— Je dois vous poser des questions, dit celui-ci avec son léger accent. Ne m'obligez pas à devenir violent. Vos réponses sont vitales et je suis prêt à tout pour les obtenir.

— Nous ne savons rien, protesta Peter.

— Laissez-moi en juger. Baissez votre lampe.

— Je vous en supplie, libérez Valeria, elle n'est pour rien dans cette histoire. C'est moi qui l'ai entraînée hier soir. Ce n'est qu'une touriste.

L'homme parut réfléchir puis, à la surprise de Peter, relâcha son étreinte. La jeune femme se précipita dans les bras de son compagnon et se cramponna à lui. « Trop sensible, c'est un amateur », songea le grand Hollandais en récupérant Valeria.

— Vous voyez que je suis de bonne volonté, déclara l'homme en noir. N'essayez pas de fuir, je ne veux pas avoir à vous tirer dans les jambes…

— Nous ne partirons pas, promit Peter en levant les mains.

— Vous savez, reprit leur attaquant – il hésita quelques instants avant de poursuivre – mon problème est simple : je dois découvrir très vite si nous sommes dans le même camp ou non.

— Mais de quoi parlez-vous ? demanda Valeria.

— Êtes-vous avec ceux qui me poursuivent et qui veulent la mallette ?

— Mais c'est vous qui nous l'avez prise ! On ne comprend rien à votre histoire, s'agaça la jeune femme.

L'homme les fixa en silence, puis pour lui-même, ajouta :

— Trop jeunes, trop sincères. Eux ne trembleraient pas.

Il avança d'un pas. D'un geste décidé, il ôta sa cagoule et s'éclaira le visage. Valeria porta ses mains à sa bouche.

— Le joggeur de la forêt ! s'exclama-t-elle.

— Je vous surveille depuis deux jours, précisa l'homme.

— Pourquoi ? s'enquit Peter.

— Parce que je ne savais pas si vous étiez de leur côté ou du mien. Vous aviez du matériel, vous saviez où chercher, je me suis dit que… Et puis il me fallait cette mallette.

— Et qu'est-ce qui pourrait vous convaincre que nous ne sommes pas avec ceux que vous redoutez ? interrogea Valeria.

— Vous paraissez aussi peu expérimentés que moi. Et puis eux n'ont jamais rêvé de la chapelle…

— Vous nous avez espionnés ! s'offusqua Peter.

— Je vous l'ai dit, je vous surveille depuis deux jours…

Peter se libéra calmement de l'emprise de Valeria et avança en direction de l'homme. Il lui braqua sa lampe dans la figure. Celui-ci cligna des yeux. Il ne paraissait pas beaucoup plus âgé qu'eux.

— Soyons clairs, siffla-t-il entre ses dents. Tu as failli nous flinguer, tu nous as piqué la mallette, tu nous as fait passer la pire nuit blanche de notre vie, tu nous fixes un rendez-vous d'agent secret à deux balles et tu prends ma copine en otage pour savoir « si on n'est pas des leurs » ?

— C'est assez réducteur, mais on peut voir les choses comme ça, répondit l'autre, gêné. Faut comprendre, ils sont partout…

— Alors je te rassure, continua Peter à présent très en colère, je ne sais toujours pas de qui tu parles, mais on n'est pas des leurs !

Sa phrase à peine achevée, Peter décocha un beau coup de poing au menton de l'homme en noir, qui partit en arrière et lâcha son arme.

— T'es dingue ! protesta-t-il en valsant sous l'impact.

— Ça, c'est pour le stress.

Puis, à grands pas, le Hollandais revint à la charge. L'homme protégea son visage derrière son avant-bras.

— Comment t'appelles-tu ? lui demanda Peter d'un ton sec.

— Stefan, Stefan Merken, répondit l'intéressé, soudain passé de l'état d'agresseur à celui de victime.

Peter l'attrapa par le col de son blouson et gronda :

— Stefan, tu vas nous dire à quoi tu joues et ce qu'il y a dans cette maudite mallette !

15

— *Les rapports de nos agents confirment les visions.*

— *C'est dément. N'en parlez à personne.*

— *On ne pourra pas garder le secret très longtemps.*

— *J'en fais mon affaire. Reprenez le dossier. C'est une priorité absolue.*

— *Il nous faudra des moyens sur le terrain, comment les justifier ?*

— *Faites-moi confiance. On va peut-être réussir ce qui a été raté il y a vingt ans…*

Quittant la petite route qui serpentait dans le vallon d'Alban, Stefan Merken s'engagea sur un chemin de terre. Dans la lueur des phares, une enseigne horizontale aux couleurs délavées apparut. « Fisherman's Paradise ». Sous le nom écrit en lettres rondes était peint un saumon souriant en train de sauter hors de l'eau. Le véhicule franchit une clôture grillagée dont le large portail était grand ouvert. Stefan éteignit les phares et se gara sur l'aire de stationnement déserte.

— C'est tranquille, commenta Peter.

— C'est ce que je voulais. À l'automne et au printemps, c'est le rendez-vous des pêcheurs, mais le reste du temps, il n'y a pas grand monde, quelques retraités randonneurs tout au plus. Ne claquez pas les portières en descendant.

Peter et Valeria échangèrent un regard interloqué.

Les trois jeunes gens quittèrent le véhicule. Le joyeux chant de la rivière toute proche s'élevait dans la nuit. En surplomb sur le talus, blottis parmi des taillis, des chalets faisaient face à l'eau.

Stefan s'arrêta un instant et jeta un coup d'œil alentour. Il remonta le sentier de planches pour s'arrêter devant le bungalow numéro 8. Il grimpa quelques marches, traversa la terrasse couverte en sortant les clés de sa poche.

— J'ai loué celui-là et ceux de chaque côté, expliqua-t-il. C'est ma zone de sécurité.

Il s'effaça pour laisser entrer ses compagnons. Peter alluma aussitôt la lumière et émit un sifflement admiratif :

— Plutôt cossu pour un cabanon de pêche ! Tu as les moyens.

Stefan ferma la porte à clé, puis s'empressa d'aller tirer tous les rideaux. Le chalet était confortable, en effet. Les meubles en pin et les rideaux en tartan le rendaient très chaleureux. Un profond canapé occupait tout un mur face à une télévision ; un coin repas spacieux jouxtait la cuisine. Un couloir conduisait vers les pièces du fond.

— Tu habites là depuis longtemps ? demanda Valeria.

— Trois semaines. Mais il va falloir que je change. Il ne faut jamais rester trop longtemps à la même adresse.

Valeria remarqua que tout était impeccablement rangé. Pas un vêtement ne traînait sur les chaises, aucune trace de miettes sur la table, et l'évier était vide et propre.

Constatant que les rideaux de la baie n'étaient pas parfaitement fermés, Stefan s'en approcha et tira dessus avec un geste maniaque.

Peter se laissa tomber dans le canapé en disant :

— Tu ne crois pas que tu te la joues un peu, avec ton personnage d'homme traqué par les puissances de l'ombre, toujours à changer de planque ? Tu devrais arrêter de regarder des films policiers…

Le grand jeune homme se tourna vers lui. Pour la première fois, Peter vit clairement son visage. Sous ses sourcils marqués, il avait des yeux sombres, un nez court et droit. Il était très brun ; la netteté et la régularité de ses traits devaient le rendre attirant aux yeux des femmes… même avec le bel hématome qui ornait sa mâchoire. Peter fut pris d'un remords mêlé d'étonnement : lui d'ordinaire si paisible avait frappé quelqu'un… Toute cette histoire lui portait vraiment sur les nerfs.

— Tu verras, fit Stefan d'un ton sec, quand vous en saurez autant que moi, vous deviendrez aussi paranos que je le suis. Relève-toi, on ne reste pas.

Pour créer l'illusion d'une présence, Stefan alluma la télévision, la petite applique de la cuisine et celle d'une des chambres.

— Venez, dit-il.

Il gagna directement les toilettes. Perplexes, Valeria et Peter le suivirent. Posant son index sur sa bouche, il leur intima le silence. Valeria et Peter se regardèrent de nouveau. Stefan ouvrit la lucarne du fond et, prenant garde à ne faire aucun bruit, se glissa à l'extérieur. Valeria l'imita, suivie de Peter.

Ils aboutirent dans un passage aménagé au sein d'un enchevêtrement de buissons qui enserrait l'arrière du chalet. Stefan referma la fenêtre derrière eux et les guida dans l'obscurité. Ils se frayèrent un chemin sur quelques centaines de mètres dans une végétation dense et inextricable. Le terrain remontait jusqu'à la lisière d'une forêt. Dans l'obscurité, Valeria et Peter suivaient aveuglément Stefan qui connaissait le chemin par cœur. Ils arrivèrent au pied d'un mur de pierre en ruine. Stefan le contourna. La végétation avait en partie recouvert les restes d'une ancienne maison. Le jeune homme s'arrêta au milieu de ce qui avait dû être la pièce principale et, d'un raclement de pied, dégagea une trappe. Il souleva le couvercle en soufflant sous le poids et disparut dans l'obscurité du trou béant.

Peter et Valeria restèrent sur le bord, interdits.

— Alors vous descendez, ou quoi ? demanda Stefan à voix basse.

Une fois la trappe refermée sur eux, Stefan alluma une lampe de camping à gaz. Ses deux compagnons découvrirent l'endroit avec stupéfaction. La pièce n'était pas très grande, assez basse et voûtée. Sur des étagères de fortune, des dizaines de boîtes de conserve étaient alignées. Stefan avait installé une table bricolée devant laquelle trônait une caisse en guise de siège.

— C'est pour cette cachette que j'ai choisi le chalet en location, expliqua le jeune homme. Il m'a fallu des semaines pour la trouver et l'aménager sans me faire repérer. Ici, nous pouvons parler tranquilles.

Il leur désigna un vieux lit de camp.

— Asseyez-vous, dit-il. J'ai beaucoup de questions à vous poser et j'imagine que vous en avez aussi. En mettant en commun ce que nous savons tous les trois, nous pourrons peut-être sortir du brouillard.

Valeria s'assit. Peter préféra s'appuyer contre le mur. Sa tête touchait presque la voûte.

— Où est la mallette ? demanda-t-il, toujours un peu méfiant.

Stefan sortit un canif de sa poche et se dirigea vers la carte fixée sur le mur du fond. Il la détacha et promena sa main sur les pierres, s'arrêtant sur une que rien ne semblait distinguer des autres. Avec minutie, il gratta le joint de terre et de mousse et la descella avant de faire de même avec ses voisines. Il glissa son bras dans la niche ainsi dégagée et en extirpa l'attaché-case, qu'il posa avec cérémonie sur la table. Valeria se leva, irrésistiblement attirée par l'objet couvert de vase séchée. Elle avait la gorge serrée. Peter ne quittait pas la mallette des yeux.

— Avant que vous l'ouvriez, déclara Stefan, je souhaite vous faire part de deux ou trois choses que j'ai apprises. Vous pouvez me prendre pour un fou, un paranoïaque de la pire espèce, pourtant je suis comme vous. Depuis quelques mois, pour moi aussi, le rêve de la chapelle revenait de plus en plus souvent. Alors, j'ai voulu en avoir le cœur net. J'ai fait des recherches et j'ai fini par découvrir son existence au département Écologie et Environnement de l'université de Munich, où je fais mes études.

— Écologie ? s'étonna Valeria.

— C'est un service qui répertorie les sites historiques ou naturels mis à mal par les projets industriels. Comme vous le savez, la chapelle s'est trouvée engloutie après la construction d'une série de barrages. Elle était recensée comme vestige perdu. Le fait de savoir qu'elle existait bel et bien n'a pas apaisé mes rêves, bien au contraire. Cette chapelle est devenue une véritable obsession. Sur le campus, nous avons un département qui étudie le sommeil. L'homme qui le dirige, Julius Kerstein, est un spécialiste très réputé. J'ai décidé d'aller lui parler de ce qui m'arrivait. Je n'étais pas certain de son accueil, j'avais peur qu'il ne m'envoie balader avec mes histoires à dormir debout, mais il m'a reçu. Je lui ai décrit mes visions répétitives, leur précision et le fait qu'elles soient liées à une région où je n'avais jamais mis les pieds.

« Afin de m'aider à déterminer l'origine de mon rêve, il m'a proposé une expérience. En me questionnant sous hypnose, il se disait capable de définir si j'avais été influencé par une image ou un reportage aperçu quelque part, peut-être dans ma petite enfance. Il était certain de réussir à déterminer d'où me venaient mes visions. Trop heureux, j'ai accepté.

Peter détacha enfin son regard de la mallette et s'assit sur la caisse. Valeria se posta à côté de lui. Stefan reprit :

— Dès le lendemain, je suis retourné voir le professeur. Il m'a installé dans un fauteuil. Rapidement, il m'a endormi. Je suis resté près d'une heure sous hypnose, ce qui, renseignements pris, est très long. Je ne me souviens de rien : ni des questions qu'il m'a posées ni de mes réponses. Il enregistrait l'entretien pour que nous puissions en faire l'analyse ensuite.

« Lorsqu'il m'a réveillé, il semblait troublé, bouleversé même, alors que c'est un homme d'habitude très sûr de lui et d'une remarquable prestance. En quelques phrases, souvent hésitantes, il m'a annoncé que mon cas était intéressant mais qu'en fin de compte il ne serait peut-être pas en mesure de m'aider. Il n'a rien ajouté de précis. Je lui ai posé des questions, j'étais intrigué, vous pouvez vous en douter. Il a simplement comparé mon cas à celui, célèbre selon ses dires, d'un ouvrier anglais travaillant dans les mines de charbon qui avait défrayé la chronique au début du XXe siècle. Ce type jouait du piano à la perfection sans jamais avoir appris. Reconnaissant ce qu'il jouait comme l'œuvre d'un pianiste disparu, un savant de l'époque avait eu l'idée de l'interroger sous hypnose. Il en avait conclu que cet ouvrier devait être la réincarnation du musicien...

— Réincarnation ?

Peter eut un sourire dubitatif. Stefan décida de l'ignorer et continua :

— Je suis rentré chez moi. La comparaison de Kerstein et l'évocation d'une réincarnation m'ont tourné dans la tête. Je n'en dormais plus. J'ai alors eu l'idée de procéder à des investigations à partir de mon état civil. J'ai consulté les journaux, les archives, j'ai écumé

Internet pour savoir ce qui avait bien pu se passer le jour de ma naissance. Je n'ai découvert qu'un seul fait qui puisse coller, un truc incroyable : le même jour, un couple de savants a été abattu.

— Quel est le rapport ? demanda Valeria. Des centaines de gens ont dû mourir ce jour-là dans le monde.

— 188 456 précisément, répondit Stefan. Mais aucun, sauf ce couple, n'a vécu à six kilomètres de la chapelle Sainte-Kerin...

— Tu te fais un film, commenta Valeria. Il peut s'agir d'un pur hasard. Et cela n'explique pas ce que nous viendrions faire là-dedans.

— Ils formaient un couple, argumenta Stefan. Et ce n'est pas tout. Quelle est votre date de naissance ?

— 26 septembre 1990, répondit Valeria.

— Exactement comme moi, constata Stefan. Je l'aurais parié.

— 4 octobre 1990, dit à son tour Peter.

— Cela nous amène à l'une des questions que je me pose, reprit Stefan. Il se peut que Valeria et moi ayons un lien avec le couple de savants, mais alors toi, Peter, d'où te vient ce rêve ? Quelle est ta place dans cette histoire ?

Valeria secoua la tête.

— C'est insensé, déclara-t-elle. Je ne marche pas. Tout cela n'est que le fruit du hasard. On est des milliers à être nés le même jour.

— 223 622, stipula Stefan. Mais sur le nombre, nous ne sommes que deux à avoir été attirés par cette chapelle...

Peter se prit la tête entre les mains.

— Dans quoi sommes-nous embarqués ? grogna-t-il.

— Il y a plus inquiétant, enchaîna Stefan. Après mes recherches sur le Net au sujet de ce couple de savants, les ennuis ont commencé pour moi. Les flics ont débarqué et ont posé toutes sortes de questions. D'autres sont allés fouiner du côté de mon université. Ils ont interrogé mes professeurs, mes potes, jusqu'à mon entraîneur au club de basket ! Mes parents sont décédés dans un accident voilà deux ans ; ils m'ont laissé assez pour vivre sans que j'aie de soucis, et depuis j'habite chez mon oncle. J'étais un étudiant plutôt bosseur, sans histoire… juste une soirée entre copains ou une virée avec les filles de temps en temps. Pas du tout le profil à susciter l'intérêt des flics.

— Une enquête est toujours possible, intervint Peter. Tu accordes trop d'importance à tout ça.

— C'est aussi ce que je me suis dit au début, répliqua Stefan. J'ai décidé de ne pas m'en faire. Quelques jours après, je suis retourné voir le professeur Kerstein à l'université. Il n'y était pas. Sa secrétaire m'a dit qu'il était malade. Une semaine plus tard, toujours sans nouvelles, je me suis débrouillé pour obtenir son adresse personnelle et je suis allé à son domicile. La boîte aux lettres était pleine et un voisin m'a appris qu'il était parti en voyage… Depuis, personne ne l'a revu et la cassette de mon enregistrement a disparu. Cela fait maintenant plus de six mois… Par la suite, dès la fin des cours, j'ai décidé de venir en Écosse pour essayer d'en apprendre plus. Je savais que je ne verrais pas la chapelle, mais j'espérais avoir un déclic, trouver quelque chose qui m'éclairerait.

— As-tu dit à quelqu'un où tu allais ? demanda Peter.

— Non. Tout le monde me croit en train de faire un trek au Yémen. Je règle tout en liquide et je change d'adresse le plus souvent possible.

— Je crois que je ne vais pas supporter cela longtemps, soupira Valeria. C'est beaucoup trop pour moi.

— On s'y fait, confia Stefan. De toute façon, quand un truc t'obsède à ce point, tu n'y échappes pas. J'y pense le jour, la nuit, j'organise ma vie en fonction de ça comme si rien d'autre n'existait.

— Je n'ai pas envie de finir comme toi, commenta Valeria.

— Il y a sûrement une explication logique à tout cela, raisonna Peter. La vie après la mort n'a jamais été un sujet jugé sérieux par la science, et je crois que la police a autre chose à faire que de courir après tous ceux qui se prétendent les réincarnations d'êtres disparus.

— Je me suis dit ça aussi, répliqua Stefan. Je me suis cramponné à ce qu'on m'a appris, à l'image que j'avais du monde, à mes croyances. Aujourd'hui, je n'en suis plus là. Je sais que la réalité est beaucoup plus complexe que l'image qu'on nous en donne.

— Tu n'as pourtant pas l'air d'un fou, remarqua Valeria. Qu'est-ce qui a pu te faire changer d'avis de manière si radicale ?

— Ouvre la mallette.

16

*— Nous avons une localisation, monsieur. Ils sont
en Écosse. Là où vivaient les Destrel.*

— Bon sang, comment sont-ils arrivés là-bas ?

— Vous connaissez la théorie des psychistes…

*— Et vous savez ce que j'en pense. Sont-ils allés
fouiller la maison ?*

— Non, monsieur, nos hommes sont catégoriques.

— Alors que peuvent-ils trafiquer dans le coin ?

Valeria reposa le petit carnet à la couverture de cuir
vert craquelé.

— C'est effroyable, murmura-t-elle, ébranlée. Ils ont
dû vivre un calvaire.

— Pas d'autre choix que de s'enfuir dans la mort,
constata Peter.

— Ou dans une vie après la mort… insista Stefan.

— Non, mais vous vous entendez ? s'emporta Valeria.
On est en plein délire ! Alors, pour vous tout est clair,
je serais la réincarnation de Catherine Destrel et Stefan
celle de mon défunt mari ? Non, mais ça va pas ! Je ne
suis la réincarnation de personne, je suis moi et vous
transformez un fait divers en délire mystique.

— Inutile de t'énerver, tempéra Stefan. Rien qu'avec

119

le peu de certitudes qu'on a dans cette histoire, le rationnel est déjà hors jeu. Il suffit de constater les faits. Ce n'est ni un fait divers, ni un délire mystique.

Le contenu de la mallette était étalé sur la caisse retournée qui faisait office de table. Outre le carnet, il y avait deux épais dossiers de notes d'expérimentation et de comptes rendus scientifiques, un étonnant casque bricolé qui couvrait les yeux et les oreilles, quelques effets personnels – un stylo Dupont, un médaillon et deux alliances, quelques photos, un trousseau de quatre clés et une bonne dizaine de disquettes.

Valeria saisit l'un des clichés. Un homme d'une quarantaine d'années se tenait derrière une jeune femme au regard doux dont il enlaçait tendrement les épaules. Elle inclinait sa tête vers lui. Derrière la photo, une simple mention : « Aberfoyle, 1976. »

— Ils ont l'air si paisibles, observa Valeria. Qui a bien pu les pousser à cette extrémité ?

— Certainement des services secrets, répondit Stefan.

Peter faisait tourner une disquette en la tenant par les angles. Grande, carrée et flexible, elle ne ressemblait pas du tout à celles qu'il connaissait.

— À votre avis, demanda-t-il, sur quoi peut-on lire ces trucs-là ?

— Sur des ordinateurs des années 1980, répondit Stefan. Ce qu'il y a de prodigieux avec les technologies de pointe, c'est qu'elles compliquent tout. On peut lire sans difficulté un manuscrit du Moyen Âge, mais on ne peut plus ouvrir une disquette d'il y a vingt ans.

— Leur théorie est quand même troublante, commenta Peter. On pourrait graver sa mémoire d'une vie à l'autre. Faire en sorte qu'un détail survive à la mort jusqu'à l'existence d'après…

Il reposa la disquette avec précaution et ajouta :

— Ce qui justifierait notre inexplicable envie de nous rendre à la chapelle et d'y chercher la mallette. Le rêve avait pour fonction de nous conduire jusqu'à ces documents, qui eux-mêmes nous mènent aux savants et à leur théorie.

— Si tout cela est vrai, fit remarquer Valeria, les Destrel ont gagné. Ils ont échappé à ceux qu'ils surnommaient les chacals et leurs travaux sont là, devant nous. Fin de l'histoire.

Peter fronça les sourcils. Stefan lui demanda :

— Tu sembles contrarié.

— J'aimerais bien savoir quelle place j'occupe dans ce puzzle, répondit Peter.

— La réponse est sans doute dans ces disquettes ou dans les textes du carnet, rétorqua Stefan. Ta date de naissance va sûrement nous aider aussi. Il est fait mention d'un certain Greg…

Valeria soupira et se laissa retomber sur le lit de camp.

— Et maintenant, c'est quoi la suite ?

— On devrait d'abord changer d'adresse, proposa Stefan, essayer de voir ce que contiennent ces disquettes, trouver ce qu'ouvrent ces clés et dormir un peu…

— Je suis prêt à me consacrer corps et âme au dernier point, plaisanta Peter.

— On ne pourra jamais trouver un ordinateur assez ancien pour lire ces disques, s'inquiéta Valeria.

Stefan sourit, fier de lui :

— La ville de Glasgow a inauguré l'année dernière un très joli musée des technologies numériques. On pourrait peut-être leur emprunter un vieux modèle…

— Tu es donc paranoïaque, réincarné, et voleur ! ironisa Valeria.

Lorsqu'elle franchit la grille du jardin de Madeline, tout semblait normal. Pourtant, Valeria eut un étrange pressentiment. « Ça y est, se dit-elle, je deviens comme Stefan… »

Elle frappa timidement au carreau de la porte d'entrée. À travers le rideau brodé, elle vit Madeline approcher. Elle avait les traits tirés.

— Vous voilà enfin, dit celle-ci. Je me suis fait du souci pour vous.

— Il ne fallait pas, je vous avais dit que j'allais sortir hier soir.

— Je m'en souviens bien, répliqua Madeline, mais la police est venue ce matin très tôt. Des inspecteurs. Ils vous cherchaient. Pas sympathiques du tout.

Valeria ouvrit de grands yeux.

— La police ?

— J'ai pensé que c'était votre petit ami espagnol qui vous faisait rechercher. Quelle histoire ! Il doit être du genre pas commode pour lancer la police à vos trousses.

— Je suis désolée de vous causer tous ces ennuis. Vous ne leur avez rien dit ?

— Ah, ça non ! La vie privée de mes locataires ne regarde qu'eux. C'est Mrs Dwight qui va être soufflée quand je vais lui raconter tout ça…

— Ne vous inquiétez plus, la rassura Valeria. Je m'en vais. J'étais simplement passée vous dire au revoir et reprendre mes affaires.

— Déjà ? Mais vous avez réglé la chambre pour le reste de la semaine.

— Ça ne fait rien. Il vaut mieux que je rentre, mon absence pose trop de problèmes…

— Les policiers vous attendent quand même au poste du village.

— Je fais mon sac et j'y vais.

Stefan roulait aussi vite que le permettaient les routes étroites et sinueuses. Les trois jeunes gens regardaient fixement devant eux avec appréhension. Ils redoutaient un barrage ou un contrôle d'identité. Les policiers s'étaient aussi présentés chez les logeurs de Peter.

Évidemment, ni lui ni Valeria ne s'étaient rendus au poste. Ils avaient sauté dans la voiture, direction sud-est, vers Stirling, où Stefan avait déniché un terrain de camping qui proposait des caravanes à louer.

— Alors, constata le jeune Allemand, qui doit-on remercier d'avoir loué cette voiture sous un nom d'emprunt et d'avoir emporté assez d'argent pour ne pas se faire pister par vos cartes bancaires ?

— Qu'est-ce qu'on risque ? s'interrogea Peter. Après tout, nous n'avons rien à nous reprocher.

— Voilà une remarque d'une naïveté confondante, railla Stefan. Il suffirait donc d'être innocent pour être libre ? Il n'est pas nécessaire d'avoir commis un crime pour se faire épingler, il suffit de gêner ou d'en savoir trop. Les prisons sont pleines de gens qui n'ont jamais eu de procès équitable.

— Les cimetières aussi, ajouta Valeria.

— C'est un concours d'optimisme ? commenta Peter.

— Maintenant qu'on est en fuite, dit la jeune femme, notre histoire n'est plus seulement un délire, c'est aussi un délit. Il est probable que le contenu de la mallette intéresse beaucoup de monde.

— Ils ne savent pas forcément ce qu'elle contient, ni même qu'elle existe, objecta Peter.

— On ne va pas parier là-dessus pour s'en sortir, remarqua Stefan. Maintenant, ils sont sur vos talons. La visite de la police à vos Bed and Breakfast le prouve.

La planque qu'avait trouvée Stefan était située au cœur d'un parc de loisirs régional avec réserve naturelle, lac privé, activités nautiques, musée du tartan et concert de cornemuse tous les soirs. Le contraste avec Aberfoyle était saisissant, mais les trois jeunes gens comptaient sur les hordes de touristes pour passer inaperçus. À la réception, Valeria s'était présentée comme une Italienne en vacances avec son petit ami et son frère. Pour la première fois de sa vie, elle avait utilisé un faux nom.

Le nouveau repaire était en fait un long mobile home parmi d'autres. Alignés côte à côte, ils surplombaient un paysage particulièrement joli au couchant – à en croire la réceptionniste du parc.

Chaque fois que Peter fermait une porte, tout le bungalow tremblait. Et lorsque l'un d'eux tirait de l'eau froide à l'évier pendant qu'un autre prenait sa douche, ce dernier s'ébouillantait. Hormis ces deux inconvénients, l'endroit était plaisant.

Par la fenêtre, Valeria regardait des enfants jouer au milieu des arbres sur la pelouse épaisse impeccablement tondue. Stefan et Peter étaient partis à Glasgow essayer de voler l'ordinateur au musée. Dehors, les gamins couraient, riaient, guettant les lapins qui peuplaient chaque buisson. Valeria se souvenait d'avoir été aussi insouciante qu'eux. Elle ne l'était plus. Cette histoire l'avait arrachée à sa vie. Entre la jeune fille qu'elle était encore quelques jours plus tôt et celle d'aujourd'hui s'était creusé un infranchissable fossé. Son univers simple et rassurant volait en éclats.

Seule dans la caravane, elle se faisait du souci pour ses deux compagnons et pour elle-même. Jamais elle ne s'était inquiétée de la sorte. Pour la première fois de sa vie, il ne s'agissait plus de petits soucis matériels. Il se passait quelque chose de grave et, à sa propre surprise, elle restait plutôt sereine. Au sein de toute cette folie, elle se montrait rationnelle et s'efforçait de faire face.

Elle s'installa sur le canapé et se replongea dans la lecture du petit carnet vert. Chaque mot la bouleversait. Elle relisait toujours les mêmes passages, pleins de doutes, de craintes. Page après page, on sentait l'issue se dessiner à travers leurs mots. Chaque espoir s'évanouissait, chaque porte de sortie se fermait. Plus leurs découvertes s'accumulaient, plus elles se révélaient être une malédiction pour eux-mêmes. Le destin de ces deux scientifiques victimes de leur savoir la touchait profondément. Même si une part d'elle-même restait sceptique, elle avait fini par envisager la réalité de certains faits. Se pouvait-il que certaines composantes de sa personnalité lui viennent de Cathy Destrel ? Comment, d'une vie à l'autre, cette personne dont elle ignorait tout aurait-elle pu avoir une quelconque influence sur elle ? Chaque nouvelle hypothèse ouvrait un gouffre dans son esprit et elle devait prendre garde à ne pas y tomber…

Étourdie par toutes ces interrogations, elle finit par s'assoupir, épuisée.

Les garçons revinrent en fin d'après-midi et la réveillèrent en frappant à la porte. Valeria sursauta et reconnut leurs voix. Elle passa la main dans ses longs cheveux emmêlés et alla leur ouvrir. Ils avaient la mine réjouie et les bras vides.

— Et alors ? demanda-t-elle.

— Mission accomplie, dit Peter en entrant.

— Nous n'avons pas eu besoin de voler, expliqua Stefan. Heureusement, parce que je ne sais pas trop comment on s'y serait pris… Ils avaient un vieux HP capable de lire les disquettes. Nous avons raconté au guide qu'un membre de notre famille récemment décédé nous les avait léguées. Il nous a permis de les lire, et surtout d'imprimer les pages après la visite !

— Il n'a rien soupçonné ?

— C'était un vrai fana d'informatique, rétorqua Peter. Il était content de nous sortir d'une impasse. On a discuté, c'était sympa.

— Que disent les documents ?

— Il y a beaucoup de choses, je n'ai pas tout lu, répondit Stefan. C'est très technique. D'après ce que j'ai pu entrevoir, il s'agit de la présentation complète de leurs travaux sur les mécanismes de la mémoire, et la méthode précise de ce qu'ils appellent le marquage.

— Cent quatre-vingts pages de dynamite scientifique, renchérit Peter. Pas étonnant que tout le monde veuille mettre la main dessus.

— Il va falloir lire en détail, remarqua Stefan. Je ne sais pas si nous comprendrons tout, mais nous devrions y trouver quelques réponses supplémentaires...

Le couchant était effectivement magnifique. Devant les nuages rougis, les cimes des grands chênes bercées par le vent du soir se découpaient à perte de vue. Sur le talus, tous les petits du camping s'étaient installés pour admirer le spectacle tout en jouant.

L'ambiance était celle d'une fin de journée de vacances ; les rires et les voix d'enfants se mêlaient en un joyeux brouhaha. Parfois, certains d'entre eux quittaient le groupe, lorsque leurs parents les appelaient pour le dîner.

Valeria était assise un peu à l'écart, entre les racines d'un frêne. Elle se sentait étrangère à l'insouciance de cette soirée d'été. Elle enviait l'innocence de ces jeunes vacanciers. Elle sentait sa vie lui échapper.

Un couple d'adolescents passa sur l'allée en contre-bas. Devant le soleil qui rougeoyait de son dernier éclat, ils échangèrent un tendre baiser. Valeria était à peine plus âgée qu'eux. Un rêve avait suffi pour qu'elle ne leur ressemble plus.

Peter vint s'asseoir à côté d'elle.

— Stefan s'est lancé dans la lecture des notes, dit-il. Ça risque d'être long. Il m'impressionne.

Le jeune homme marqua une longue pause avant d'ajouter :

— J'espère que j'en saurai plus sur la place que j'occupe dans cette histoire, quand il aura fini.

Valeria se tourna vers lui :

— Cela t'inquiète ?

— En fait, oui.

— De quoi as-tu peur ? Tu es Peter, et ce qu'il peut y avoir dans ces pages ne changera rien à cela. Tu auras les mêmes qualités, les mêmes défauts. Tous tes proches t'aimeront comme avant.

— J'aimerais en être certain…

— Que veux-tu dire ?

Les derniers rayons du soleil baignaient le visage de Valeria d'une chaude lueur. Ses yeux clairs brillaient. Elle était si belle…

— Tu as probablement hérité de quelque chose de Cathy Destrel, soupira le jeune homme, et Stefan de son mari. Ils s'aimaient d'un amour rare, c'est évident. Leur carnet et les photos le prouvent. Ils se sont donné la mort pour se protéger l'un l'autre.

— Qu'est-ce qui te pose problème là-dedans ?

— Je croyais, enfin… J'espérais…

Il chercha ses mots et finit par dire :

— Eh bien, si tu devais tomber amoureuse de ton ancien mari, je ne t'en voudrais pas.

Valeria resta bouche bée. Le soleil était couché. Les enfants se levaient les uns après les autres et s'égaillaient dans le parc.

— Il faut considérer deux aspects bien distincts dans ta remarque, commença Valeria avec sérieux. D'abord, je ne suis pas madame Destrel, et Stefan n'est pas mon ancien mari. Je ne le connais que depuis quelques dizaines d'heures et, pour l'instant, je ne ressens aucun des symptômes du coup de foudre.

— Mais…

— Laisse-moi finir. L'autre aspect de ta remarque sous-entend que tu… comment dire…

— Que je m'attache à toi…

— C'est ça, que tu t'attaches à moi. Pourtant, tu sais que quelqu'un m'attend en Espagne ?

— Oui, mais tout est si violent, si soudain…

Valeria sourit et saisit la main de Peter.

— Justement, Peter. Ne brusquons rien, d'autres s'en chargent pour nous.

La porte de la caravane s'ouvrit et Stefan sauta par-dessus les marches. En trois enjambées, il fut sur le talus. Surexcité, il s'exclama :

— Vous n'allez pas croire ce que je viens de découvrir !

17

> — *L'un des médiums prétend qu'il perçoit une troisième personne.*
> — *C'est impossible, cela ne correspond à rien.*
> — *Si je peux me permettre, nous sommes depuis longtemps assez loin du possible, monsieur.*
> — *Eh bien, essayez d'identifier cet individu et trouvez-le.*
> — *Les médiums parlent d'une entité.*
> — *Je me fiche de la façon dont ils l'appellent, dites à nos agents de me le ramener et je lui demanderai moi-même ce qu'il est !*

Stefan avait étalé quelques pages extraites des disquettes et les désignait du doigt avec exaltation.

— Ces deux savants devraient être aussi célèbres qu'Einstein ou Newton ! Si j'ai bien compris, il y a plus de vingt ans, ce couple de chercheurs aurait découvert comment fonctionne la mémoire. Leur théorie est fascinante. Pour eux, le cerveau serait en fait un émetteur-récepteur dont seule une infime partie serait dédiée à notre fonctionnement physique et à l'apprentissage pratique de notre vie. Tout le reste, l'affectif, le spirituel, ne serait pas traité directement dans notre cerveau, mais au sein d'une sorte de conscience collective, une entité psychique commune à tous les êtres et à laquelle nous serions tous connectés. Chacun pourrait, suivant des affinités qui lui sont propres et qui conditionnent son type de connexion, y puiser et y placer ses sentiments et ses pensées…

— « Le repaire des âmes », commenta Valeria, songeuse.

— Le quoi ? s'exclama Peter.

— Le repaire des âmes. C'est ainsi que les Égyptiens désignaient cette conscience collective. C'est une notion que l'on retrouve depuis les temps les plus reculés dans presque toutes les religions.

— C'est même la définition que certains donnent de Dieu, renchérit Stefan.

— Une conscience commune à tous… Cela expliquerait que l'esprit d'une personne puisse lui survivre.

— En fin de compte, c'est quelque chose que nous sentons tous intuitivement, réfléchit Valeria. Combien de gens vivent encore en nous et nous guident bien après leur mort !

— Mais d'habitude, c'est un sentiment diffus, intervint Stefan. On se souvient d'une œuvre, d'une pensée, d'un principe de vie. Dans notre cas, les Destrel ont réussi à nous connecter avec une partie très précise de cette mémoire collective : la leur. Cette conscience universelle ne serait pas le mélange de toutes les âmes, mais le sanctuaire de chacune…

— Cela confirmerait ce qu'affirment des médiums lorsqu'ils prétendent pouvoir atteindre l'esprit des disparus, dit Valeria.

Elle porta la main à son front.

— Eh bien, on n'a pas fini de se torturer les méninges !

— Là où les Destrel ont fait fort, c'est sur la transmission de leur savoir, fit observer Stefan. Ils avaient tout prévu. Ils se doutaient que ceux qui serviraient de réceptacle à leur mémoire ne seraient pas forcément des spécialistes. Ils ont pris soin de rédiger leurs notes dans un langage très accessible. Il me faudra quand même des jours pour tout lire…

— Et à coup sûr plusieurs vies pour tout comprendre, lança Peter.

Puis, sur un ton abattu, il ajouta :

— Pourquoi a-t-il fallu que cette histoire tombe sur nous ? Nous voilà médiums malgré nous. J'aimerais bien savoir comment on s'en sort.

— D'autant qu'il y a autre chose, révéla Stefan.

Le jeune homme regarda ses deux compagnons dans les yeux, prit une profonde inspiration et se lança :

— Apparemment, il serait possible d'amplifier notre lien avec eux. Dans leur rapport d'expérimentation, les deux chercheurs présentent un second volet de leur théorie. Ils parlent du réveil de la mémoire antérieure. Il semble que le casque qui se trouve avec les documents leur ait servi à graver l'emplacement de la cachette dans cette mémoire dont nous avons hérité. Ils proposent un moyen de réveiller leurs souvenirs en nous…

— Je ne suis pas certaine que ce soit une bonne idée, objecta Valeria.

— Que risque-t-on ? demanda Peter.

— Ils n'en disent rien. Ils ne font qu'émettre des hypothèses, sans aucun argument scientifique. Ils n'ont visiblement pas eu le temps de mener d'étude, ils étaient déjà pourchassés.

— Pourtant nous sommes là, nota Peter. C'est la preuve que leurs théories ne sont pas totalement farfelues.

— Le fait de mettre en pratique leur expérience peut être dangereux, fit observer Stefan. Personne n'en connaît la fiabilité, eux-mêmes avouent dans leur carnet avoir tenté le procédé de marquage à l'aveuglette. Ils ont tout risqué parce qu'ils n'avaient plus d'autre alternative.

Qui sait ce que provoquerait le fait d'enfiler ce casque ? Il s'agit quand même de bidouiller notre cerveau ! Essayer de réveiller la totalité de leur mémoire pourrait très bien ne pas marcher ou avoir des effets désastreux.

— Le seul moyen d'en savoir plus, c'est effectivement de faire l'essai, déclara Peter. Mais ça ne me plaît pas plus qu'à toi.

— Je ne suis pas du tout certaine d'avoir envie de vous suivre là-dessus… fit Valeria.

— Il faut pourtant le tenter, trancha Peter. Si on veut trouver toutes les réponses, on ne peut pas se permettre de manquer une occasion pareille.

— Tu n'as pas tort, renchérit Stefan. De toute façon, personne d'autre que nous ne pourra mener l'expérience.

— Je sais, soupira Valeria. Et bien que cela m'effraie, j'arrive à la même conclusion que vous. C'est insensé, mais nous n'avons pas le choix !

— Nous ne pourrons faire appel à aucun scientifique pour nous aider, fit remarquer Stefan. On ne doit faire confiance à personne. Nous n'avons que les notes des Destrel comme mode d'emploi.

— Et où allons-nous trouver tout le matériel ? s'inquiéta Valeria.

— J'ai peut-être une idée… répondit Peter, pensif.

18

— Les médiums perdent le contact, ils sont épuisés. Ils demandent du repos, quelques jours sans liaison.

— Dites-leur que je compatis, mais je n'ai pas ce délai. On ne peut pas manquer notre coup une seconde fois. Enfoncez-vous dans le crâne que si nous réussissons, nous n'aurons plus à quémander des budgets de recherche ou un peu de respect. Nous serons les rois. Nous aurons le plus grand des pouvoirs, un savoir unique. Alors, ils pourront se reposer.

Massive, l'université d'Édimbourg occupait un impressionnant bâtiment en U de six étages datant de la période édouardienne. La pierre grise et les centaines de fenêtres cintrées lui conféraient une majesté austère. Située à proximité du Royal Mile, l'artère la plus célèbre de la ville, elle se déployait autour d'une cour carrée plantée de chênes centenaires flanqués de bancs.

L'esplanade était envahie de jeunes gens qui allaient et venaient dans un grouillement incessant. Sous le soleil de l'après-midi, il était impossible de différencier les simples badauds venus visiter l'édifice des étudiants inscrits aux stages d'été.

— Là-haut, on trouvera tout ce qu'il nous faut, dit Peter en désignant le bâtiment de droite.

— Comment y accède-t-on ? demanda Stefan.

— On peut s'offrir la visite guidée pour faire nos repérages, et cette nuit, on entre par la porte numéro 23 A.

Valeria regarda son complice avec étonnement.

— Et d'où tiens-tu cette information ? s'enquit-elle.

— J'étais en internat ici même il y a deux ans, dans le cadre d'un échange avec mon université. La porte 23 A est connue de tous les étudiants. Elle permet de sortir et d'aller faire la fête en ville sans se faire repérer. On la surnommait la porte du paradis…

— Pourquoi avoir choisi cette université ? interrogea Stefan.

— Je ne sais pas, mais depuis hier, je me demande si nos choix d'études et pas mal d'autres choses ne nous ont pas été inconsciemment dictés pour nous préparer à ce qui nous arrive aujourd'hui. Je crois de moins en moins au hasard…

La ruelle était déserte. Les trois jeunes gens avançaient dans la faible clarté d'un unique réverbère. En file indienne, ils longeaient l'arrière des bâtiments de l'internat de l'université. Peter n'eut aucune difficulté à retrouver la porte – il l'avait beaucoup empruntée…

Elle était là, entre les containers de déchets recyclables, apparemment close. D'un geste expert, Peter appuya sur l'angle haut du battant métallique et la débloqua.

— Ce sont les étudiants de mécanique qui l'ont vrillée, expliqua-t-il à voix basse. Elle ne ferme plus. Ils ont aussi court-circuité le système d'alarme. Personne ne s'en est rendu compte en trois ans. C'est le secret le mieux gardé de l'université d'Édimbourg…

Ils pénétrèrent dans la vénérable institution. Peter reconnut aussitôt le parfum de vieille peinture et de cire. Cette sensation raviva beaucoup d'excellents souvenirs.

Ils s'engagèrent dans une série d'escaliers aux marches de bois usées.

— Au premier et au deuxième étage se trouvent les chambres, expliqua Peter. Nous allons les éviter et prendre l'escalier de service pour atteindre directement le quatrième.

Le jeune homme entraîna ses complices à travers un dédale de paliers et de couloirs déserts. De temps à autre, un éclat de rire lointain ou le vacarme d'un chahut leur parvenait, mais ils se faufilèrent sans faire de rencontre. Ils débouchèrent dans un large couloir aux murs sans éclat. À travers de grandes baies vitrées s'alignaient les salles d'étude et les laboratoires de travaux pratiques.

Peter déplia une feuille de papier et s'agenouilla pour l'étudier à la lueur de sa lampe torche.

— D'après nos repérages, le générateur basse fréquence est en salle D 132 ; il nous faut aussi le module de programmation de la D 104, et on transporte le tout dans la D 115. Les portes des labos sont fermées à clé mais si rien n'a changé, il y a un passe sous le grand bac à plantes du bout du couloir, près du monte-charge.

Il leur fallut moins d'une heure pour rassembler le matériel nécessaire à la reconstitution de l'expérience décrite par les Destrel. Ils avaient baissé les stores des fenêtres pour ne pas se faire repérer de l'extérieur, et Valeria achevait de fermer ceux des baies vitrées donnant sur le couloir.

En se contorsionnant, Peter effectuait les branchements entre les appareils. Avec méthode, il agençait la multitude de câbles comme il l'avait appris pendant ses études d'ingénieur. Jamais pourtant il n'avait effectué de travaux pratiques avec une telle concentration. Il allait parfois emprunter un câble ou un élément technique dans les salles voisines. Stefan s'était quant à lui attelé à la programmation des ordinateurs. Il y avait près de dix-huit pages de programme à entrer dans la machine pour la configurer en vue de l'expérience.

Lorsque Peter sortit pour dénicher un répartiteur de périphériques, Valeria s'approcha de Stefan. La luminosité bleutée de l'écran irradiait le visage du jeune homme.

— Tout se déroule comme tu veux ? demanda-t-elle.

— Trop tôt pour le dire, répondit-il sans lever les yeux. Pour l'instant, je dois faire confiance aux Destrel et espérer que le matériel de l'université reconnaîtra les instructions en réagissant comme il faut. Leurs relevés de programme sont écrits en Fortran, un langage informatique qui n'est plus guère utilisé que pour des applications hyper spécialisées. J'ai vaguement étudié ça en histoire de la technologie.

— C'est compliqué ?

Il cessa de taper ses données pour la regarder.

— C'est un peu comme une langue étrangère, il ne faut pas faire d'erreur de traduction parce que sinon, la machine ne comprendra pas. Ils ont mis au point un programme qui gère des sons et des influx lumineux à des rythmes variables. L'ordinateur est en fait le chef d'orchestre d'une série de stimuli qui ont un effet que j'ignore sur le cerveau. C'est une sorte de langage non verbal, d'après ce qu'ils disent dans leurs notes, une clé qui passe par l'hypnose pour activer certaines fonctions du cortex.

La jeune femme parut hésiter avant de demander :

— Tu es conscient de ce que nous sommes en train de faire ?

Stefan s'étira en se renversant sur son dossier.

— Je ne me pose pas ce genre de question, dit-il. Nous devons le faire, c'est notre seul moyen d'y voir plus clair.

Peter revint avec le répartiteur et ferma la porte derrière lui.

— Je crois que cette fois, ça y est. Nous avons tout.

Il vint regarder l'écran par-dessus l'épaule de Stefan.

— Tu en as encore pour longtemps ? s'enquit-il.

— Peut-être une heure, si tout se passe bien.

À cet instant, un bruit sourd leur parvint du couloir. Malgré les fenêtres masquées, les trois jeunes gens se figèrent. Un second bruit plus net résonna presque aussitôt.

— C'est une porte, fit Peter à voix basse. Éteignez les lumières.

Sans bruit, ils débranchèrent les lampes de travail et vinrent s'accroupir au pied de la baie vitrée. Valeria souleva délicatement le coin d'un store. Elle sursauta. Là, juste devant elle, deux silhouettes avançaient dans la pénombre du couloir. Elles n'avaient pas allumé... Les deux formes semblaient glisser sans toucher le sol. Valeria tressaillit. Stefan remarqua l'angoisse de la jeune femme. Il saisit sa main et la serra. Les deux ombres arrivèrent à la hauteur de leur porte. Même si Peter avait pris soin de la fermer à clé de l'intérieur, il n'était pas rassuré non plus.

Lentement, les ombres dépassèrent la porte et s'éloignèrent. Quelques pas plus loin, une veilleuse de sécurité les éclaira.

Peter soupira de soulagement en s'apercevant qu'il s'agissait d'un couple d'étudiants enlacés.

— Ils cherchent un peu de tranquillité, dit-il avec un sourire ironique.

— Tu as l'air spécialiste, chuchota Valeria.

En rallumant les lampes, elle remarqua l'embarras de Peter et sourit, amusée.

— Et maintenant, assez rigolé, dit celui-ci pour donner le change. On a du boulot...

À 3 heures du matin, l'université était assoupie. On n'entendait plus aucun rire, plus aucun bruit. Peter vérifia une dernière fois la conformité des informations transmises par l'unité programmée.

— Je crois qu'on est parés, dit-il.

Stefan attrapa son sac à dos et en extirpa le casque soigneusement enveloppé dans un pull.

— Qui sera le premier à tenter l'expérience ? demanda Valeria. Qui va servir de cobaye ?

Ils se dévisagèrent. Chacun avait des raisons de le vouloir et de le craindre. Chacun redoutait d'accueillir en lui la mémoire d'un inconnu, mais aucun n'avait la force de s'y refuser.

— Je suis volontaire, annonça Peter après un temps. Enfin, si vous êtes d'accord… Il vaut mieux que Stefan soit au clavier pour le premier essai et je ne tiens pas à ce que Valeria endure les effets secondaires, s'il y en a.

— On peut toujours tirer à la courte paille, proposa la jeune femme, visiblement touchée de la sollicitude de son compagnon.

— Il y a autre chose, insista Peter. Vous savez déjà de qui vous avez hérité une part de votre mémoire. Moi, j'ignore de qui vient la mienne. Je voudrais enfin savoir qui j'ai été avant de naître…

19

— Ils sont trois.

— Vous en êtes certain ?

— Ma vision est très claire. Deux sont liés aux Destrel, mais la connexion du troisième est encore floue. Je le sens comme un proche, un intime.

— Cherchez un élément qui pourrait nous permettre de l'identifier. C'est urgent.

— L'Esprit n'est pas un supermarché, monsieur. Le flux n'a que faire de vos ordres.

Peter avait rapidement sombré sous hypnose. Son corps longiligne était affalé sur un fauteuil défoncé, les muscles relâchés. Stefan et Valeria observaient les flashs qui bombardaient ses yeux avec beaucoup d'inquiétude. Ils étaient les témoins impuissants d'une expérience dont ils ne maîtrisaient rien. Stefan consultait en alternance les informations de l'écran et les comptes rendus des Destrel. Pour rassurer Valeria, il s'efforçait d'avoir l'air sûr de lui.

— Si l'on se réfère à leurs notes, commenta-t-il, tout se déroule plus vite que prévu. C'est sûrement à cause des performances des processeurs actuels.

— J'espère que cela n'affectera pas le déroulement du

programme, s'inquiéta la jeune femme, qui ne quittait pas Peter des yeux.

Le jeune Hollandais était sous contrôle hypnotique depuis plus de trente minutes. Pour ce que l'on pouvait encore en distinguer, son visage ne reflétait aucune anxiété, aucun stress. Ses bras inertes pendaient de chaque côté du fauteuil. La tête renversée en arrière, il avait la bouche ouverte. Les petits sons stridents qui s'étaient d'abord échappés du casque s'étaient mués en un bourdonnement à peine audible. Le rythme des flashs et les séquences auditives variaient sans logique apparente. Le jeune homme demeurait impassible.

— Que se passe-t-il en ce moment dans son esprit ? se demanda Valeria à voix haute. Tout cela ne m'inspire pas confiance.

— Il n'y a qu'en allant au bout que nous aurons une chance de savoir, déclara Stefan. Mais une chose est certaine : vu le temps que prend l'opération, nous ne pourrons pas être traités tous les trois…

Un bip venu de la machine indiqua que l'expérience entrait dans sa phase finale.

— Tu te rends compte, Valeria ? Si le procédé fonctionne, c'est une page de l'histoire humaine que nous sommes en train d'écrire. Plus personne ne verra la mort comme une fin. Jusque-là, les hommes avaient conscience qu'ils allaient mourir ; dorénavant, ils sauront que juste après, la vie revient.

— Je n'arrive même pas à l'imaginer, répondit-elle, pensive. Pour moi c'est de la pure science-fiction. Imagine tout ce que cela implique…

Sa mine s'assombrit soudain. Elle regarda Stefan et ajouta :

— Si jamais ça marche, qu'allons-nous faire de tout ça ? Qui sommes-nous pour porter pareil fardeau ? Crois-tu que nous soyons capables d'offrir cette découverte au monde sans nous faire broyer ? Les Destrel, eux, n'ont pas réussi…

— Nous avons un seul avantage sur eux. Ils étaient deux, nous sommes trois.

— J'aimerais être certaine que ça suffise…

Des gouttes de sueur de plus en plus nombreuses sillonnaient le front et les joues de Peter. Valeria se pencha sur lui, les sourcils froncés.

— On dirait qu'il pleure, constata-t-elle.

Stefan saisit le poignet inerte de son camarade et contrôla ses pulsations.

— Il est brûlant mais le pouls est normal. C'est peut-être l'activité psychique intense qui provoque ces suées.

— Nous sommes des apprentis sorciers, lâcha Valeria. Toute cette histoire me fait peur. J'ai l'impression que ce n'est pas réel.

— C'est probablement ce qu'ont ressenti tous les pionniers. Imagine celui qui a reçu la première décharge électrique, celui qui a décollé vers l'espace, ceux qui ont pris la mer avec la trouille de basculer dans le vide une fois arrivés au bord du monde…

— Ils étaient tous volontaires et aussi préparés que possible, fit remarquer la jeune femme.

— C'est vrai, ils avaient le choix. Nous ne l'avons pas…

Le jeune homme consulta de nouveau l'écran. Le curseur indiquant la progression du déroulement arrivait en bout de course. Le dernier signal retentit.

Valeria observa Peter avec attention. Il ne manifestait aucun symptôme de reprise de conscience. Avec précaution, Stefan lui ôta son casque. Son visage était marqué, tendu. Il paraissait plus âgé. Les yeux étaient clos, creusés. La jeune femme s'approcha de son oreille et appela d'une voix douce :

— Peter, est-ce que tu m'entends ?

Sa respiration était lente mais régulière, comme s'il dormait.

Stefan chercha une bouteille d'eau dans les sacs à dos.

— Il va sûrement être assoiffé quand il se réveillera.

Valeria l'effleura. Soudain, Peter se raidit. Il ouvrit des yeux immenses, fixes. Ses bras et ses jambes se tendirent brutalement, il glissa du fauteuil et s'effondra sur le sol. Il fut aussitôt pris de tremblements. Valeria, paniquée, s'agenouilla à ses côtés.

— Qu'est-ce qui lui arrive ?

Peter était maintenant secoué de violentes convulsions. Valeria n'osait pas le saisir. Stefan posa avec précipitation sa bouteille. Il lui attrapa un bras et une jambe pour tenter de l'immobiliser mais, malgré sa force, ne parvint pas à le maîtriser.

— Ça ressemble à de l'épilepsie, dit-il. Il faut l'empêcher de s'étouffer avec sa langue.

Sans hésiter, le jeune homme plongea deux doigts dans la bouche de son camarade. Lorsque celui-ci crispa sa mâchoire, Stefan jura mais résista à la morsure. Valeria essaya de lui prêter main-forte en tentant d'écarter les maxillaires de Peter, mais il s'agitait trop. L'intensité des tremblements semblait croître encore.

Tout à coup, le jeune Hollandais se raidit, s'arqua une ultime fois avant de retomber sur le sol. Stefan posa aussitôt la main sur sa poitrine pour vérifier que le cœur battait toujours. Il s'apprêtait à rassurer Valeria lorsque soudain, Peter porta les mains à sa gorge et prit une violente inspiration, comme s'il venait de remonter à la surface de l'eau.

Stefan plaça sa paume sous la nuque de son compagnon pour l'aider à respirer.

— Calme-toi, vieux, on est là.

Peter continuait à respirer comme s'il avait frôlé l'asphyxie. Il avait du mal à retrouver son souffle, son regard affolé fixait le vide. Il porta brusquement sa main droite à son cœur en grimaçant de douleur. Puis, comme s'il cherchait quelque chose, palpa sa poitrine. Il parut rassuré de ne rien découvrir et laissa retomber son bras, épuisé.

— Peter, parle-nous, comment te sens-tu ? le pressa Valeria.

Le jeune homme demeura un long moment immobile, à bout de souffle, puis lui fit signe d'approcher. Elle se pencha. Hoquetant, il lui dit d'une voix faible :

— La prochaine fois, c'est pas moi qui commence, on tire à pile ou face…

Stefan consulta sa montre avec angoisse. Il était 6 h 30. Dans moins d'une heure, l'université allait ouvrir. Torse nu, il faisait les cent pas dans la salle. Il avait donné ses vêtements à Peter qui grelottait, toujours allongé sur le sol, Valeria à son chevet.

L'Allemand remonta légèrement l'un des stores. Dehors, il faisait jour et déjà les premiers passants sortaient.

— Il ne faut pas traîner ici, dit-il.

— Peter est encore faible.

— Ça va aller, affirma celui-ci. Stefan a raison, il faut dégager.

Il se redressa avec peine.

— J'ai la tête prête à exploser tellement ça chauffe là-dedans, dit-il, très pâle.

— Tu ressens quelque chose ? demanda Valeria.

— Rien de précis. J'ai juste l'impression d'avoir pris la cuite de ma vie.

— Tes souvenirs d'enfance, tes proches, tes études, tout te paraît en place ? interrogea Stefan.

— Pour autant que je puisse en juger avec un mal de crâne pareil, oui.

— Si ça se trouve, raisonna Valeria, le processus n'a

rien donné. Il est possible que quelque chose n'ait pas fonctionné.

— J'aurais enduré tout ça juste pour me payer une méga migraine ?

— Impossible de le savoir, répondit Stefan. De toute façon, s'il y a une amplification de ta mémoire, tu seras le premier prévenu !

— C'est juste.

— Est-ce que tu vas pouvoir marcher ? s'inquiéta la jeune femme.

— Il faudra bien.

Pour ne pas perdre plus de temps, Stefan se contenta de débrancher les appareils et de les éparpiller dans les salles voisines. Il prit soin d'effacer l'intégralité du programme sur l'unité principale avant que le trio quitte le laboratoire. Il fit un dernier tour pour vérifier qu'aucune trace de leur passage ne subsistait.

Sortir ne fut pas beaucoup plus compliqué qu'entrer, mais Valeria et Stefan durent soutenir en permanence un Peter physiquement très affaibli.

Pendant le trajet de retour vers le camping de Stirling, Peter s'endormit. Assise à l'arrière, à son côté, Valeria lui essuyait régulièrement le front et l'empêchait de s'affaler dans des positions trop inconfortables. Elle avait beaucoup de mal à le déplacer et devait contrebalancer de tout son poids pour le redresser. Stefan conduisait en silence, n'empruntant que des petites routes perdues dans la campagne.

Peter émergea peu avant l'arrivée. Il avait la bouche pâteuse mais souffrait moins de ses maux de tête. Valeria se tourna vers lui.

— Est-ce que tu te souviens de ton nom ?

— Bien sûr !

Stefan lui jeta un coup d'œil dans le rétroviseur.

— Alors comment t'appelles-tu ?

— Peter Apledoorn.

— Où sommes-nous ?

— En Écosse.

— Mais encore ?

— Dans les ennuis jusqu'au cou.

Valeria et Stefan lui posèrent toutes sortes de questions pour tenter de déceler une quelconque évolution de son psychisme. Peter ne se sentait pas différent et se comportait normalement.

Tous aperçurent l'entrée du camping avec satisfaction. Ils avaient besoin d'une bonne douche et d'une vraie nuit de repos. La voiture s'engagea sur l'allée de gravier, contourna le joli massif fleuri de l'accueil, et se dirigea vers la zone des bungalows.

Le leur n'était plus loin. Les enfants jouaient sur les pelouses, un chien aboyait en courant après un ballon.

Peter se redressa : il avait tout de suite remarqué les deux voitures garées non loin de leur location.

— Ne t'arrête pas, dit-il d'une voix étrange à Stefan. Ne ralentis même pas !

Il se baissa en entraînant Valeria avec lui sous le siège.

— Qu'est-ce qui se passe ? demanda Stefan, qui arrivait à hauteur des voitures.

— C'est un piège, ils nous attendent. S'ils nous repèrent, on est foutus ! Pour l'amour du ciel, roule !

20

— *Quelque chose d'important est arrivé.*
— *Expliquez-vous.*
— *C'est comme si l'un des trois avait subi une rupture.*
— *Qu'entendez-vous par là ? L'un d'eux est mort ?*
— *Non, au contraire.*
— *De toute façon, nous en aurons très vite le cœur net. Nous sommes sur le point de les capturer.*

Valeria avait mal au cœur à force de se retourner dans les virages pour vérifier qu'aucun véhicule ne les suivait. Ils roulaient depuis plus d'une heure maintenant, tournant au hasard des chemins et des routes perdues au fond des bois. Avec l'éloignement, la panique commençait à retomber.

— Je crois qu'on s'en est sortis, annonça la jeune femme. Pour cette fois.

À bout de nerfs, Stefan se rangea sur le premier accotement. Il serra le frein à main et pivota vers Peter.

— Nom d'un chien, dit-il, comment as-tu fait pour les repérer ?

— Je ne sais pas. La seule chose dont je sois sûr, c'est

qu'ils surveillaient notre bungalow et que ce n'étaient pas des flics.

— Il a fallu que je sois à leur hauteur pour les remarquer. Même avec ma parano, je n'ai rien vu venir !

— Ne me demande pas de t'expliquer ce qui m'étonne moi-même, mais il n'y a aucun doute, insista Peter, sûr de lui.

— C'est inquiétant, fit Valeria.

— Qu'est-ce qui est inquiétant ? s'agaça Stefan. Que les services secrets soient à deux doigts de nous attraper ou que Peter puisse soudain les identifier à trois cents mètres ?

— On se calme ! s'exclama Valeria. On est tous dans la même galère. Heureusement qu'il les a vus, sinon on était bons. À présent, il faut trouver une autre planque. C'est une chance qu'on ait eu la mallette avec nous.

— Ils n'ont pas perdu de temps, grommela Peter. Comment ont-ils pu nous retrouver ? On a tout payé en liquide, on a des têtes de touristes comme les autres...

— Il faut qu'ils soient salement motivés pour se démener autant, constata Stefan.

Peter se passa la main sur le front. Stefan remarqua son geste et sur un ton radouci, demanda :

— Comment te sens-tu ?

— Un peu fiévreux, mais rien de grave. Il faut quitter la région avant que la voiture ne soit recherchée.

— Si ça se trouve, ajouta Valeria, ils ont peut-être déjà découvert notre intrusion à Édimbourg.

— Les flics prendront ça pour une connerie d'étudiants, avança Stefan.

— Les flics, peut-être, mais pas les agents qui nous courent après. Au contraire, ils vont être encore plus excités...

La nuit était tombée. En pleine nature, dans des landes escarpées du nord de la vallée de Glencoe, le trio avait déniché une grange abandonnée, loin de tout. La route la plus proche était à des kilomètres et le chemin qui menait jusqu'au flanc de leur colline perdue avait de quoi rebuter le plus aventureux des conducteurs de rallye.

— C'est la dèche, je ne sais pas comment on va s'en sortir. On n'a même pas de quoi manger. On est mal barrés, résuma Stefan.

La voiture était dissimulée entre la bâtisse à demi effondrée et trois arbres tout tordus. Peter dormait, étendu sur la banquette arrière. Valeria et Stefan étaient assis sur les éboulis d'un pan de mur. Au creux d'un angle, hors de vue, ils avaient allumé un petit feu qui crépitait doucement. Au-dessus d'eux, le toit crevé laissait entrevoir les étoiles. La jeune femme leva les yeux vers la charpente et dit :

— J'espère qu'on ne va pas prendre le reste des poutres sur la tête…

— Ça doit tenir ainsi depuis des dizaines d'années, ça tiendra bien une nuit de plus.

Sans se lever, Valeria grappilla autour d'elle quelques débris de bois et, d'un geste las, les jeta dans les flammes.

— Je suis inquiète pour Peter, soupira-t-elle.

— Moi aussi.

— Je me demande comment il a pu repérer les agents tout à l'heure. Ça ne lui ressemble pas du tout.

— Tu le connais depuis plus longtemps que moi… fit Stefan.

— Quelques jours, et nous n'avons pas vraiment eu le temps de parler. Je me souviens que la première fois que je l'ai vu, il sortait d'une voiture. Il s'est cogné. Je l'ai trouvé un peu distrait, un peu brouillon. Il l'admet lui-même, d'ailleurs. Je crois que c'est quelqu'un de bien. Il est attachant, en tout cas.

Valeria réfléchit.

— C'est bizarre, mais j'ai l'impression qu'il n'aurait pas été capable de les voir il y a encore quelques jours…

Ils se regardèrent. Les implications de cette remarque étaient effrayantes, mais il leur fallait bien se rendre à l'évidence : il y avait en Peter quelque chose d'autre que ce qu'ils connaissaient. Valeria se força à sourire. Stefan préféra changer de sujet.

— Avec ce qui nous reste d'essence, dit-il, on peut encore faire deux cents kilomètres. Nous n'avons plus beaucoup d'argent et ce n'est même pas la peine d'aller dans une banque essayer d'en retirer. Je suis certain que nos comptes sont bloqués. On risque juste de se faire coincer.

— On pourrait tenter de rejoindre l'Espagne, proposa Valeria. J'ai beaucoup d'amis et ma famille ne nous laissera pas tomber. Ils nous cacheront.

— Je crois que personne n'est capable de nous aider, déclara Stefan. Qui pourrait comprendre ? Tout ça nous dépasse. Finalement, on se retrouve dans la même situation que les Destrel. Nous avons leur découverte, et nous sommes nous aussi recherchés.

— Comment vois-tu la suite ?

— Je n'en sais rien. On a encore un peu d'avance sur nos poursuivants. Il nous faut une bonne idée, sans quoi nous ne tiendrons plus longtemps. Il y a vingt ans, les Destrel n'ont pas eu d'autre alternative que de disparaître… Je n'ai pas l'intention de faire comme eux.

La nuit fraîchissait. Valeria frissonna et tendit ses paumes vers le feu pour les réchauffer.

— Tu arrives à imaginer qu'une part d'eux est en nous ? demanda-t-elle.

— J'y pense. Mais honnêtement, j'ai toujours la sensation d'être moi-même.

— Ils s'aimaient vraiment.

— Je crois que sans cela, ils n'auraient jamais eu le courage d'aller au bout de leur plan insensé.

— Tu crois que cet amour est quelque part en toi et moi ?

Stefan se tourna vers la jeune femme. Il mit quelques secondes à répondre.

— Je l'ignore. À vrai dire, je ne l'éprouve pas pour l'instant.

— Moi non plus, s'empressa de préciser Valeria.

— En réactivant la mémoire antérieure, peut-être resurgirait-il ?

— Je trouve épouvantable que l'on puisse ressentir des sentiments que l'on ne choisit pas, dit pensivement la jeune femme.

— C'est pourtant le cas, fit Stefan. Pour nous et pour tous les êtres humains. On ne décide jamais des personnes qu'on aime. Elles s'imposent à nous. Qu'il s'agisse d'un coup de foudre ou d'un attachement plus lent, on ne le provoque pas, on le subit. Personne ne sait ce qui fait naître nos sentiments. Certains disent que tout est chimique, d'autres que cela vient de nos vies d'avant.

Valeria sourit.

— Qu'y a-t-il ? demanda Stefan.

— Rien, c'est ta façon de présenter les choses.

— Qu'est-ce qu'elle a ?

— Tu es toujours pondéré, pragmatique. Tu analyses en toute objectivité.

— Désolé, je suis comme ça.

— Oh, ce n'est pas un reproche, c'est juste inhabituel. La première fois que je t'ai aperçu, tu courais dans les bois, tu avais l'air très physique. La seconde fois, tu m'es tombé dessus et tu m'as collé un revolver sur la gorge. Depuis, je te vois agir, je t'écoute et je me dis que tu es un garçon étonnant.

— C'est un compliment ?

— Pour parler comme toi, répondit-elle, disons que ce n'est ni un compliment ni une critique, c'est juste un fait. Une perception de mon esprit avec tout ce que cela implique de subjectif.

Stefan sourit à son tour. Il tourna la tête vers sa compagne de fuite et la regarda avec une attention accrue.

— Heureusement qu'on s'est rencontrés, murmura-t-il.

— Vous êtes plusieurs à me dire ça ces derniers temps…

Peter s'étira. Sa nuit en position recroquevillée sur la banquette de la voiture lui avait laissé quelques raideurs dans les muscles. Adossé contre le véhicule, il inspira profondément l'air frais du petit matin. Il frissonna. La lande s'étendait à perte de vue, recouvrant dans une infinité de nuances les rondeurs qui composaient un massif montagneux. Ce matin, le soleil brillait. Il y avait de quoi se croire au bout du monde, au début des temps, sur une terre vierge. Le vent chassait les nuages dont les ombres aux contours nets glissaient sur les flancs des collines.

Entendant des pas derrière lui, il se retourna.

— Alors, bien dormi ? lui demanda Stefan qui arrivait des ruines. Tu as récupéré ?

— J'ai roupillé comme une masse. Par contre, j'ai fait plus de rêves sans queue ni tête que dans tout le reste de ma vie. Et vous ?

— Valeria dort encore. On a eu peur de te réveiller, alors on t'a laissé la voiture.

— C'est gentil. Mais du coup, c'est toi qui as l'air épuisé.

— J'ai passé une bonne partie de la nuit à te surveiller à travers les vitres. J'avais peur que tu nous refasses une crise. Il fallait aussi entretenir le feu pour que notre demoiselle n'ait pas trop froid.

— Si tu veux, tu peux aller te reposer. Je me sens bien, je vais prendre le relais.

— On verra plus tard. Il faut d'abord décider de ce qu'on fait.

— J'ai réfléchi, dit Peter. On ne pourra pas jouer longtemps à cache-cache. Il faudrait peut-être aller spontanément trouver les autorités et négocier.

Stefan le regarda avec stupéfaction.

— Aller voir les autorités ! répéta-t-il, incrédule. Tu as perdu la raison ? Il est hors de question de se rendre.

— Il ne s'agit pas de se rendre mais d'aller s'expliquer.

— Écoute, Peter, tu peux aller leur parler si tu veux, mais c'est sans nous et sans le contenu de la mallette. Nous sommes au moins quatre à être d'accord là-dessus…

— Comment ça, quatre ?

— Valeria, les Destrel et moi !

— Ne te fâche pas, ce n'est qu'une suggestion. Je reste avec vous. Si vous ne voulez pas, on décampe.

Valeria apparut à l'entrée de la ruine.

— Eh alors, les garçons, pourquoi ces éclats de voix ?

Éblouie par la lumière franche du matin, elle plissa les yeux.

— Ce n'est rien, répondit Peter, nous discutions de la marche à suivre pour le futur.

À la mine renfrognée de Stefan, Valeria comprit qu'il se passait autre chose, mais elle décida de ne pas insister.

Peter poursuivit :

— Je crois qu'il vaudrait mieux rallier le continent. L'aéroport le plus proche est celui de Glasgow. On saute dans le premier avion où on trouve de la place et on avise…

— Tu n'as pas peur que l'aéroport soit surveillé ? demanda Valeria.

— En cette saison, c'est forcément plein de jeunes

de notre âge, et il y a beaucoup de vols. On pourra facilement se fondre dans la foule.

— Et puis les services de renseignement croiront qu'on ne s'y risquera pas, renchérit Stefan, qu'on choisira de fuir par des moyens moins évidents.

Valeria se frictionna les bras pour se réchauffer et dit :

— Puisque vous êtes tous les deux d'accord, allons-y !

21

— *Comment ça, vous les avez manqués ?*
— *Ils ne se sont pas présentés à leur adresse.*
— *Vous êtes certains que c'était la bonne ?*
— *Absolument. Je ne comprends pas. Nous avons trouvé quelques affaires, ils avaient visiblement l'intention de revenir.*
— *Des choses intéressantes ?*
— *Non, on a juste appris que la fille est italienne ou espagnole.*
— *Débrouillez-vous comme vous voudrez. Faites-les passer pour des terroristes si ça vous chante et collez-leur Interpol aux fesses. Ils ne doivent pas nous échapper !*

L'aéroport était situé au sud-est de la ville, coincé entre des usines désaffectées et des entrepôts grisâtres. Les bâtiments principaux, d'un design déjà passé de mode, accueillaient les passagers au bout d'un parking à étages toujours à moitié vide. Les trois jeunes gens y avaient abandonné la voiture en espérant qu'elle ne serait pas découverte trop vite.

En franchissant les portes d'entrée automatiques, Valeria éprouva le même frisson étrange qu'à son arrivée quelques jours plus tôt. Ils traversèrent le hall en direction du panneau des départs.

— Je n'aime pas cet endroit, dit-elle.

— Moi non plus, intervint Stefan, mais depuis quelques jours, je sais pourquoi…

Valeria le regarda, intriguée.

— C'est là qu'elle est morte, révéla le jeune homme.

— Qui ça? demanda Peter.

— Catherine Destrel.

Valeria blêmit. Stefan désigna un endroit sur le côté du hall, au pied d'un des énormes piliers qui supportaient la structure. Il ajouta :

— Elle a été abattue juste là, sous les yeux de son mari qui a tenté de s'enfuir par le couloir du fret, là-bas, à droite du kiosque à journaux. Il s'est fait descendre un peu plus loin. Ils lui ont mis quatorze balles. Je n'ai pas eu le courage de m'approcher de l'endroit précis. D'ici, ça me fait déjà assez d'effet…

Valeria chancela.

— Il faut quitter cet endroit le plus vite possible, dit-elle.

— Nous sommes ici pour cela, assura Peter.

Stefan désigna un groupe de routards assis en cercle sur leurs sacs à dos pleins à craquer.

— Nous n'avons qu'à rester près d'eux. Tout le monde croira que nous faisons partie de leur bande et nous passerons inaperçus.

De son côté, Peter repéra une borne Internet en libre-service, à côté du snack.

— Allez voir la liste des vols en partance, dit-il. Je vais vérifier quelque chose sur le Net.

— On ne devrait pas rester ensemble? interrogea Stefan.

— Je n'en ai que pour quelques instants. Choisissez le vol. Il vaut peut-être mieux que Valeria s'occupe

155

d'acheter les billets, on se méfie toujours moins d'une jolie fille…

Peter la débarrassa de son sac à dos pesant en lui faisant un clin d'œil et s'éloigna. La borne de connexion était libre. Calmement, le jeune homme posa ses mains de chaque côté du clavier et parcourut les instructions. Il fouilla la poche de son jean pour y attraper ses dernières pièces de monnaie et les glissa dans le minuteur. L'écran lui souhaita la bienvenue. Peter jeta un coup d'œil autour de lui. Personne ne semblait lui prêter attention.

Rapidement, il se connecta à un site d'actualités. Une fois en ligne, le serveur lui demanda l'objet de sa recherche. Peter réfléchit, il devait choisir les mots clés qui orienteraient la machine. Il entra sa date de naissance, puis les mots « décès » et « services secrets » et appuya sur « envoi ».

À l'écran, le petit symbole de recherche se mit à tourner sur lui-même. Peter redoutait de le voir s'arrêter, et en même temps il en avait très envie. Le serveur afficha le résultat.

« Aucune réponse trouvée. Réponse approchante sur autres archives presse, souhaitez-vous étendre la recherche ? »

D'un doigt fébrile, Peter donna son accord en tapant sur « envoi ». Le petit symbole se remit à tourner. Le jeune homme transpirait. Ce qui allait s'afficher pouvait changer sa vie. Le brouhaha lancinant du hall lui résonnait aux oreilles, il se sentait devenir brûlant. Sur le côté du clavier, sa main droite pianotait avec nervosité. Le compteur de temps affichait encore un crédit de trois minutes. Peter pria pour que la recherche aboutisse avant. Il voulait être fixé. Il ne supporterait pas d'attendre encore des heures avec cet effroyable doute. Ses rêves de la nuit étaient trop étranges. Ils avaient forcément une signification.

Le symbole cessa de tourner. L'écran afficha la

réponse : « *USA Today*, édition du 6/10/1990. Rubrique : "actualités militaires" : 4/10/1990, le colonel Frank Gassner, de la National Security Agency, trouve la mort dans un accident de tir au siège de l'Agence. » « Voir l'article ? » Peter appuya aussitôt.

— Tu envoies un petit mail à la famille ? C'est risqué.

Peter sursauta et fit volte-face. Stefan était juste derrière lui. Par réflexe, le Hollandais se déconnecta.

— Paris, dit Stefan, ce sera Paris. C'est le premier vol sur lequel il y a de la place et que nous avons les moyens de nous offrir. C'est un charter. Valeria est au comptoir pour acheter les billets. On va débarquer là-bas sans un rond, mais j'ai un pote qui y vit. Il pourra sûrement nous débrouiller le coup sans poser trop de questions.

— Bien, bien, répondit Peter qui, encore sous le coup de sa recherche, n'avait rien écouté.

— Ça n'a pas l'air d'aller ? fit Stefan.

— Si, si.

Stefan tapota l'épaule de son compagnon :

— Je te laisse tranquille. Ne nous mets pas en danger. Moi, je vais jeter un coup d'œil à la presse au kiosque.

Le jeune homme s'éloigna, laissant Peter désemparé devant sa borne désactivée. Il n'avait plus assez de monnaie pour retenter la connexion. Frustré, bouleversé par sa découverte, il était sonné et incapable de remettre de l'ordre dans ses pensées. Ce nom sur l'écran avait eu l'effet d'une bombe dans son esprit. Le peu qu'il avait appris confirmait son intuition. Cette nuit, il avait rêvé de ce prénom. Il avait rêvé que c'était le sien.

Peter tentait de se calmer lorsque soudain Stefan réapparut et lui saisit le bras avec énergie.

— Viens voir, lui dit-il à voix basse. On a un gros problème.

Il l'entraîna dans la minuscule boutique où s'alignaient les journaux et lui glissa discrètement à l'oreille :

— Regarde à gauche de la caisse, punaisé au mur…

Encore sous le choc, Peter avait du mal à se concentrer. Son regard s'égara entre les notes de service et les petits mots griffonnés à la main que le caissier avait accrochés à côté de lui. Tout à coup, il aperçut la feuille. Les photos n'étaient pas de bonne qualité, mais il n'y avait aucun doute. Alignés les uns sous les autres, les visages de Stefan, Valeria et le sien étaient surmontés de la mention « prévenir la sécurité ».

Peter jura.

— Il faut aller récupérer Valeria, dit-il, la mâchoire crispée.

S'efforçant de ne pas montrer leur affolement, les deux garçons quittèrent le kiosque et se dirigèrent vers les comptoirs des compagnies aériennes. Les mains de Stefan tremblaient. Ils remontaient le hall en louvoyant entre les piliers. Un groupe de passagers en voyage organisé leur cachait la jeune femme.

D'un seul coup, elle leur apparut. Elle n'était pas seule. Fermement maintenue par deux agents en uniforme, elle se débattait. Un troisième homme en costume sombre semblait lui parler.

Instinctivement, Stefan s'élança. Peter le saisit par l'épaule et l'arrêta net dans son élan.

— N'y va pas.

Stefan essaya d'échapper à la poigne de son comparse.

— On ne peut pas la laisser, pas elle, pas ici !

Peter saisit cette fois le jeune homme à deux mains.

— Calme-toi, tu vas nous faire remarquer, lui intima-t-il entre ses dents serrées.

Stefan se débattit de plus belle. Là-bas, les trois hommes entraînaient Valeria vers une porte de service. Elle résistait. Stefan allait crier pour l'appeler, mais Peter le ceintura avec une force étonnante et lui plaqua sa main sur la bouche.

— Tais-toi. Si tu nous fais prendre, nous ne pourrons plus l'aider.

Stefan n'était pas décidé à se calmer. Il essayait de se dégager des bras qui l'enserraient solidement.

— Lâche-moi, grogna-t-il, ils l'emmènent !

Il réussit à libérer un bras et assena un coup de coude au visage de Peter. Celui-ci ne lâcha pas prise pour autant. L'impact lui procura une étrange sensation, comme si son cerveau était soudain frappé par la foudre. Il ferma les yeux un bref instant. L'ambiance du hall lui parvint avec une sorte d'écho. Un flash assaillit son esprit en lui arrachant une expression de douleur. Il rouvrit les yeux. Il tenait toujours son compagnon. Autour d'eux, les badauds qui les avaient d'abord considérés comme des étudiants chahuteurs commençaient à se poser des questions. Stefan se débattait toujours, en larmes, tendant désespérément les bras vers la porte derrière laquelle Valeria disparaissait. Peter le retourna contre lui et, d'une poigne redoutable, lui saisit le cou en lui appliquant une pression sur la carotide. Stefan tourna de l'œil et s'écroula comme un pantin désarticulé. Peter reprit son souffle, passa son bras sous les aisselles de son compagnon évanoui et l'entraîna vers les toilettes.

22

— *Nous avons la fille.*

— *Combien de temps faut-il pour la transférer au centre ?*

— *Une vingtaine d'heures.*

— *Effacez toute trace de son passage en Écosse et inventez-lui un accident à l'autre bout du monde. Trouvez un corps équivalent et méconnaissable. Désormais, elle est au secret.*

— *Et qu'arrivera-t-il si elle ressort ?*

— *Mon pauvre ami, vous êtes parfois d'une affligeante naïveté...*

Stefan était confortablement allongé, mais il se rendit compte aussitôt que ses mains et ses pieds étaient attachés. Il ouvrit les paupières. La voiture roulait à une allure régulière. Il était étendu sur la banquette arrière et sentait à peine le balancement dans les virages. Il devait s'agir d'une berline haut de gamme. À travers des flashs, les souvenirs lui revinrent les uns après les autres. La tension remonta brutalement en lui. Toutes les images disparaissaient au moment où Peter lui avait saisi le cou.

Il tenta de se redresser. Le Hollandais était au volant.

— Qu'est-ce qu'on fiche dans cette voiture ? demanda Stefan avec agressivité. Où m'emmènes-tu ?

— Je vais t'expliquer, répondit Peter d'une voix très calme. Comment te sens-tu ?

Stefan laissa exploser sa colère.

— Comment je me sens ? Tu n'en as pas une petite idée ? Ah ça oui, tu vas m'expliquer ! Tu vas me dire pourquoi je suis attaché, pourquoi tu as laissé ces salauds enlever Valeria !

— Il le fallait, répondit Peter, laconique.

— Espèce de fumier ! ragea Stefan.

Prenant appui sur le dossier de la banquette, le jeune homme se lança de toutes ses forces entre les deux sièges avant. Il essaya d'assener un coup de tête à Peter. La voiture fit une embardée.

— Arrête, hurla Peter, tu vas nous tuer !

Stefan n'écoutait pas. Il chargeait comme une bête furieuse. Peter le repoussa sans ménagement, mais rien n'y fit.

— Salaud ! braillait Stefan. Tu les as laissés faire !

Peter écrasa d'un coup la pédale de frein et la voiture se mit en travers de la route dans un crissement de pneus. Stefan fut projeté sur le tableau de bord et retomba lourdement. Peter profita de l'effet de surprise pour se ranger sur le talus. Sans affolement, il détacha sa ceinture et descendit. Il claqua la portière, contourna le véhicule par l'avant et ouvrit côté passager.

— Maintenant, gronda-t-il, il va falloir qu'on discute sérieusement.

Il agrippa son compagnon par le col et le tira hors de la voiture. D'un coup de talon, il referma la porte et traîna Stefan jusqu'à un petit bois.

— Qu'est-ce que tu vas faire ? demanda ce dernier, secoué.

— Tu verras bien, répondit le grand Hollandais, le regard sombre.

Ils étaient au milieu de nulle part, perdus dans une campagne plantée d'arbres chenus. Comme un sac, Peter jeta Stefan dans les hautes herbes. Le dos du jeune homme heurta le tronc d'un bouleau.

— Dans quel camp es-tu ? demanda celui-ci, le souffle court.

Le dominant, Peter, énervé, faisait les cent pas en tournant comme un fauve en cage.

— Je ne te reconnais plus, poursuivit Stefan d'une voix tendue. Depuis ton marquage, tu n'es plus le même…

— Et crois-moi, ce n'est pas facile à vivre, grinça Peter en passant sa main dans ses cheveux ébouriffés.

Il était comme une pile électrique.

— Laisse-moi partir, supplia Stefan. Détache-moi et oublie-moi.

Peter semblait en lutte contre lui-même. Il ne tenait pas en place, ses moindres gestes trahissaient une tension extrême.

— Peu importe qui tu es, insista Stefan. Au nom de ce que nous avons vécu ces derniers jours, laisse-moi filer. J'irai récupérer Valeria et tu n'entendras plus parler de nous…

Peter s'agenouilla vivement et pointa un index menaçant sur son prisonnier.

— Tu n'iras nulle part, dit-il en plissant les yeux.

Une intense douleur lui traversa le cerveau. Il laissa échapper un gémissement. Stefan pensa que son compagnon avait perdu l'esprit. Il le regardait crisper ses poings serrés.

— Stefan, tu vas m'écouter, dit Peter d'une voix grave.

Craignant un geste de folie, Stefan s'empressa d'acquiescer. Il avait peur. Il sentait sa vie en danger. Peter était là, tout proche, avec un regard qu'il ne lui avait jamais vu. Tout son visage semblait soudain différent : les lèvres étaient plus fines, l'expression moins juvénile. Peter avait changé. Il avait vieilli.

— Je ne comprends pas exactement ce qui m'arrive, commença le jeune Hollandais, mais je crois que l'opération de réveil de ma mémoire antérieure a fonctionné…

La peur de Stefan se mua en effroi. Il était au bord de la panique.

— La nuit qui a suivi l'expérience, j'ai fait d'innombrables rêves, j'ai vu plein d'images. Tout cela m'a d'abord paru fou, irréel, fantastique. Pourtant, je sens que ces images, ces souvenirs, sont en train de m'envahir. Petit à petit, ils se mélangent aux miens. La mémoire de l'autre est en train de s'additionner peu à peu à la mienne.

Stefan dévisageait son compagnon, terrifié.

— Avant de réveiller cette mémoire, je n'étais pas capable de repérer des agents du gouvernement, de garder mon sang-froid en voyant Valeria se faire arrêter, je n'étais pas capable non plus de t'endormir d'une pression sur le cou comme le font les experts en arts martiaux…

— Qui es-tu ? demanda Stefan sur ses gardes.

Peter se redressa. Il se frictionna vigoureusement le visage et plongea son regard dans celui de Stefan.

— Il va falloir que tu me fasses confiance, dit-il. Tu vas devoir surmonter ta peur et te fier à moi, parce que sinon…

— Sinon quoi ? s'inquiéta Stefan.

— Sinon je n'y arriverai pas. Sinon tu ne reverras pas Valeria et nous ne nous en sortirons pas.

— Qui es-tu ? insista Stefan.

— Je n'en suis pas encore certain, hésita Peter, mais je crois que je suis celui qui vous a pourchassés il y a vingt ans…

Stefan sentit un frisson le parcourir. La sueur coula le long de sa colonne vertébrale. Il était pétrifié.

— Tu es un agent des services secrets, murmura-t-il, incrédule. Tu es un chacal… C'est pour ça que tu voulais aller voir les autorités…

— Je suis Peter. La mémoire de l'autre se mélange à la mienne, elle ne l'anéantit pas. Je ne t'ai pas livré. Tu n'as pas le droit de penser que je suis contre toi. Jusqu'à présent, l'expérience de l'autre m'a surtout servi à nous préserver.

Stefan brandit ses poignets entravés.

— Alors, détache-moi. Pendant que tu te contrôles encore, laisse-moi foutre le camp !

— Quelque chose me dit que ce « chacal », comme tu dis, n'était pas quelqu'un de mauvais…

— Tu es dingue, Peter ! C'est un de ceux qui les épiaient sans relâche, qui voulaient leur confisquer leurs inventions au profit de l'armée ! Ce type a poussé les Destrel à se tuer !

— Il n'aurait jamais fait ça.

— Tu le défends parce qu'il fait partie de toi, tu *te* défends ! Qui était ce type ? Comment doit-on t'appeler ?

— Arrête ça ! Je suis et je reste Peter. Pour ce qui est des détails, je n'ai pas eu le temps de lire l'article, je n'en sais pas grand-chose. Il s'appelait Frank Gassner, il était colonel de l'armée américaine détaché à la NSA.

Stefan jura.

— Qui que tu sois, détache-moi ! s'emporta-t-il. Je n'ai rien à faire avec toi ! Tu es notre pire ennemi !

Peter se détourna. Stefan commença à se tortiller sur le sol, essayant d'arracher la corde qui lui maintenait les chevilles.

Peter fit volte-face et se précipita pour lui saisir les mains.

— Stefan, arrête. Je ne sais pas où j'en suis. Tout est flou dans mon esprit. J'ai l'intuition que cette mémoire n'est pas mauvaise, qu'elle n'est pas violente. Il me faut un peu de temps, peut-être une autre nuit, je n'en sais rien. Ne me complique pas la vie.

— C'est ça, je dois attendre sagement que le type

qui m'a déjà flingué il y a vingt ans se réincarne pour recommencer !

— Je sens qu'il y a autre chose…

— Je n'ai pas envie de savoir quoi. Valeria est quelque part, seule, elle doit être morte de peur. J'aurais préféré que ce soit moi qu'ils attrapent. Je dois faire vite.

— Je sais. C'est pour cela que tu dois me faire confiance. Seul, tu n'arriveras à rien.

Stefan n'écoutait pas. Peter secoua la tête d'un air désolé mais résolu.

— Décidément, tu es trop pénible, gronda-t-il.

Peter se pencha sur son compagnon, qui ouvrit de grands yeux terrifiés. Le Hollandais lui saisit le cou et referma ses doigts avec une précision qui fit de nouveau mouche. Stefan s'affala sur le côté, inconscient. Peter, tel un félin traqué, jeta un œil à la ronde pour s'assurer que la campagne était bien déserte. Il contempla sa main d'un air dubitatif, fasciné de l'efficacité de son geste. Il n'avait pas hésité, il n'avait pas tremblé. Si lui ignorait d'où lui venait cette capacité, Gassner le savait certainement…

23

— Aucune nouvelle des deux autres ?

— Nous étudions les bandes vidéo de l'aéroport pour tenter de les repérer.

— Que disent les médiums ?

— Ils parlent d'un flux qui s'interpose et gêne leur perception.

— Ne peut-on pas les contraindre à faire un petit effort ?

— C'est ce que nous faisons depuis le début, monsieur. Pour les motiver plus, il faudrait en tuer un.

— Je vais y réfléchir.

— Je plaisantais, monsieur.

— Pas moi.

Le steward du ferry s'empressa d'aider la jeune femme qui portait un bébé à ramasser la clé de sa cabine. Peter profita de cet instant d'inattention pour se faufiler par la porte de service. Prenant garde de ne faire aucun bruit sur les marches métalliques, il descendit l'escalier qui conduisait au pont inférieur, celui des véhicules. Le bateau tanguait doucement. Peter débloqua l'ouverture de la lourde porte étanche à l'aide du système d'urgence.

Dans le vacarme des salles des machines situées au même étage, voitures, camping-cars et remorques étaient garés à touche-touche dans une lumière minimale. Le jeune homme se faufila jusqu'à son élégante Rover bleu nuit. Il s'approcha du coffre, posa son oreille contre la tôle et écouta aussi attentivement que possible malgré le bruit de fond. Il sortit la clé de sa poche et commanda l'ouverture centralisée. Il posa la main sur le bouton du coffre, hésita un instant puis ouvrit.

Stefan était là, ligoté comme un saucisson et délicatement calé par un amas de couvertures. Le prisonnier avait les yeux clos.

— Ne fais pas semblant de dormir, lui dit Peter en se maintenant à une distance prudente. Tu n'as aucune chance à ce petit jeu. Si tu essaies encore de me frapper, je referme et tu finis la traversée là-dedans.

Stefan ouvrit les yeux.

— Immonde salaud, lança-t-il.

— Désolé, mon vieux, je ne pouvais pas faire autrement.

— Tu me le paieras.

— Il ne tient qu'à toi que cela s'arrête. Pendant que tu fais le mariole dans le coffre, moi je bosse pour Valeria.

Stefan regarda ses poings rougis d'avoir tambouriné pendant des heures.

— J'aurais pu étouffer.

— Sûrement pas. Si un jour je veux te tuer, je sais comment faire, et un coffre de voiture bien aéré n'est pas la meilleure solution. Crois-moi, depuis deux jours, j'ai en moi toute l'expérience nécessaire…

— Où sommes-nous ?

— Quelque part entre l'Écosse et l'Irlande.

Peter jeta un coup d'œil à sa montre.

— Nous devrions accoster à Belfast d'ici deux heures. De là, nous essaierons de prendre l'avion.

— Combien de temps je vais rester là-dedans ?

— Aussi longtemps que ton comportement constituera un danger pour notre mission.

Pour la première fois depuis longtemps, Stefan regarda Peter dans les yeux.

— Si je promets de me tenir tranquille, tu me libères ?

— Affirmatif.

Stefan réfléchit. Il savait que Peter ne plaisantait pas lorsqu'il parlait de le laisser moisir dans le coffre encore des heures. Même s'il se méfiait toujours de lui, il n'en pouvait plus d'être enfermé. Il ne supporterait pas de voir se rabattre une nouvelle fois le couvercle sur lui, le laissant dans le noir, ballotté comme un paquet.

— Tu m'expliqueras ton plan ? demanda-t-il.

— J'y compte bien, d'autant que j'ai besoin de toi…

Le vent balayait le pont en rafales. Il n'y avait pas grand monde pour s'aventurer dehors. Accoudé au bastingage, Peter contemplait les côtes d'Irlande à présent bien visibles. Stefan frictionnait ses poignets endoloris.

— Il y a encore deux jours, confia Peter, j'avais le mal de mer. Impossible pour moi de mettre le pied sur un bateau sans blêmir et me vider.

— C'est l'autre qui a changé ça ?

— Je suppose. À vrai dire, je n'arrive plus à discerner les souvenirs qui proviennent de ma vie et ceux qui viennent de la sienne. C'est étrange, je me sens plus vieux, plus serein aussi. Comme si Frank m'avait apporté son expérience. Ça donne le vertige.

— Comment t'es-tu procuré la voiture et l'argent pour le billet du ferry ?

— À ma grande honte, assez facilement. Je les ai volés à l'aéroport de Glasgow. J'ai choisi ma victime, et je dois avouer que mon vieil instinct tout neuf ne m'a pas trompé. Le type avait de l'argent liquide et même un peu de nourriture.

Une mouette passa à leur hauteur en criant. Ils restèrent un instant à la suivre du regard.

— Je suis désolé pour Valeria, reprit doucement Peter.

Stefan tourna la tête vers lui. Il vit son désarroi, sa tristesse. Il retrouvait enfin le Peter qu'il connaissait.

— Tu n'y es pour rien, soupira-t-il. De toute façon, je crois qu'on n'aurait pas réussi à la délivrer.

— Je me sens coupable de ne pas avoir vu venir le coup. Je les ai sous-estimés. Je m'en veux.

— Qu'as-tu fait de la mallette ?

— Elle est en sûreté, cachée.

— Sur le bateau ?

— Non, je l'ai laissée en Écosse.

Stefan hésita à poser sa question.

— J'ai l'impression que tu ne veux pas me dire où tu l'as planquée.

— Je crois que c'est préférable.

— Tu n'as pas confiance en moi ?

— Il ne s'agit pas de ça. Je commence juste à savoir de quoi ils sont capables pour faire parler quelqu'un.

— Et qui te dit que je parlerai plus que toi ?

— Frank Gassner.

Stefan baissa les yeux vers la ligne de flottaison et regarda les remous le long de la coque, pensif. Peter reprit :

— Notre premier objectif est de sauver Valeria. Lorsque nous serons de nouveau tous les trois réunis, nous prendrons une décision ensemble quant à cette mallette.

Stefan resta un moment silencieux puis déclara :

— Je donnerais n'importe quoi pour savoir où est Valeria.

— Mais tu n'as rien, mon cher Stefan, à part un grand cœur. Alors laisse tomber, d'autant que je crois savoir où ils l'ont emmenée…

Stefan se tourna vers son complice.

— C'est-à-dire ?

— Vois-tu, depuis l'expérience, j'ai appris deux ou trois trucs que même les Destrel ignoraient. Par

169

exemple, que la mémoire et l'esprit s'auto-entretiennent pendant que nous dormons. Je me suis aperçu que les souvenirs de Gassner se mettaient en place en moi pendant mon sommeil. Tout à l'heure, pendant que tu t'excitais dans le coffre, j'ai fait un petit somme. Chaque fois que je me réveille, j'ai, pendant un bref instant, la perception de ce qui s'est ajouté en moi, puis très vite, ce discernement disparaît, et alors ma mémoire n'est plus qu'un tout unique qui a intégré à la perfection les derniers ajouts.

— Quel est le rapport avec Valeria ?

— Cela ne concerne pas qu'elle. Il est question de vous deux.

Peter fixa son comparse silencieux et reprit :

— Je crois que la réincarnation n'existe pas, ou plutôt que le terme est inexact. Mon corps est celui de Peter, mon histoire physique dans cette vie est celle de Peter, mais mon esprit est l'addition de ceux de Peter et de Frank. Ce n'est pas sa vie qui continue, mais son esprit qui fusionne avec le mien.

— Bon sang ! ragea Stefan, si seulement nous avions tous eu le temps de réveiller nos mémoires antérieures, nous serions mieux armés pour affronter tout cela !

— Pas forcément. Toi et Valeria avez hérité de deux scientifiques. Ils avaient pour ainsi dire achevé leur mission avant de mourir. Ils avaient percé le secret de la mémoire. La seule chose qui leur importait encore était leur amour. Ils ont décidé de mettre leur découverte au service de leur affection après avoir fait l'inverse pendant des années. Ce qu'il leur restait à vivre était purement affectif.

— Et dans ton cas ?

— Je ne sais pas trop. C'est assez paradoxal, mais je ne sais pas encore grand-chose de Frank Gassner. Je le ressens un peu, cependant il me manque encore des données. Je n'ai pas de recul. J'ai l'impression qu'il n'a pas tué les Destrel. J'ai le sentiment qu'il a détesté ce qui leur est arrivé, qu'il en a conçu une vraie colère et une profonde tristesse. Je me demande si aujourd'hui, il n'est pas décidé à se ranger de leur côté pour tout réparer... En tout cas, c'est ce que j'ai envie de faire.

— Des remords ?

— Pas seulement. Je devine aussi la désapprobation d'un système qu'il a servi de toutes ses forces et qui a trahi ses idéaux.

Peter sourit avant d'ajouter :

— Je crois que Frank était beaucoup plus naïf que moi...

— Où crois-tu qu'ils l'aient emmenée ?

— Là où ils pratiquent tous les interrogatoires qui ne sont pas ordonnés par voie légale : au siège de la NSA, aux États-Unis.

— On ne pourra jamais y entrer, ça doit être une forteresse.

— Je la connais, chaque nuit un peu plus. J'y ai travaillé pendant plus de quinze ans...

Stefan se redressa et dévisagea Peter.

— Parfois, je dois t'avouer que tu me fais peur...

— Et à moi, qu'est-ce que tu crois que ça me fait ? De plus en plus, je raisonne comme un stratège. Cette histoire a dilué ma vie. Je suis obsédé par les Destrel, par leurs travaux, par le mal qu'on leur a fait. Tout ce que j'apprends, chaque information que je reçois est aussitôt mise au service de cette mission. Je n'ai plus de vie, Stefan, je ne suis plus que l'outil d'une folie qui a commencé il y a plus de vingt ans...

24

— La jeune femme sera ici dans moins d'une heure.

— Tout est prêt ?

— Plus que jamais. Mais ne vous attendez pas à des résultats immédiats. Il faudra du temps.

— C'est une course contre la montre et, cette fois, je ne compte pas en être le perdant.

— Ce n'est pas un projet comme les autres, nous entrons dans l'inconnu.

— Et alors ?

— Je ne crois pas que la raison d'État ou l'ambition signifient grand-chose dans le domaine que nous abordons...

En moins de quarante-huit heures, Peter avait enseigné à Stefan les rudiments de la vie en cavale : vol avec ou sans effraction, falsification de documents officiels, usurpation d'identité, entre autres. Peter avait mis au point une stratégie qui s'appuyait sur l'implacable logique des agences de renseignements et en utilisait les failles. Le jeune homme avait parié que les services secrets auraient anticipé une fuite vers le continent européen en se contentant d'une surveillance de principe vers la capitale irlandaise, située à l'opposé.

En utilisant des cartes d'étudiants volées dont ils

avaient remplacé les photos, les deux garçons avaient réussi à embarquer sur un vol charter pour Dublin en profitant du flot de jeunes touristes. Trouver le moyen de repartir vers Washington avait été plus complexe. Le renforcement des mesures de sécurité antiterroristes les avait obligés à prendre davantage de risques. Ils avaient repéré deux marins britanniques, dont ils avaient volé bagages et documents d'identité. Un passage express sous la tondeuse d'un coiffeur avait parachevé la ressemblance. Les deux marins avaient été découverts le lendemain, enfermés dans la réserve à bière d'un pub. Pour éviter d'ajouter la honte à la colère de s'être fait piéger, ils n'avaient pas porté plainte.

À peine arrivés sur le sol américain, il leur avait fallu s'organiser. Ils étaient encore dans le hall de l'aéroport lorsque Peter se retourna vers son complice :

— Attends-moi au kiosque de souvenirs.

— Qu'est-ce que tu vas faire ?

— Reste là, je n'en ai pas pour longtemps…

Stefan n'eut pas le temps d'en demander plus. Peter se fondit dans la foule et disparut. Debout devant un présentoir de cartes postales, Stefan scrutait le hall en essayant d'avoir l'air naturel. Les rondes de police le rendaient nerveux. Lorsqu'il vit revenir Peter, celui-ci lui fit signe de le suivre vers les parkings. Discrètement, le jeune Hollandais sortit les trois portefeuilles qu'il venait de voler dans les poches des touristes. Il y avait de l'argent, des cartes de crédit et des permis de conduire.

— Avec ça, on devrait tenir quelques jours…

— Trois portefeuilles en moins de dix minutes, tu es doué. C'est aussi un talent de Gassner ?

Peter sourit :

— Disons que ça m'arrange de lui mettre ça sur le dos…

Les deux jeunes gens réussirent à louer une voiture et à prendre une chambre dans une pension d'étudiants.

Pendant que Peter assurait l'intendance et menait les opérations, Valeria occupait toutes les pensées de Stefan. Pour l'heure, les deux jeunes hommes filaient dans une Toyota rouge flambant neuve sur l'Interstate 70, vers le sud, en direction de Richmond.

— Tu es certain de l'adresse ? demanda Stefan.

— À la NSA, ils m'ont dit qu'elle avait pris sa retraite. Je me suis fait passer pour le fils d'un ancien collègue, ils m'ont baladé de service en service et quelqu'un a fini par me dire où elle habite.

— Elle a quel âge ?

— Probablement la soixantaine passée.

— Qui était-elle pour Gassner ?

— Une amie, quelqu'un de loyal qui l'aimait bien. J'ai même l'impression qu'elle avait un petit faible pour lui et que c'était réciproque…

En début de matinée, ils arrivèrent dans une banlieue aisée assez récente. Dans les larges rues bordées de grands érables, les villas s'alignaient, posées au milieu de jardins proprets sans clôture. Certaines arboraient des frontons romains, d'autres étaient prolongées par d'élégantes vérandas. Dans la contre-allée du trottoir d'en face, deux femmes faisaient leur jogging.

— Elles n'en finissent pas, leurs rues, remarqua Stefan. Il nous faudra encore deux pleins d'essence pour arriver au 2 034…

Un porteur de journaux à vélo les croisa, projetant ses quotidiens vers les porches avec une précision qui révélait une longue habitude.

Peter finit par ralentir et se gara le long du trottoir. Un petit chien aboya hargneusement après eux. Son jeune maître le rappela à l'ordre.

— Nous sommes arrivés, dit Peter en désignant d'un mouvement du menton une résidence cossue.

Il marqua une pause avant d'ajouter :

— Ça risque d'être assez perturbant. Si cela ne t'ennuie pas, je préfère que tu attendes ici. Je ne sais pas trop comment cela va se passer…

— Pas de problème. Je vais rester là le temps qu'il faudra. Fais attention à toi, ne gaffe pas. Ne laisse pas Frank reprendre le dessus dans la conversation.

— Je vais essayer de faire tout ça en même temps.

— Bonne chance, Peter.

— Je vais en avoir besoin…

Le jeune Hollandais s'engagea sur l'allée pavée qui conduisait à la maison. De chaque côté, d'harmonieux massifs chargés de fleurs multicolores retombaient sur l'herbe parfaitement tondue. Le jardin était entretenu avec minutie. En arrivant devant la grande porte bleue sous le porche à colonnades, la réverbération des rayons du soleil sur la façade sable l'éblouit. Il sonna. Le carillon résonna au loin dans la maison.

Un instant plus tard, la porte s'entrebâilla sur une dame aux cheveux poivre et sel coupés au carré. Elle se tenait bien droite. Elle leva vers lui un visage aux traits fins, et ses yeux gris limpides le regardèrent avec assurance. Peter éprouva un choc en la voyant. Il eut l'impression de la *reconnaître*.

— Vous désirez ? demanda-t-elle d'une voix énergique.

— Je vous prie de m'excuser, balbutia-t-il. Vous êtes Martha Robinson ?

— C'est moi. Que voulez-vous ?

— Voilà. Je crois que vous avez très bien connu Frank Gassner et je souhaitais pouvoir en parler avec vous.

En entendant le nom, la femme perdit contenance un bref instant.

— Qui êtes-vous ? demanda-t-elle d'une voix blanche.

— Je suis son fils, Peter.

Le regard de la femme s'assombrit.

— Je connaissais Frank, dit-elle d'un ton sec. Assez pour savoir qu'il n'avait pas de fils.

Elle referma la porte.

— Attendez ! fit le jeune homme.

Sa main se posa sur le battant clos. Il y appuya le front, désespéré.

— Je dois vous parler, c'est important.

Il plissa les yeux. Sa douleur au cerveau revint.

— Vous détestiez porter l'uniforme, déclara-t-il très vite à travers la porte. Vous disiez que c'était triste et peu féminin. Vous vous obstiniez toujours à mettre des fleurs dans les bureaux des gradés « pour que la nature soit présente dans ces endroits tout gris ». Vous lui avez dit un jour…

La porte se rouvrit. Peter se redressa. Elle le fixait.

— Entrez.

L'intérieur était simple, dépouillé de tout superflu, mais égayé çà et là de quelques jolis bouquets de fleurs fraîches. Les meubles dépareillés avaient tous une utilité définie, évidente. Les seuls objets personnels – quelques photos encadrées et des souvenirs rapportés de pays étrangers – étaient rassemblés sur un grand buffet au-dessus duquel trônait un tableau d'amateur assez réussi représentant un port de pêche grec.

— Asseyez-vous, dit la dame en indiquant un large canapé légèrement élimé.

Poliment, en évitant de se prendre les pieds dans le tapis, Peter prit place. Elle étudia le jeune homme quelques secondes et reprit :

— Vous savez, pour moi c'est un choc. J'ignorais que Frank avait un fils.

— Il ne l'a peut-être pas su lui-même, dit Peter. Ma mère est tombée enceinte très peu de temps avant sa mort. Je ne l'ai jamais connu.

— Comment se fait-il alors que vous sachiez autant de choses sur mon compte ?

Peter hésita.

— Mon père tenait une sorte de journal.

— C'est étonnant qu'il ait échappé au général Morton, parce que je peux vous dire qu'à sa disparition, le ménage a été fait de fond en comble par l'Agence. Tout ce qu'il avait écrit, ses notes, sa correspondance, tout a été saisi.

À cette seule évocation, Martha sentit la rancœur monter en elle. Peter la dévisageait.

— Oh, pardonnez-moi, dit-elle, j'en oublie les règles de la plus élémentaire courtoisie. Qu'est-ce que je peux vous offrir ?

— Rien, je vous remercie, je ne vais pas rester long-temps.

— Allons, mon garçon, ne faites pas de manières.

— Si vous insistez, je prendrai un verre d'eau ou un jus de fruits. Je ne veux pas vous déranger.

— Pour cela, jeune homme, j'ai bien peur qu'il ne soit trop tard, rétorqua Martha Robinson en plaisantant à moitié. Votre venue réveille beaucoup de choses en moi. Comment se fait-il que votre mère ne se soit pas manifestée au décès de Frank ?

— Elle est hollandaise, elle a appris sa disparition bien après. Ils ne se sont fréquentés que peu de temps.

— Alors comme ça, ce coquin de Frank avait une liaison, commenta Martha, pensive. Quel cachottier…

— Il vous aimait beaucoup.

— J'aurais bien aimé qu'il me le dise… fit-elle avec un petit sourire triste.

Martha se leva et quitta la pièce pour aller chercher les rafraîchissements. Quand elle revint avec un plateau chargé, elle avait le regard embué.

— Vous êtes grand et fin, dit-elle, mais hormis cela, vous ne lui ressemblez pas tellement. Je n'ai qu'une seule photo de votre père.

Martha désigna le buffet. Peter se leva aussitôt et, oubliant sa réserve, s'approcha à grands pas des cadres exposés. Il les étudia minutieusement. Des photos de famille, des images de Martha plus jeune avec des militaires. Peter ne parvenait pas à deviner lequel était Gassner. Martha Robinson s'approcha.

— Il avait de l'allure... fit-elle, nostalgique. Mon Dieu, cela fait déjà vingt ans !

Peter pointa une photo au hasard.

— Sur celle-là, je suis avec Emily, une collègue, et notre supérieur, le général Morton. Si ce n'était pas la seule photo que j'aie d'elle, je l'aurais jetée aux ordures. Morton est un mauvais souvenir. Après la disparition de Frank, je n'ai plus jamais voulu travailler pour lui.

Elle prit le cadre où elle se tenait à côté de Gassner. Peter dévora littéralement l'image des yeux. L'homme était assez impressionnant dans son uniforme, mais c'était son regard qui frappait le plus. Il était doux, mélancolique ; il n'avait rien de la rigueur militaire à laquelle on aurait pu s'attendre.

— Cette photo a été prise à peine un mois avant qu'il se suicide.

Peter se figea.

— Qu'il se suicide ? hoqueta-t-il.

— Comment ? Vous ne saviez pas ?

Martha pâlit.

— Oh, mon pauvre petit, dit-elle en portant la main à sa bouche. Je suis désolée, je croyais que vous étiez au courant...

Peter fit un effort pour ne pas chanceler et secoua la tête. Il s'appuya sur le buffet.

— Venez vous asseoir, dit Martha, mortifiée.

Ils prirent place face à face. Pour leur laisser le temps de se ressaisir, Martha servit à boire. Ses mains tremblaient.

— Que s'est-il passé ? demanda Peter.

— Croyez-moi, j'aurais mieux aimé que quelqu'un d'autre se charge de vous l'apprendre.

— Je préfère l'entendre d'une amie.

— Eh bien, voilà : après la disparition d'un couple de savants que votre père était chargé de surveiller, l'Agence a essayé de lui faire porter le chapeau. Il n'y était pour rien, mais ils lui ont fait sa fête. On lui reprochait d'avoir perdu leurs travaux, de s'être fait doubler par les Anglais et les Français qui ont coincé ces scientifiques, je ne sais plus où. Frank n'a pas digéré cette injustice. Il a essayé de convaincre le général Morton, mais la machine était déjà lancée pour le désigner comme coupable. Le soir même, dans le bureau du général, sous ses yeux, il s'est tiré une balle en plein cœur.

Peter était blanc comme un linge. Sa tête était prête à exploser.

— Ils ont étouffé l'affaire, continua Martha. Ils ont camouflé ça en accident au stand de tir. Ils ont récupéré toutes ses affaires personnelles, effacé toutes les traces de son travail. Écœurée, j'ai demandé ma mutation. Votre père était un type bien. Il avait l'âme d'un chercheur, c'était un spécialiste du renseignement, il n'avait rien à voir avec ces vautours de l'Agence…

Peter saisit sa tête entre ses mains. Martha se pencha et lui posa une main sur l'épaule.

— Mon Dieu, c'est terrible. Mon pauvre garçon…

— Qu'ont-ils fait de ses affaires ?

— Je n'en sais rien. Avec eux, on ne sait jamais. Ils les ont sûrement archivées quelque part.

— Est-il possible de les récupérer ?

— Vous êtes son fils, si vous faites une demande, peut-être vous restitueront-ils quelques effets personnels, s'ils ne les ont pas détruits ou classés « secret défense ».

— À qui dois-je m'adresser ?

— Vous pouvez toujours demander au grand chef, c'était lui le supérieur de votre père à l'époque. Depuis, le général Morton est devenu le patron de l'Agence tout entière.

Peter, les yeux rougis, cherchait quoi dire, mais son envie de se précipiter dehors était trop forte.

— Je vais vous laisser, balbutia-t-il. Je vous remercie.

— Vous n'avez même pas touché à votre verre.

— Je suis désolé de vous avoir perturbée. Sincèrement, je ne voulais pas vous infliger tout cela.

Il se leva.

— Ce n'est rien, dit gentiment Martha, c'est vous qui êtes bouleversé. Vous devriez rester encore quelques minutes, le temps de reprendre vos esprits.

— Pour cela, il faudrait que je reste des jours… plaisanta Peter avec amertume.

Il se dirigea vers la porte.

— Merci de m'avoir accueilli, Mrs Robinson. Je ne sais pas si nous nous reverrons, mais je crois que Frank avait raison de tenir autant à vous.

Martha parut troublée. Il lui sembla reconnaître une lueur dans le regard de Peter. Une lueur qu'elle n'avait pas vue depuis vingt ans…

Le jeune homme passa la porte et dit :

— Je vais aller rendre visite à ce brave général…

25

Valeria entrouvrit les yeux. Était-ce un bruit qui l'avait tirée de sa torpeur, ou simplement le mouvement de sa main inerte qui avait glissé? Elle battit des paupières et regarda autour d'elle, sans reconnaître l'endroit. Au centre d'une pièce vide, elle était recroquevillée sur un large fauteuil blanc et souple. La lumière ambiante était douce, diffuse. Pendant un moment, elle crut qu'elle rêvait. Ce silence et ce dénuement lui paraissaient irréels. Les murs étaient beiges, à moins qu'ils ne soient blancs et trop peu éclairés. La jeune femme tourna la tête. Sur la paroi, un large miroir lui renvoya son image. Quelqu'un avait changé ses vêtements. Ceux-là étaient vert pâle, semblables à ceux des hôpitaux.

Elle voulut se redresser mais n'y parvint pas. Sa tentative réveilla seulement une douleur au creux de son bras gauche. À la pliure du coude, sa peau bleuie portait la trace de nombreuses injections.

« Je suis droguée », pensa la jeune femme. Elle pivota la tête pour se regarder de nouveau dans la glace. Même si sa vision n'était pas nette, Valeria pouvait constater sa mauvaise mine. Elle était décoiffée et avait les traits tirés. Jamais elle ne s'était sentie aussi faible. Malgré elle, les larmes lui vinrent. Où était-elle?

Elle avait la pénible impression que son crâne était une citerne dans laquelle des idées rebondissaient en s'entrechoquant dans un désordre complet. Elle remonta sa main lourde vers son visage. Ses yeux la piquaient, son front était glacé. Son regard errait dans l'espace sans parvenir à se fixer.

Elle remarqua que le plafond de la pièce était tapissé de longues pointes noires dirigées vers le sol. « Il va descendre, songea-t-elle, et je vais être perforée de mille lances… »

Elle referma les yeux. Le flot de questions s'apaisa. Depuis sa brutale séparation d'avec Peter et Stefan, Valeria ne se souvenait de rien. Des images furtives traversaient son esprit : le visage de Stefan à l'aéroport, l'homme qui l'avait empoignée par le bras alors qu'elle allait payer les billets, sa lutte dans le couloir où elle avait été traînée par une multitude de bras, l'intérieur d'un avion très luxueux, dans lequel elle avait été maintenue, et puis plus rien.

— Bonjour, fit une voix enjouée surgie de nulle part.

Valeria se tortilla à la recherche de celui qui avait parlé.

— Restez calme, mademoiselle Serensa. Les effets des sédatifs vont se dissiper.

Le cœur de la jeune femme battait à tout rompre.

— Ne vous inquiétez pas, reprit la voix. Je suis derrière le miroir. Je vais vous rejoindre dans quelques instants. Détendez-vous. Le plafond ne descendra pas vous déchiqueter…

La jeune femme laissa ses bras retomber sur le fauteuil. Dans la glace, elle ne voyait que son triste reflet. Qui donc pouvait bien l'observer ?

Un léger déclic résonna dans le silence de la pièce. Un pan du mur s'ouvrit, laissant apparaître un homme en blouse blanche. Assez grand, plutôt séduisant, il avança en souriant. Joignant les mains en un geste presque religieux, il les tendit vers la jeune femme.

— Vous me semblez encore bien fatiguée, dit-il. Ce n'est pas grave, nous avons tout le temps.

Une autre silhouette se dessina derrière lui. Une jeune femme menue, au regard si clair qu'il était difficile de s'en détacher.

Valeria tenta de parler en vain. D'un geste doux, l'homme se pencha et posa délicatement son index sur sa bouche.

— Chut, fit-il. Ne vous forcez pas. Nous répondrons à toutes vos questions plus tard. Ici, vous ne risquez plus rien, vous êtes en sécurité.

Valeria le dévisagea. Il avait des cheveux châtains courts, des yeux bruns et une jolie fossette au menton. Il faisait tout pour se montrer amical, et son calme la rassurait un peu.

Valeria retrouva peu à peu ses forces. L'homme en blouse blanche s'était agenouillé auprès d'elle. Il lui faisait travailler ses mouvements méthodiquement, doigt après doigt, accompagnant sa main, orientant ses bras. Valeria ne luttait pas. Il était sûrement médecin et cherchait à l'aider. La femme en retrait sortait parfois de la pièce, puis revenait murmurer quelques mots à l'oreille de l'homme, qui se contentait de hocher la tête.

— Qui êtes-vous ? demanda Valeria dans un souffle.

— Oh oh ! Premières paroles ! s'enthousiasma-t-il.

Il regarda sa montre et pivota vers son adjointe.

— 16 h 47. Notez, s'il vous plaît.

— Où sommes-nous ? Depuis combien de temps suis-je ici ?

— Doucement, doucement, tempéra l'homme en lui tapotant la main. Chaque chose en son temps. Tout d'abord, laissez-moi me présenter. Je suis le professeur Irwin Jenson. Je dirige ce service et croyez-moi, nous sommes très fiers de vous accueillir. Nous vous attendions depuis des années.

Il sourit, de ce même sourire engageant, rassurant. La femme s'approcha et lui glissa quelques mots.

— Vous n'avez pas soif ? demanda-t-il à Valeria.

Elle n'en avait pas eu conscience jusque-là, mais elle eut soudain la sensation de sa gorge sèche et acquiesça d'un signe de tête. La femme au regard clair sortit. Le professeur reprit :

— Vous êtes parmi nous depuis trois jours. Votre état de stress ne nous a pas permis de pratiquer les examens nécessaires. Nous vous avons donc placée en sommeil artificiel.

— Comment suis-je arrivée à l'hôpital ?

L'homme parut surpris. La femme revint avec un gobelet translucide rempli d'eau qu'elle lui tendit. Il le saisit et le porta aux lèvres de Valeria, qui avala à petites gorgées.

— Nous ne sommes pas à l'hôpital, dit-il. Nous sommes dans un centre d'étude.

Valeria s'étrangla.

— Vous êtes de mèche avec ceux qui m'ont enlevée ?

Le professeur agita la main en signe de dénégation.

— Non, non, nous n'avons rien à voir avec ces brutes ! Leurs méthodes me répugnent. Je vous l'ai dit, il ne vous sera fait aucun mal.

Valeria douta un instant de sa bonne foi, mais se laissa convaincre par la sincérité de son regard.

— Je vais donc pouvoir sortir et retrouver les miens ?

— Je ne suis pas habilité à donner ce genre d'autorisation, mais *a priori*, je ne vois pas ce qui s'y opposerait, une fois que nous aurons terminé tous les examens.

— Et si je ne suis pas d'accord pour les subir ?

— Vous êtes libre de vos choix. Ce qu'il adviendra ne sera simplement plus de mon ressort.

La jeune femme allait protester, mais Jenson ne lui en laissa pas le temps.

— Ne gaspillez pas votre énergie. Vous devez d'abord vous rétablir. Nous verrons tout cela demain matin.

Malgré ses craintes et les questions qui l'assaillaient, Valeria n'eut aucun mal à trouver le sommeil. Sans qu'elle s'en rende compte, elle fut transférée dans une chambre plus conventionnelle. Lorsqu'elle s'éveilla, elle était étendue sur un lit sans drap. Pourtant, elle n'avait pas froid. La clarté était la même que dans la salle au miroir.

Elle se redressa au bord du lit. Contrairement à ce qu'elle redoutait, elle n'éprouva aucun vertige. Ses idées étaient plus claires, elle retrouvait sa capacité de réflexion. Cette pièce-là n'était pas beaucoup plus meublée que la précédente : aucune fenêtre, juste un minuscule lavabo, des parois lisses, comme faites de plastique. Au plafond, bien qu'en moins grand nombre, les mêmes pointes sombres. Étonnamment, la porte de la chambre était ouverte et donnait sur un couloir dont elle ne voyait que le mur d'en face. Le silence était absolu.

Valeria caressa son lit. Entièrement plastifié, il était souple et sans aucune armature. Le contact lui rappela les matelas de sport au gymnase lorsqu'elle était au lycée.

La jeune femme se leva et fit un pas vers la sortie. Elle dut s'appuyer au mur pour ne pas tituber. Au moment où elle allait franchir la porte, elle se heurta à une vitre qu'elle n'avait pas repérée. Surprise, elle recula d'un pas et palpa le panneau de verre qui fermait sa chambre. Elle en étudia le bord et ne trouva ni serrure ni poignée. Valeria effleura la paroi translucide et sursauta. Là, juste de l'autre côté, la femme au regard clair était apparue. D'abord impassible, l'adjointe de Jenson eut un sourire presque effrayant. Elle déclencha l'ouverture de la porte.

— Bonjour, mademoiselle Serensa. Avez-vous bien dormi ?

La voix était chantante, mais sans aucune chaleur.

— Je me sens mieux. Où est le professeur Jenson ?

— Il est averti de votre réveil. Il vous attend. Si vous voulez me suivre…

Valeria était impatiente de le voir et d'en finir. Cet univers sans relief, sans couleur et sans fenêtre la mettait mal à l'aise. Tout ce qu'elle avait vu du service était à proprement parler clinique. Rien sur les murs, pas même une consigne d'incendie, une flèche d'issue de secours ou un interrupteur. Le long des parois uniformes, aucun tuyau, aucune gaine électrique ne courait.

— Souhaitez-vous que je vous aide à marcher ? proposa la femme.

— Non merci, je me débrouille.

Valeria reprit son souffle avant de demander :

— Personne d'autre ne travaille dans le service ?

Son accompagnatrice ne répondit pas. Elle se contenta d'un vague sourire et lui indiqua un premier couloir sur la droite. Elles marchèrent ainsi quelques minutes.

L'absence de repères rendait l'orientation impossible. Après quelques intersections, toutes identiques, Valeria aurait été incapable de retourner seule à sa chambre.

Plus elle prenait conscience des dimensions de ce lieu aseptisé, plus cela lui faisait froid dans le dos. La femme au regard limpide s'arrêta devant une porte sans poignée qui s'ouvrit.

À l'intérieur, Jenson était assis derrière un bureau immaculé. Devant lui, aucun papier, aucun stylo, pas un ordinateur. La pièce était aussi vide que le reste du complexe.

— Entrez, mademoiselle Serensa, dit-il. Je suis heureux de vous voir sur pied.

Désignant l'unique chaise capitonnée qui lui faisait face, il ajouta :

— Prenez place, je vous prie. Nous avons beaucoup de choses à mettre au point.

Lorsque Valeria fut assise, il s'adressa à son adjointe.

— Vous pouvez nous laisser, Debbie, ça va aller.

Celle-ci sortit sans un mot et la porte se referma derrière elle.

Jenson soupira en souriant. Il croisa les doigts sur son bureau vide.

— Nous allons commencer par une série de questions simples, annonça-t-il. Il ne s'agit pas de tests à proprement parler, mais d'une évaluation de votre degré d'éveil.

Valeria ouvrit de grands yeux.

— Je vais moi aussi commencer par une série de questions simples, rétorqua-t-elle. Vous dites que vous n'êtes pas avec ceux qui m'ont enlevée, alors pour qui travaillez-vous ? Et tant qu'on y est, pouvez-vous m'indiquer la sortie ? Vous voyez, ce ne sont pas des questions trop difficiles.

Jenson eut un sourire gêné.

— Je constate que vous allez beaucoup mieux. Cependant, mademoiselle, je souhaite que vous preniez ma démarche très au sérieux. Elle a aussi pour but d'assurer une issue positive à votre séjour parmi nous.

— Mais moi aussi je suis sérieuse, lança Valeria. Je ne répondrai à aucune question tant que je ne saurai pas à qui j'ai affaire !

Il la regarda d'un air désolé et demeura silencieux. Levant les yeux, Valeria remarqua que ce plafond-là était lui aussi tapissé de fins cônes noirs. Elle repéra également qu'au centre de chacun des murs se trouvait une petite pastille noire et brillante comme un œil de poisson.

— Mademoiselle, reprit le professeur d'une voix

conciliante, vous constituez un cas unique, une chance exceptionnelle. Tout ce que nous souhaitons, c'est pouvoir étudier ce qui vous arrive. Votre coopération nous permettrait de considérables progrès.

— Stefan avait raison. Pour vous, nous ne sommes que des animaux de laboratoire. Notre vie n'a aucune signification à vos yeux ; la seule chose qui vous importe, c'est ce que nous avons dans la tête, ce que les Destrel nous ont transmis.

En entendant le nom des savants, Jenson perdit sa réserve. Il se pencha, soudain captivé. Le médecin pondéré et bien comme il faut s'était transformé en chercheur de trésor.

— Êtes-vous en connexion avec leur esprit ? demandat-il avec avidité. Que ressentez-vous vis-à-vis d'eux ?

Un déclic d'ouverture l'interrompit. Un homme en costume sombre apparut à l'entrée. Dans le décor blême, il paraissait incongru.

— Non ! protesta Jenson. Vous deviez me laisser mener les choses à ma façon.

— Désolé, Doc, mais je crois que ça ne va pas coller. La petite dame rechigne.

Jenson frappa du poing sur la table et se leva, furieux.

— Nous avions un accord ! s'insurgea-t-il. J'avais prévu qu'elle allait résister. Tout est sous contrôle. Je peux la convaincre !

Incrédule, Valeria assistait à la joute. Le ton et la façon dont les deux hommes parlaient d'elle lui rappelaient soudain qu'elle était prisonnière et qu'ici ni son avis ni les lois ne changeraient quoi que ce soit. Jenson argumentait autant qu'il le pouvait mais à l'évidence, le sort en était jeté. La porte était restée ouverte. Sans réfléchir aux conséquences, Valeria bouscula l'homme en costume et s'enfuit à toutes jambes.

26

À plat ventre sous le sommier métallique, Stefan se cramponna à la clé de douze et serra de toutes ses forces. Péniblement, il fit faire un ultime quart de tour à l'écrou. Cette fois, le dernier pied était solidement fixé au sol. Coincé sous le lit, le jeune homme s'essuya le front d'un revers de manche et souffla. Il jeta un œil à sa montre – il était dans les temps. Prenant appui sur le mur, il rampa et s'extirpa de sous le meuble. Il se déplia en grimaçant. Cela faisait près d'une heure qu'il se contorsionnait là-dessous. D'un geste las, il jeta sa clé sur le lit et s'approcha d'une liste punaisée au mur. Pour lui-même, il énuméra à voix basse :

« Boucher les aérations, c'est fait. Visser les volets, c'est fait. Retirer la poignée de la fenêtre, c'est fait aussi. Fixer le lit au sol, c'est enfin fait. »

Stefan ramassa le crayon posé au pied du mur puis, avec l'application d'un artisan méthodique, fit une croix devant la ligne.

« Et maintenant, continua-t-il : neutraliser les prises et les appliques électriques… »

Il se retourna et contempla la pièce vidée de tout sauf du strict nécessaire. Ce qui, la veille encore, était une chambre à coucher commençait vraiment à ressembler à une cellule de prison. Sur les murs au papier passé, on devinait encore les emplacements des cadres décoratifs qu'il avait retirés.

Un lointain ronflement de moteur attira soudain son attention. Il reposa le crayon sur le sol et gagna rapidement le salon. En prenant soin de ne pas faire bouger les rideaux, il se posta au coin de la fenêtre qui donnait sur le devant de la petite maison. L'orée du bois de sapins était toute proche. Le chemin défoncé qui conduisait à la route forestière débouchait en face. Le doute n'était plus permis, un véhicule approchait. Désormais habitué à vivre en cavale, Stefan se répéta mentalement ce qu'il devait faire si une fuite s'avérait nécessaire : attraper le petit sac contenant l'argent et les papiers posé près du ballon d'eau chaude, sortir par la fenêtre arrière sans oublier de la refermer, s'enfoncer dans les bois vers l'est et suivre le vallon jusqu'au village de Bromstree, distant de quatre kilomètres. Stefan n'aimait pas cette vie, mais il s'y faisait. Peu à peu, il adoptait les réflexes d'une bête traquée.

Un imposant pick-up noir déboula du chemin, malmené par les ornières. Il bondissait en tous sens. En plissant les yeux, Stefan essaya de distinguer qui le conduisait, mais les reflets sur le pare-brise l'en empêchaient. Il savait que Peter comptait revenir avec une nouvelle voiture, mais il pouvait aussi bien s'agir d'une visite du propriétaire du chalet ou d'un voisin forestier. Les deux appels de phares et le signe de la main par la fenêtre du passager le rassurèrent.

Leur nouveau carrosse décrivit un demi-cercle pour venir s'immobiliser au pied de la terrasse dans un nuage de poussière brune. Peter descendit de la voiture et attrapa une housse à vêtements épaisse posée sur le siège.

En observant son ami, Stefan se sentit envahi de sentiments contradictoires : il était à la fois heureux de voir revenir son complice et préoccupé de ce qu'il avait à lui avouer.

Le grand Hollandais sauta les deux marches du perron, ouvrit la porte d'entrée et entra triomphalement dans la maison.

— Devine qui vient d'être promu capitaine ? lança-t-il.

D'un geste théâtral, il fit coulisser la fermeture à glissière de la housse, faisant apparaître deux uniformes militaires impeccables. Rien ne manquait : chemise bleu ciel, casquette, ceinture, et même les décorations.

— Comment as-tu fait ? interrogea Stefan, impressionné.

— Je me suis servi à la teintureric fédérale des officiers ! répondit Peter, très fier de lui. Ça m'a pris un peu de temps mais au moins, il y a du choix et ils sont à notre taille.

— Génial, fit Stefan sans grand enthousiasme.

— C'est aussi là-bas que j'ai emprunté ce magnifique pick-up avec le plein ! Il a une bonne tête, tu ne trouves pas ?

Stefan approuva sans même regarder la voiture. Constatant le peu d'entrain de son compagnon, Peter demanda :

— Il y a un problème ? Tu n'as pas réussi à tout faire ?

— Si, ça va, je suis même un peu en avance sur le planning.

— Donc ça roule, si c'est prêt, tout va bien.

— Non, ça ne roule pas, répliqua Stefan. Il faut qu'on parle.

Il évita le regard de son comparse. Peter avança vers lui.

— Que se passe-t-il ? demanda-t-il. Tu m'inquiètes.

— Je ne suis pas prêt ! lâcha Stefan. J'ai la trouille. J'ai peur de ne pas en être capable.

Stefan s'assit à la table du salon. Les mains posées bien à plat pour éviter de les sentir trembler, il enchaîna :

— Quand je réfléchis à ce qu'on s'apprête à faire, j'ai le vertige. Il me faut plus de temps.

Peter déposa la housse sur le sofa et vint s'asseoir face à son compagnon. D'une voix posée, il expliqua :

— Demain, on est jeudi. C'est jour de golf pour le général Morton. C'est le seul moment où on a une chance de réussir. Le reste du temps, il est au beau milieu d'une base militaire surprotégée. On n'atteindrait même pas son bureau avec un blindé. Si on ne le chope pas demain pendant qu'il joue, il faudra attendre la semaine prochaine. Sept jours de plus, sept longues journées pendant lesquelles on laisse Valeria seule, à la merci d'on ne sait qui.

— Je sais tout ça, argumenta Stefan. Je pense à elle tout le temps. Mais ça ne m'aide pas à surmonter mon appréhension.

— Ne te laisse pas submerger par tes sentiments, concentre-toi sur notre objectif. Voilà maintenant six jours que je m'occupe de tout presque seul. Je vois bien que tu n'es pas à l'aise. C'est normal, alors j'assume tout ce que je peux. Les repérages au golf, la location de cette maison, récupérer tout le matériel dont nous avons besoin, je me suis débrouillé pour tout. Je me suis rendu compte que tu avais peur, et ça n'est pas grave. Souvent, j'aurais préféré t'avoir avec moi pour me couvrir, mais ce n'est pas une catastrophe. J'ai fait ce que je pouvais en te préservant le plus possible. Mais demain, j'ai besoin de toi.

Stefan ne savait que répondre. Sa honte ne changeait rien.

— Tu as peur, continua Peter, et je ne suis pas rassuré non plus. J'essaie de donner le change, c'est tout. Mais pour Valeria, nous devons tout tenter, et vite. C'est une course contre la montre, une situation insensée dont nous ne pourrons sortir qu'avec des solutions insensées. Je sais ce que tu ressens…

192

Stefan releva vivement le visage et regarda son complice droit dans les yeux.

— Non, Peter, tu ne sais pas. Ces derniers temps, je te vois changer. Tu deviens un autre homme. Oh ! bien sûr, l'apparence est la même, mais chaque jour je m'aperçois que tu as de nouvelles aptitudes, que tu utilises une expérience surgie de nulle part. Même les mots que tu emploies évoluent. Honnêtement, je suis un peu largué. Ici, sans Valeria et avec toi qui te métamorphoses, je me sens seul et ça ne me rassure pas. Je voudrais la sortir du pétrin, mais j'ai peur de ne pas en être capable et de tout faire foirer.

— Je ne sais pas non plus si nous y arriverons, concéda Peter, mais ce dont je suis sûr, c'est que s'il existe une chance, c'est ensemble que nous la saisirons.

Sans même relever l'argument, Stefan reprit :

— Tu ne me connais pas, Peter. Avant toute cette histoire, j'étais un garçon calme, rangé, pas le genre à faire des problèmes. Les aventures, pour moi, c'est en jeu vidéo, là où la mort n'existe pas, là où le risque s'arrête dès que tu appuies sur « pause ». Tout ça me fiche les jetons. Je ne suis pas de taille à me battre.

Il prit une inspiration et enchaîna :

— Tu sais, avant de vous voler la mallette l'autre nuit, au bord du loch, le truc le plus dingue que j'avais fait dans ma vie c'était un saut à l'élastique, du haut d'un pont près de Munich. À l'université, toute la promo y était passée, j'aurais été le seul, alors j'y suis allé. J'en ai été malade avant et après, et pendant, j'ai cru que j'allais crever, que la dernière chose que je verrais de ma vie, ce serait le lit d'une rivière asséchée dont je ne connaissais même pas le nom et dont je me rapprochais à la vitesse d'un avion de chasse.

Peter sourit. Stefan ajouta :

— Mais là, c'est la vraie vie, on est réellement en danger. On ne sait pas ce qui nous arrive et on ne sait pas contre qui ou quoi on doit se battre. Tout ce qu'on sait, c'est qu'on risque gros. Je n'ai pas envie de passer le reste de ma vie en taule ou couvert d'électrodes dans un labo. Je n'ai pas envie de sauter d'un pont, surtout sans élastique… Aller kidnapper le général qui dirige la NSA, c'est de la pure folie. Pour avoir une chance de réussir, il nous faudrait une armée…

— … Ou une bonne raison. Et nous en avons une. Elle s'appelle Valeria. Stefan, la situation n'est facile pour personne. Essaye d'imaginer ce que Valeria ressent en ce moment même. Échangerais-tu ta place contre la sienne ? Et moi, tu crois que je n'éprouve rien ? Chaque fois que je m'endors, je me dis qu'à mon réveil, j'aurai changé. C'est comme si tous les jours, je me réveillais différent de la veille, que j'apprenais malgré moi à vivre avec quelqu'un qui s'installe en moi, en posant ses affaires au milieu de ce que j'ai de plus intime. Plus jamais je ne verrai mes proches de la même façon. J'ai peur qu'ils ne me reconnaissent pas, qu'ils ne me voient comme un étranger. Comment je vais gérer ça, combien de temps Gassner va-t-il surgir en moi chaque nuit avec son passé ? Jusqu'où ira-t-il ?

Il marqua une pause et soupira.

— Je ne souhaite à personne ce que j'endure… Je suis écrasé de doutes, d'angoisses. J'ai peur de me perdre. Les Destrel étaient sûrement des génies, mais être leur cobaye n'est pas une partie de plaisir. Personne avant moi n'a vécu un réveil de mémoire antérieure. Personne n'est là pour m'expliquer, pour me rassurer. Et comme toi, je n'ai que vingt ans. Je voudrais pouvoir prendre le temps de discuter de tout ça avec toi, avec Valeria, prendre des notes pour fixer mon évolution, pour me souvenir. Mais on n'en a pas le temps. On risque d'être détruits avant d'avoir compris ce qui nous arrive. Alors je veux me battre, récupérer Valeria et nous mettre à l'abri. Et pour réussir, nous ne pouvons compter que sur nous deux. J'ai besoin de toi. Si nous n'y allons pas, tu pourras peut-être t'en sortir, refaire ta vie, oublier. Pour Valeria et moi, c'est foutu, on est dedans et on ne pourra plus échapper à ce qui nous arrive.

Il baissa la tête. Étrangement, en une fraction de seconde, son attitude avait radicalement changé. Son entrain, sa force de conviction avaient complètement disparu. Peter semblait soudain fragile, perdu. Il prit sa tête entre ses mains. Stefan crut que son compagnon était au bord des larmes. Ébranlé par son désarroi, il oublia ses propres craintes et réagit instinctivement.

— Il faut que je révise les grades et que je travaille mon salut militaire, déclara-t-il. La geôle de notre général est quasiment prête. Après tout, on verra bien. Il n'y a que la foi qui sauve !

Peter se redressa et d'une voix fatiguée, précisa :

— On va revoir chaque détail du plan, étudier toutes les options et demain, on se jette à l'eau. On n'a pas le choix.

Il se leva, se dirigea vers la cuisine, ouvrit le frigo et se servit un grand verre de jus d'orange.

— Tu en veux ? proposa-t-il.

— Avec plaisir, j'ai la gorge comme cette satanée rivière : asséchée ! répondit Stefan.

Il se leva à son tour pendant que Peter le servait. Il s'approcha et saisit le verre tendu. Les deux hommes s'appuyèrent sur le plan de travail près de l'évier et savourèrent le jus frais à petites gorgées. Ils étaient là, côte à côte, silencieux, pensifs. Chacun à sa façon, ils se sentaient plus légers d'avoir avoué ce qui les torturait.

— Il faut encore démonter les prises, dit Stefan en reposant son verre vide.

Il se trouva face à Peter, qui le regardait avec une étrange intensité.

— Tu sais, déclara le jeune Hollandais juste avant

d'avaler sa dernière gorgée, demain nous aurons moins peur.

— Bien sûr, répondit Stefan, croyant à une boutade pour le rassurer. De toute façon, nous n'en aurons plus le temps. Et puis nous aurons revu chaque étape du plan, toute la nuit s'il le faut.

— Non, ce n'est pas à cause de ça, répondit Peter sans le lâcher des yeux.

— Alors il y aura eu un miracle ! tenta de plaisanter Stefan.

— On peut appeler ça comme ça. Mais la vérité, c'est que cette nuit, j'ai encore rendez-vous avec le fantôme qui vit en moi et qui va nous aider.

27

Avec lenteur, la main planait au-dessus du visage de Valeria, comme un aigle survolant sa proie. L'ombre des doigts tendus glissait dans un va-et-vient lancinant. À quelques centimètres de sa peau, l'effleurant presque, la paume était ouverte, à l'écoute.

Les traits crispés de la jeune femme inconsciente reflétaient ses tourments intérieurs. De temps à autre, elle gémissait. Elle avait les cheveux défaits et les yeux clos. Enveloppée d'une robe de fin coton, elle était allongée sur un grand bloc de pierre simplement couvert d'un linge.

Autour d'elle se tenaient quatre personnes, trois femmes et un homme à la peau sombre, vêtus de blanc. Répartis aux points cardinaux, dressés dans leur tenue d'hôpital autour de l'autel où reposait Valeria, ils ressemblaient à des prêtres se préparant à accomplir un sacrifice. Ils avaient les bras tendus au-dessus de la jeune femme, mains ouvertes. Leurs gestes étaient d'une telle lenteur qu'ils semblaient presque immobiles.

La salle était ronde et son plafond avait la forme d'une demi-sphère qui descendait jusqu'au sol, sans aucun angle ni aucune aspérité. Seule, au centre de la voûte du plafond, une longue pointe noire visait Valeria. Une clarté diffuse nimbait le cérémonial d'un autre âge. Le décalage entre le lieu semblable à un décor de science-fiction et ce qui s'y déroulait était frappant.

Dans le silence absolu, seules les plaintes de Valeria s'élevaient.

L'une des femmes qui l'entouraient lança un regard désespéré à celle qui inlassablement, continuait de promener sa main au-dessus du corps allongé devant elle.

Dans la salle austère aux formes pures, une voix s'éleva soudain :

— Si vous avez quelque chose d'utile à dire pour cette expérience, dites-le normalement, sinon, concentrez-vous.

Venue d'on ne sait où et avec un ton aussi péremptoire, la voix du docteur Jenson n'avait plus rien d'aimable. La femme baissa les yeux.

À quelques mètres de l'autel, une trappe s'ouvrit dans le sol de la salle, laissant apparaître un escalier. Jenson émergea de l'ouverture en montant les marches quatre à quatre. Debbie, la femme aux yeux clairs, le suivait. La nervosité de ses gestes contrastait avec les mouvements posés et harmonieux des quatre officiants. Il s'approcha du socle de pierre mais, comme stoppé dans son élan, s'immobilisa à quelques pas.

— Puis-je entrer dans le cercle ? demanda-t-il avec une pointe d'agacement.

Sans échanger un mot, les membres du quatuor baissèrent lentement les bras. Dans un ensemble parfait et une trajectoire uniforme, ils firent descendre leurs doigts jusqu'à toucher le plexus de la jeune femme qui aussitôt, ouvrit les yeux et prit une soudaine inspiration.

— Vous pouvez entrer dans le cercle, fit l'une des femmes, dont le front perlait de sueur.

Revenue à elle, Valeria découvrit ces visages penchés sur elle. Dans un réflexe, elle se recroquevilla sur le flanc. Sa main tâtonnante parcourut sa robe, ses cheveux. Elle jeta un regard d'animal captif aux visages qui la cernaient. Cherchant une échappatoire, elle se redressa brusquement. L'assistante de Jenson lui posa la main sur l'épaule. Valeria la repoussa sèchement. Les quatre officiants s'écartèrent.

— Que m'avez-vous fait ? questionna Valeria, criant presque.

La violence de son ton claqua comme un coup de tonnerre dans le lieu sans écho.

— Ne vous inquiétez pas, lui souffla Jenson qui s'était approché d'elle. Tout va bien.

— Comment osez-vous prétendre une chose pareille ?

Valeria passait ses mains sur son corps, convaincue qu'elle allait découvrir une blessure ou encore l'une de ces maudites seringues. Elle avait les nerfs à fleur de peau.

— Ressaisissez-vous, lui intima Jenson.

En contrôlant sa respiration, Valeria réussit à retrouver son souffle, à reprendre la maîtrise d'elle-même. Ne pas penser, elle ne devait surtout pas penser, se répétait-elle. Sans quoi la panique reviendrait à coup sûr. Tout la terrifiait dans cet environnement. Ces gens et leur accoutrement, l'endroit, Jenson et ses perfidies, sans parler de l'assistante, Debbie, avec son regard clair à vous glacer le sang. Elle dévisagea les quatre inconnus les uns après les autres.

— Qui êtes-vous ? leur demanda-t-elle.

L'une des femmes ne soutint pas son regard et baissa la tête.

— Ils sont comme vous, déclara Jenson. Ce sont des médiums.

— Mais je ne suis pas…

— Chacun d'eux a un don, coupa le professeur, décidé à ne pas l'entendre. Ils sont ici pour nous aider à mieux comprendre le vôtre.

— De quel don parlez-vous ? Vous savez bien que je

199

n'en ai aucun. Et d'où viennent ces gens ? Que faisaient-ils autour de moi ?

— Ils vous écoutaient, mais pas comme on le fait d'habitude...

Le professeur Jenson fit signe aux médiums de sortir. S'ils obéirent avec docilité, quelque chose dans leur attitude indiquait clairement qu'ils ne l'approuvaient pas. Même dans l'état où elle se trouvait, Valeria le remarqua. Un à un, ils disparurent par l'escalier qui s'enfonçait dans le sol.

— Où sommes-nous ? demanda Valeria en se redressant. On dirait un temple.

— Si vous entendez par temple un lieu où l'on communique avec ce qui nous dépasse et ordonne ce monde, alors vous n'avez pas tort. Plus prosaïquement, nous appelons cet endroit une salle d'hyper-réception. Sa forme concentre les ondes qui y sont émises. Rien ne vient les perturber. Ici pas de métal, pas de flux électronique, l'endroit est exempt de toute perturbation électromagnétique. Ainsi nous pouvons nous concentrer sur ce que les corps émettent, sur ce que les cerveaux envoient.

— Et la pointe noire là-haut ? interrogea Valeria en désignant le dard dirigé sur elle.

Jenson sourit.

— C'est le seul apport de notre technologie dite moderne à un pouvoir aussi vieux que la vie elle-même...

— C'est-à-dire ?

— Je vous montrerai plus tard, si vous le souhaitez. Mais nous avons beaucoup à faire, Valeria. Aujourd'hui est un grand jour.

— Vous me libérez ?

La jeune femme ne se départait pas de sa hargne. Jenson réprima un sourire. Il plongea les mains dans ses poches et fit quelques pas autour de l'autel.

— Non, je suis désolé, dit-il un brin narquois. Ce n'est pas encore prévu à notre planning. Il ne tient d'ailleurs qu'à vous que votre sortie soit proche. Enseignez-nous ce que vous savez.

— Je vous l'ai déjà répété des dizaines de fois, je ne connais rien de ce qui vous intéresse. Je n'y comprends rien. Je suis étudiante. Je ne suis pas médium et je n'ai aucun savoir enfoui en moi.

— Tout vous contredit, ma chère. Pourtant, je vous crois sincère. C'est pourquoi nous avons décidé de ne plus vous traiter comme un sujet récalcitrant à qui on essaierait d'extorquer des aveux, mais comme un joyau qui n'est pas conscient de sa valeur…

Insensible à la métaphore, Valeria lui jeta un regard méfiant en se frictionnant le creux du coude.

— Vous auriez pu vous rendre compte plus tôt que je ne mentais pas. Tous les poisons que vous m'avez injectés ne vous ont rien appris ?

— Si. Que vous disiez la vérité. Donc, forts de cette information essentielle, nous avons décidé que vous alliez désormais poursuivre votre programme avec les médiums. Vous aurez certainement plus d'affinités avec leurs méthodes. Rassurez-vous, nous gardons un œil attentionné sur chacun de vos gestes. Je ne vous cache pas que nous attendons des résultats.

— Et s'il n'y en a pas ?

— Il y en aura, je vous le promets…

Seule dans la minuscule pièce qui lui servait de chambre, Valeria, assise sur son lit, pleurait. Le visage caché dans ses mains, elle ne voulait plus voir ces murs lisses et blafards, cet univers à moitié clinique, à moitié carcéral. Depuis combien de temps était-elle prisonnière ici ? À force de drogues et de sommeil irrégulier, elle n'en avait plus aucune idée. Pour autant qu'elle puisse s'en rendre compte, cela faisait au moins une semaine qu'elle subissait leurs expériences. Par moments, elle les ressentait comme une torture ou une humiliation. Elle n'en pouvait plus.

À la lueur de ces lumières artificielles, il était impossible de savoir s'il faisait jour ou nuit, si c'était le matin ou le soir. La vue du ciel lui manquait, la sensation du vent aussi. La lumière s'éteignait de façon imprévisible. Elle les soupçonnait de chercher à déstabiliser ses rythmes biologiques pour l'affaiblir encore. Parfois, ces nuits arbitraires lui semblaient trop courtes mais le plus souvent, elles étaient interminables. Au cœur de ces sombres tunnels, les yeux grands ouverts, Valeria espérait une lueur, un bruit humain, n'importe quoi qui l'arrache ne serait-ce qu'un instant à son cauchemar aseptisé.

Dans ces moments-là, pour ne pas devenir folle, pour ne pas hurler, elle s'imaginait qu'elle touchait de la terre, elle se remémorait la sensation que lui procurait le soleil sur sa peau. Elle se rêvait vivante.

Ici, même les repas avaient de quoi vous faire perdre la raison. Elle les prenait toujours seule et ne disposait que d'une cuillère bien ronde pour avaler l'espèce de purée fade censée la nourrir.

Valeria crispa les poings. Les larmes roulaient entre ses doigts serrés. Pour se donner la force de tenir, elle se réfugiait dans ses souvenirs, au creux des images heureuses de sa vie. Elle revoyait l'alignement d'orangers dans la ferme de son grand-père, les petits troncs veloutés qui défilaient lorsqu'elle longeait le chemin sur son premier vélo, tout bleu. Elle entendait la voix de sa mère lui faisant réciter ses tables de calcul, assise à son côté sur des coussins, dans sa chambre. Et elle se souvint du soir où, cachée sous l'énorme panda en peluche qui trônait à l'entrée de sa chambre, elle avait fait vraiment peur à son père venu l'embrasser.

Valeria serra les poings encore plus fort. Elle aurait voulu avoir au moins un objet à elle, mais on l'avait dépossédée de tout. Ses vêtements, la croix en or que ses parents lui avaient offerte, la bague de ses vingt ans, tout avait disparu. Elle était vêtue comme une malade internée dans un hôpital psychiatrique. Elle se sentait nue, vulnérable. Elle était convaincue qu'on cherchait à la détruire psychiquement. Le but de Jenson était de fouiller son esprit jusqu'à ce qu'elle n'ait plus aucune intimité, il voulait lui laver le cerveau jusqu'à ce qu'il devienne translucide.

Personne ne savait où elle était. De plus en plus souvent, elle se disait que ses proches ne la retrouveraient jamais, qu'elle allait rester là, enfermée. Combien de temps allait-il s'écouler avant qu'elle ne succombe à la folie ? Elle avait déjà du mal à se souvenir du visage de Diego. Comment avait-elle pu se retrouver dans une situation aussi effrayante ?

La pensée de Peter et Stefan s'imposa à elle. Où se trouvaient-ils à cet instant ? Peut-être avaient-ils eux aussi été capturés ? Il se pouvait même qu'ils soient retenus quelque part dans ce complexe. Le cœur de Valeria se mit à battre plus fort. L'idée que ses amis ne soient pas si loin lui redonnait un peu de courage. Elle n'était peut-être pas la seule à endurer, à espérer. Soudain, elle se sentit moins perdue. Elle se mit à songer au moyen de les retrouver. Elle avait enfin une idée concrète, un but auquel se raccrocher. Cette nuit elle n'aurait pas peur, cette nuit elle n'aurait pas besoin de se réfugier dans son passé. Elle allait réfléchir, guetter les indices. L'idée de pouvoir retrouver ses compagnons d'infortune regonfla son moral.

La main qui se posa sur son genou la ramena brusquement à la réalité. Elle étouffa un cri. Relevant la tête, elle découvrit une des femmes de la cérémonie, accroupie à sa hauteur. Valeria ne l'avait pas entendue entrer. Par réflexe, elle recula au fond de son lit et se ramassa sur elle-même, contre le mur.

— N'ayez pas peur, lui dit la femme d'une voix douce. Je sens votre appréhension et je la comprends.

Son visage était marqué de légères rides et son regard étonnamment serein. Elle avait les cheveux châtains, quelques-uns étaient blancs.

— Je peux vous aider, continua-t-elle. Nous savons qui vous êtes, mais nous ne leur avons rien dit.

28

— Alors, messieurs, lança le général Morton, contrarié. Qu'y a-t-il de si urgent que je ne puisse pas finir mon trou ?

Il referma derrière lui la porte du petit salon privé du club-house et fit face aux deux jeunes capitaines. L'un d'eux portait une enveloppe kraft frappée du sigle de la NSA, l'agence de contre-espionnage américaine – un aigle tenant une clé dans ses serres. De l'autre côté de la cloison, on entendait les allées et venues de ceux qui se rendaient au bar. Le général s'impatientait devant ses subalternes, qui le fixaient sans rien dire.

— Allons, messieurs, ne restez pas plantés comme ça. On dirait que vous avez une nouvelle terrible à m'annoncer. On n'a tout de même pas repris un Boeing sur le Pentagone, quand même !

Le général s'amusa de sa remarque, mais pas ses interlocuteurs. Il reprit :

— C'est Derington qui vous envoie ?

Le général désigna la table qui trônait au centre de la pièce, sortit son stylo et insista :

— Montrez-moi ces documents à signer et finissons-en vite.

Stefan jeta un coup d'œil suppliant à son complice qui, enfin, sembla reprendre vie.

— Ce ne sera pas long, mon général, déclara Peter en prenant l'enveloppe des mains de Stefan.

Il fit mine de l'ouvrir et, simulant une maladresse, la fit tomber.

— Quel empoté ! s'exclama Morton.

Le général se baissa, bien décidé à faire activer la manœuvre. Peter n'attendait que cette occasion. D'un geste fulgurant, il porta la main au cou du gradé et lui comprima la carotide. L'homme grogna mais n'eut pas le temps de réagir. Il s'évanouit et Stefan réussit de justesse à le rattraper avant qu'il ne s'écroule sur le sol. Les deux jeunes gens se regardèrent.

— Tu m'as vraiment fichu la trouille, s'exclama Stefan. J'ai cru que tu n'arriverais jamais à lui parler.

— Désolé, répondit Peter. Je ne sais pas ce qui m'a pris. Sûrement le choc de le revoir. Quand je me suis retrouvé face à lui, ça m'a bloqué. J'ai perdu tous mes moyens. Merci de m'avoir secoué.

— C'est rien. Mais maintenant, faut y aller.

Peter acquiesça et alla entrouvrir la porte du salon. Le hall d'entrée du club-house était pour le moment désert. Il fit signe à son complice, qui traîna le général inconscient jusque dans les toilettes pour femmes situées juste à côté.

Peter inspecta rapidement les cabines pour s'assurer qu'elles étaient toujours désertes puis s'empressa de bloquer la porte de l'intérieur. Stefan laissa glisser le corps inerte de Morton sur le carrelage.

— Tu te rends compte de ce qu'on est en train de faire ? déclara Stefan.

— N'y pense surtout pas sinon tu vas flipper. C'est comme quand tu fais de l'escalade en haute montagne, il ne faut jamais regarder le vide.

Peter extirpa les deux combinaisons kaki roulées en

boule qu'il avait dissimulées sous le meuble des lavabos. Il en jeta une à son comparse. Les deux hommes les enfilèrent par-dessus leurs uniformes – les capitaines devenaient de simples soldats. Peter fouilla de nouveau sous le meuble et sortit cette fois une corde et du ruban adhésif large.

Sans hésiter, il ligota Morton en serrant aussi fort qu'il le pouvait. Il le bâillonna en prenant soin de laisser les narines libres.

— C'est devant lui que Frank Gassner s'est suicidé ? demanda Stefan.

— Oui, fit Peter en dévisageant l'homme vieillissant maintenant immobilisé.

— Tu as l'air perturbé.

— C'est pire que tout ce que j'aurais pu imaginer...

Peter se redressa et, devant la glace, échangea sa casquette galonnée contre une autre de toile, identique à celle que portent les simples hommes de troupe. Il l'ajusta, aussitôt imité par Stefan. Il vérifia l'heure.

— Dans huit minutes, nous devons être loin. Si Morton ne réapparaît pas, l'entrée sera bloquée et nous serons fichus.

Galvanisé par la pression, Stefan prit Morton sous les aisselles et indiqua :

— Va ouvrir la fenêtre et vérifie qu'il n'y a personne.

— À vos ordres, mon capitaine...

Dans la cour, le camion était là. Sa benne était remplie d'un épais tas d'herbe fraîchement tondue. Il ne fallut pas longtemps aux deux jeunes gens pour hisser le corps inanimé dans la benne et le recouvrir d'herbe. Pour ne pas qu'il étouffe, Peter plaça un cageot au-dessus de son visage avant de le masquer complètement. En moins d'une minute, Morton avait disparu sous le tas vert.

Les deux hommes sautèrent de la benne et s'installèrent

dans la cabine. Peter était au volant. Avec des gestes d'expert, il court-circuita les câbles du petit utilitaire et le moteur démarra.

— Jusqu'ici tout va bien, lança-t-il avec un clin d'œil.

— Et s'il se réveille ? s'inquiéta Stefan.

— Pas avant une bonne heure.

— Tu en es certain ?

— Ce genre de prise ne pardonne pas. C'est une heure dans les vapes au minimum. Toi, tu as mis plus de trois heures à émerger…

— Tu m'avais fait la même chose ? s'indigna Stefan.

— C'était ça ou je te cassais un bras pour que tu t'évanouisses…

Le camion gris des paysagistes se présenta au poste de sortie. Le planton de garde sortit de sa guérite et s'approcha de la portière de Peter, qui enfonça sa casquette le plus possible sur ses yeux.

— Ils évacuent l'herbe, maintenant ? demanda le planton.

— Ce sont les ordres. L'écologie est à la mode. Ils font l'essai pour quelques jours seulement. Après, ils décideront si on continue à composter ici ou si on expédie tout ailleurs.

Le planton haussa les épaules et leva la barrière. Peter lui fit un petit signe et démarra. En remontant l'allée qui reliait le golf à la voie rapide, Peter ne quitta pas le rétroviseur des yeux, mais le garde avait repris la lecture de son magazine et ne leur prêtait plus aucune attention.

— Ça y est ! On est sortis ! s'exclama Stefan. Le plus dur est passé !

Peter regarda son camarade et éclata de rire.

— Là, mon vieux, tu te trompes…

Dans une circulation dense mais fluide, perdu au milieu de centaines d'autres véhicules, le pick-up filait à bonne allure. La radio enchaînait les tubes et au flash d'informations de 11 heures, les commentateurs n'avaient parlé que de résultats sportifs. Peter et Stefan avaient abandonné leur camion militaire dans une zone industrielle du sud de la ville et repris leur apparence civile. Ils avaient même débarrassé Morton de son uniforme au cas où il aurait été porteur d'un traceur radio. Le général, toujours inconscient, gisait dans une grande caisse de motoculteur à l'arrière.

Peter tambourinait sur le volant au rythme de la chanson de David Bowie qui passait. Arrivés à hauteur de Perington, ils s'engagèrent sur la bretelle de sortie.

— De toute façon, déclara Stefan, je ne crois pas qu'ils en parleront aux informations.

— C'est clair. Ils vont traiter ça en douce. Ils n'ont pas intérêt à claironner que le boss de la NSA s'est fait kidnapper pendant qu'il jouait au golf. Ça ne fait pas sérieux.

— Alors pourquoi on écoute les infos depuis deux heures ?

— *Tu* écoutes les infos. Moi, j'écoute la musique !

Peter monta encore le son et se mit à fredonner avec la radio.

Stefan ouvrit les deux verrous de la porte de la chambre. Avec précaution, il repoussa le battant jusqu'au mur. Profitant de la clarté venue du salon, il s'assura que Morton était toujours allongé sur le lit. L'homme entravé gémit et se tourna avec difficulté vers son geôlier.

Stefan entra et alla poser sa lampe de bureau branchée à une rallonge sur la table qu'il rapprocha du lit en la traînant. Non sans méfiance, il aida Morton à se redresser. Il l'assit sur le bord du lit, face à la table. Il alluma la lampe et la braqua sur son visage. Morton grogna et se détourna en fermant les yeux.

— Il faut qu'on parle, dit Stefan d'une voix posée.

Je vais vous enlever votre bâillon. Si vous hurlez, mon pote viendra et il vous fera retomber dans les pommes. À vous de voir.

D'un geste prudent, Stefan tendit les bras et passa les mains derrière la nuque du général. Il défit le nœud et retira le foulard. Morton ouvrit la mâchoire en grand.

— Bon sang, maugréa le militaire. Vous m'avez scié la tête.

Essayant de jouer son rôle le plus sereinement possible, Stefan vérifia les liens aux poignets et aux chevilles, et repassa derrière la table. Il s'installa sur la chaise, face au prisonnier.

— Qui êtes-vous ? demanda Morton.

— C'est une assez longue histoire, répondit Stefan.

— Que voulez-vous ? Vous êtes des terroristes ?

— J'imagine que si vous nous attrapez un jour, c'est ce que vous prétendrez pour justifier notre exécution sommaire.

Aveuglé, le général essayait en vain de jauger son ravisseur. Retranché derrière le faisceau de la lampe, Stefan pouvait à loisir contempler le tout-puissant patron de la NSA. Pour la première fois de sa vie, il rencontrait un homme important, un de ces hommes de l'ombre que l'on dit avoir du pouvoir et être capables de contrôler notre monde. Sans son uniforme, habillé comme n'importe qui, Morton semblait presque banal. Il avait les traits tirés, et les brins d'herbe encore nombreux même dans ses cheveux courts contribuaient à lui retirer de sa prestance.

— Pourquoi m'avez-vous kidnappé ? Qu'allez-vous demander pour me libérer ?

Stefan ne répondit pas. Peter avait insisté sur le fait qu'il était essentiel de convaincre Morton qu'ils avaient le temps, qu'il resterait leur prisonnier aussi longtemps qu'ils n'auraient pas obtenu ce qu'ils attendaient.

— Vous vous rendez compte que vous avez une meute d'agents lancée à vos trousses ? fit observer Morton.

Avec les moyens qu'ils ont, il ne leur faudra pas long-temps pour vous retrouver.

— Vous parlez de ceux qui étaient censés vous pro-téger ?

Stefan dévisagea l'homme plus en détail. Il le sentait bouillant de colère contenue. S'il avait eu vingt ans de moins et les mains libres, nul doute qu'il y aurait eu des risques à l'approcher. Ses yeux étaient clairs, vifs. Ces mêmes yeux avaient vu Gassner mourir.

Morton eut un mouvement d'énervement.

— Bon sang, qu'est-ce que vous voulez ?

— Vous souvenez-vous de Catherine et Marc Destrel ? questionna brutalement Stefan.

Le général ouvrit de grands yeux. Il secoua la tête dans un mouvement désordonné et répondit :

— Deux scientifiques, une histoire de trahison… C'est une vieille affaire.

Stefan se pencha par-dessus la table et demanda :

— Vous êtes convaincu de ce que vous dites, ou vous récitez la version officielle ?

— Ils n'avaient pas d'enfants, pas de proches, rai-sonna Morton. N'essayez pas de me faire croire que la vengeance serait votre mobile, c'est grotesque.

— Pourquoi me vengerais-je de vous puisque vous n'avez rien à vous reprocher ? À moins que la mémoire ne vous revienne…

— Qui êtes-vous ? insista le général.

— Je ne suis pas certain que vous soyez prêt à l'entendre, général. Par contre, j'espère bien que vous allez me révéler ce que je veux savoir.

Morton se redressa. Stefan entra dans le vif du sujet :

— Nous savons que vous n'avez jamais retrouvé les comptes rendus des travaux des Destrel. Nous savons aussi que plus de vingt ans après, ils continuent de vous intéresser au plus haut point.

— Je ne vois pas de quoi vous parlez.

— Vous mentez. La semaine dernière, à l'aéroport de Glasgow, vos hommes ont enlevé une jeune femme directement liée à cette affaire.

— Je ne suis pas au courant.

Puis, adoptant un ton presque moqueur, Morton ajouta :

— Mon pauvre garçon, si vous saviez le nombre de gens que nous sommes obligés d'arrêter, vous comprendriez pourquoi je ne sais rien de cette opération.

— Et vous osez nous traiter de terroristes…

— Il est question de sécurité nationale !

— Il est question de vies humaines.

Morton souffla avec mépris.

— Mais peu importe, reprit Stefan que l'homme impressionnait de moins en moins. Je n'ai pas l'ambition de vous convaincre, il me faut simplement votre aide, que vous le vouliez ou non.

Peter apparut soudain à l'entrée de la chambre. Sa haute silhouette fine se découpait à contre-jour dans l'embrasure.

— Il ne dira rien, lança-t-il à Stefan.

Morton parut inquiet de cette arrivée soudaine. L'équilibre du nombre virait à son désavantage. Peter avança dans la pénombre et vint se placer derrière son complice. Le général redoublait d'efforts pour essayer de distinguer quelque chose malgré la lampe toujours braquée sur lui.

— Nous allons changer de tactique, ajouta Peter.

Stefan ne comprenait pas pourquoi son complice modifiait leur plan aussi vite, mais il ne pouvait rien dire devant leur prisonnier. Il resta muet.

— Vous êtes le chef ? hasarda Morton.

Peter eut un petit rire.

— Chez nous, répliqua-t-il, il n'y en a pas. Notre hiérarchie repose sur la gravité de nos problèmes. Plus vous en avez, plus vous êtes haut. Je suis numéro deux. Nous avons quelqu'un très au-dessus de nous…

— Je ne comprends rien, marmonna Morton.

Sans prendre la peine de réagir, Peter posa la main sur l'épaule de son ami et lui dit :

— Je vais prendre le relais, il a besoin d'un petit coup de pouce pour devenir coopératif…

Stefan acquiesça et se leva pour laisser la place. Morton n'aimait pas cela. Ce deuxième ravisseur ne lui plaisait pas du tout. Son ton était plus dur, il paraissait plus décidé, donc plus dangereux.

— Reprenons depuis le début, mon général, fit Peter en s'installant à la table.

Morton nota qu'il avait dit « mon général » naturellement, comme si l'homme était familier des usages militaires.

— Vous prétendez toujours que pour vous, les Destrel ne sont qu'un dossier de plus, qu'il ne s'agit que d'une banale histoire de vente d'informations classées secret défense ?

— S'il y avait autre chose, je ne l'ai pas su. Ils sont morts avant qu'on ait pu les interroger. Ils ont résisté aux agents qui les ont appréhendés et ont été tués. À l'époque, je n'étais pas directeur de la NSA, juste un chef de service.

— Cela remonte à plus de vingt ans, mon général, si ce n'était vraiment qu'une affaire de plus, vous faites preuve d'une sacrée mémoire. Car entre nous, en deux décennies, vous avez dû en faire des coups tordus…

Morton sentit qu'il devait faire très attention à ce qu'il disait.

— Laissons les Destrel pour le moment, déclara Peter. Intéressons-nous à présent à ce qui s'est passé dans la soirée du 4 octobre 1990. Vous souvenez-vous de ce soir-là ?

Le général eut un petit rire nerveux.

— Si vous m'avez kidnappé pour m'interroger sur mon emploi du temps d'il y a vingt ans, vous allez être déçus. J'ai une excellente mémoire, mais pas à ce point-là !

Le ton était ironique. Impassible, Peter précisa :

— Réfléchissez bien, mon général, c'est important. Je ne crois pas que vous ayez pu oublier cette soirée.

Morton leva les yeux au ciel et soupira.

— Ce petit jeu ne mène à rien, s'agaça-t-il, sûr de lui. Si vous faites allusion à quelque chose de précis, dites-le et cessons de tourner autour du pot.

Peter se renversa en arrière, contre le dossier de sa chaise. Il leva le visage vers Stefan. Dans la pénombre, les deux garçons échangèrent un regard. Il était temps d'abattre une de leurs cartes maîtresses.

— Mon général, déclara Peter, nous allons jouer franc jeu. Vous détenez une jeune ressortissante espagnole du nom de Valeria Serensa. Ce n'est ni une criminelle ni un danger pour le gouvernement. Nous vous demandons de la libérer sur-le-champ.

— Alors pourquoi l'aurions-nous enlevée ? S'il s'agit d'une erreur, nos services juridiques et les représentations diplomatiques de son pays feront leur travail et elle sera rapidement relâchée.

— Ne jouez pas à cela, mon général.

— Jouer à quoi ? Vous savez, mon garçon, dans les démocraties, même les services secrets sont contrôlés par des instances indépendantes. Ce que je vous dis est la plus stricte vérité. Si elle n'a rien à se reprocher, cette jeune femme dont je n'ai d'ailleurs jamais entendu parler n'a rien à craindre.

— Vous mentez, vous mentez deux fois. Vous savez très bien qui elle est et vous savez aussi très bien le sort que l'on peut faire subir aux innocents si l'intérêt d'une puissance politique est en jeu.

— Ce n'est pas en kidnappant les gens que vous pouvez donner des leçons !

— Vous commettez une nouvelle erreur, mon général… Les pontes ne se sont pas trompés en vous nommant à la tête de l'Agence. Vous les servez bien.

— Je ne vous permets pas…

— Je n'ai besoin de la permission de personne. Je sais de quoi je parle. Vous abusez de la confiance de ceux qui croient servir leur pays.

— Mais bon sang, qui êtes-vous ?

— Souvenez-vous du 4 octobre 1990. Vous auriez dû écouter Frank Gassner, il avait raison !

Morton blêmit et se figea. Peter saisit la lampe et la retourna vers lui. Il s'éclaira le visage.

— Regardez-moi, mon général. Vous avez vieilli et j'ai rajeuni. Vous cherchez en vain le secret des Destrel et je l'ai découvert. Vous vous acharnez à cacher un mensonge et je veux sauver la vérité.

Morton était agité de soubresauts nerveux.

— Vous êtes fou ! se mit-il à vociférer. Gassner s'est suicidé. Il ne supportait pas d'avoir échoué. Il n'acceptait pas que le dossier lui soit retiré.

— Vous mentez encore. Il s'est tué devant vous. Vous et moi le savons mieux que personne…

Les yeux de Morton s'écarquillèrent d'effroi. Peter se pencha vers lui et, détachant chaque syllabe, lui répéta :

— « J'ai été heureux de servir sous vos ordres, mon général, mais cette fois, vous avez tort. Je vous le confirme, c'était la plus grande erreur de toute votre existence. »

29

— Tenez, murmura la femme en faisant glisser sur la table un bloc de papier et un stylo vers Valeria. Si je me souviens bien, ajouta-t-elle, la première fois que j'ai de nouveau eu de quoi écrire, j'ai pleuré de joie.

Sans oser y croire, Valeria prit d'abord le stylo. Il n'était pas neuf mais à travers son corps transparent, la réserve d'encre était encore bien pleine. Elle l'amena à hauteur de ses yeux et le fit tournoyer entre ses doigts comme elle avait l'habitude de le faire pendant les cours à l'université. Elle avait du mal à contenir l'excitation qui s'emparait d'elle.

— Allez-y, encouragea l'inconnue. Écrivez, dessinez…

Aussitôt, Valeria retira le capuchon, attira le bloc à elle et posa la pointe sur la première feuille. Elle eut un regard reconnaissant pour celle qui venait de lui faire ce cadeau. En souriant, elle commença à tracer un arbre, simple. D'abord le tronc, puis les branches qui s'élevaient vers le ciel. Elle ne s'y attarda pas et sa main bondit ailleurs sur la page. Elle dessina l'esquisse d'un oiseau, puis dans un autre coin, un chemin, les lignes d'une chapelle. Le trait vagabondait, sautait, revenait. De ligne en ligne, Valeria s'exprimait, matérialisait le monde qui lui était interdit depuis son arrivée dans cet univers impersonnel et glacial.

— Ça fait du bien, n'est-ce pas ? souffla la femme.

Valeria hocha la tête avec une expression radieuse.

— Je m'appelle Lauren.

Valeria s'interrompit pour regarder son interlocutrice. Elle était la première personne à se montrer humaine. Son attitude était différente de celle de Jenson et de son assistante. Sous leurs faux airs, ces deux-là suintaient l'hypocrisie. Valeria avait même peur de Debbie. Lauren ne leur ressemblait pas.

Valeria jeta un coup d'œil à la grande pièce dans laquelle Lauren l'avait conduite. Contrairement aux autres salles, celle-ci comportait quelques étagères, avec même une quinzaine de livres, des boîtes en carton avec dessus des lettres écrites à la main. Ces objets usuels paraissaient incongrus dans le décor aseptisé. Autour de la table ovale où elle et Lauren étaient assises, Valeria dénombra six autres chaises. Peut-être s'agissait-il d'une salle de réunion. Achevant son tour d'horizon, Valeria revint à Lauren.

— Quel est votre rôle ici ? osa-t-elle demander.

— Ils m'étudient et se servent de moi, comme vous.

Dans cette salle non plus, il n'y avait aucun bruit de fond, juste un silence cotonneux sans écho dans lequel les voix s'évanouissaient vite. Valeria parcourut le plafond à la recherche des pointes noires. Elle n'en vit aucune.

— Cette salle est notre foyer, précisa Lauren. Entre deux expériences, nous venons nous y détendre, parler, jouer aux cartes et bouquiner. C'est un peu notre « coin fumeurs » – sauf que nous n'avons pas le droit d'y fumer et qu'il n'y a pas de machine à café.

— Qui ça, « nous » ?

— Les médiums. Enfin, ceux qu'ils désignent ainsi.

Pour la première fois depuis ce qui lui semblait une

éternité, Valeria rencontrait quelqu'un qui acceptait de répondre à ses questions.

— Vous êtes là depuis longtemps ? demanda-t-elle.

— Depuis trois ans, mais je sors régulièrement.

— Ils vous laissent sortir ?

— En s'assurant que je reviendrai, oui. Environ une semaine sur trois, je suis dehors.

— Et vous n'essayez pas de vous enfuir ?

— Non. Ils n'hésiteraient pas à le faire payer à mes enfants.

— C'est terrible… Mais comment faites-vous avec votre famille ?

— Matthew et Blake sont encore petits, ils ont sept et cinq ans. Ils me croient en voyage d'affaires. Officiellement, je suis représentante en pièces détachées automobiles. C'est une couverture qu'ils m'ont mise au point, comme ça personne ne pose de questions. C'est par mes enfants qu'ils me tiennent. Si je ne coopère pas, je ne les vois pas.

— Et votre mari ?

— Il m'a quittée peu de temps après la naissance de Blake. Ma mère les élève. Oh, remarquez, je ne me plains pas. J'ai fini par m'habituer. Ils payent tout. Ils ont des moyens. Hormis le premier séjour, on est bien traité. Si on leur obéit, c'est vivable. Évidemment, ce serait plus agréable s'il y avait des plantes, de la musique et des fenêtres…

— Quel jour sommes-nous ?

— Vous êtes là depuis neuf jours, si c'est cela qui vous préoccupe. Moi, la première fois, à force de perdre tous mes repères, j'ai cru que j'allais devenir folle. J'en étais même venue à penser que j'avais été enlevée par des extraterrestres.

— Vous savez où nous sommes ?

— Alors ça, ma pauvre, je n'en ai pas la moindre idée. À chaque fois, ils me donnent rendez-vous quelque part dans une ville différente. C'est toujours le même grand maigre qui m'attend. Après, je ne sais pas, je me réveille ici. C'est tout ce que je peux vous dire. Je crois que nous sommes sous terre, profond.

— Qu'est-ce qui vous fait penser cela ?

— Mes perceptions. Elles sont différentes ici. Dans une rue, je ressens les autres. Je sens leur présence. Même avec peu de monde dans les parages, je devine toujours quelques flux, les ondes des vies qui passent. Ici, rien, sauf au contact des autres pensionnaires.

— Vous sentez les vies ? s'étonna Valeria.

— C'est ce qui me vaut l'honneur de leur intérêt, ironisa Lauren. C'est comme ça depuis que je suis toute petite. Pour moi, c'est naturel. J'avais quatorze ans la première fois que l'on m'a dit que ça ne l'était pas. C'était à San Diego, dans une fête foraine. Une diseuse de bonne aventure m'a regardée de travers et m'a dit des trucs incompréhensibles. C'est à partir de là que j'ai commencé à me poser des questions. Il aura fallu attendre que mon mari me quitte pour que je m'inscrive à un club, genre voyance et compagnie, vous voyez. C'est là qu'ils m'ont repérée.

Valeria écoutait le récit de cette vie normale qui avait soudain basculé. Elle s'y reconnaissait. Mille questions se bousculaient en elle, mais une seule lui brûlait les lèvres :

— Savez-vous si d'autres prisonniers sont arrivés ici en même temps que moi ?

— Je ne crois pas, répondit Lauren.

Valeria insista :

— Deux garçons d'une vingtaine d'années, un grand blond et un plus petit, baraqué, châtain ?

— Non. Personne de nouveau à part vous. Enfin, à ma connaissance… Mais ce qui est certain, c'est que vous étiez attendue. Ils étaient comme des fous, même les plus vieux n'avaient jamais vu une telle effervescence. Au début, on ne comprenait pas. Avant, ils nous faisaient faire des tests, ils effectuaient des « mesures de sensorialité » – ils appellent ça comme ça. Et puis tout d'un coup, ils nous ont demandé de travailler les uns sur les autres, de nous « traiter », comme ils disent. Ils nous ont juste expliqué que le but n'était plus l'analyse de notre pouvoir, mais l'analyse d'un don comme on n'en avait jamais vu. Et vous êtes arrivée quelques mois plus tard. D'après ce que j'ai pu comprendre, c'est pour vous que tout ce complexe a été construit.

Valeria ouvrit de grands yeux. Lauren reprit :

— Je ne sais pas qui a décidé cela, je ne sais pas qui est derrière tout ça, mais je sais pourquoi…

— Que voulez-vous dire ?

— Vous êtes différente. Je l'ai tout de suite senti. Les autres aussi d'ailleurs. Pour vous protéger, nous ne leur avons rien dit, mais ils s'en rendront compte tôt ou tard.

Lauren se pencha vers Valeria et prit ses mains dans les siennes :

— Nous autres ne pouvons que sentir, que percevoir une partie des forces invisibles qui nous entourent. Nous sommes médiums. Vous n'êtes pas cela. Quelque chose passe en vous, à travers vous. Nous ne faisons que sentir un flux. Vous, vous êtes une des sources.

Valeria était déstabilisée. Les mots lus dans les notes des Destrel lui revenaient. Il y était aussi question d'un flux, d'un courant qui pourrait passer d'un esprit à l'autre. L'image de Peter se tordant de douleur après la réactivation de sa mémoire antérieure lui revint brutalement. Trop d'éléments se déversaient dans sa tête, tout ce qu'elle avait appris depuis la découverte de la chapelle semblait constituer un puzzle dont Peter, Stefan et elle seraient les pièces manquantes.

— Vous êtes troublée. Vous l'ignoriez ? demanda Lauren.

— Non, enfin je…

Valeria, balbutiante, ne put achever sa phrase.

— Vous devriez en parler à Simon, fit Lauren. Il est le plus expérimenté de nous tous. Si quelqu'un peut vous éclairer, c'est lui.

— Où est-il ?

— Venez.

30

Pendant des heures, Morton avait résisté. Jusqu'au bout, il avait tout fait pour ne pas y croire, pour refuser d'admettre. Alors, implacablement, Peter lui avait rappelé, raconté, seconde par seconde, des faits que personne d'autre que Gassner ne pouvait connaître.

Assis dans la pénombre de la chambre, Stefan, silencieux, assistait à la scène. Par moments, la grande silhouette de Peter semblait se mouvoir avec d'autres gestes que les siens. À la faveur de l'obscurité, Stefan ressentait souvent l'étrange impression qu'un autre homme que celui qu'il connaissait menait son réquisitoire devant le général. Peter allait et venait dans la pièce, faisant de grands mouvements pour appuyer son témoignage. Morton lui résistait avec la dernière énergie. Chacun d'eux luttait pour sa vérité. Avec minutie, Peter faisait resurgir les heures qui avaient précédé le drame, sans rien omettre.

Parfois, il semblait comme possédé, ému aux larmes, revivant littéralement ces instants d'une autre vie, d'une vie d'avant. Le général se cramponnait à ses dénégations. Au début, il opposait des réponses argumentées, se permettant même de pratiquer l'ironie, puis peu à peu, il en avait été réduit à se cramponner à ses certitudes de principe, harcelé par des révélations qui ébranlaient les fondements les plus intimes de son esprit. Et puis soudain, tout avait basculé.

Peter cessa de tourner comme un lion en cage. En trois enjambées, il s'approcha de Morton, le rejoignant dans le halo de la lampe. Stefan redoutait un geste incontrôlé de la part de son complice, ou plutôt de celui qui semblait l'habiter. Il se leva, inquiet, prêt à s'interposer entre les deux hommes.

Peter posa un genou à terre pour se placer face au général. Morton était pétrifié. Pour ne pas affronter le regard du jeune homme, il détournait le visage. Peter se pencha vers lui, proche au point de pouvoir lui murmurer ce qu'il ne voulait surtout pas entendre.

Stefan n'entendit qu'un souffle, quelques mots prononcés trop bas pour être entendus de sa place. Morton, acculé, ferma les yeux, et c'est à cet instant précis qu'il se rendit.

Ce ne furent pas les mots de Peter qui le terrassèrent, ni ses yeux, mais quelque chose de bien plus puissant. Lorsque le vieux général baissa les paupières, lorsqu'il ne fut plus influencé par ce qu'il voyait, il *sentit* littéralement la présence de Frank Gassner. Cette sensation balaya tout dans son esprit, la digue de sa raison se fissura, les remparts de conscience qu'il s'était patiemment bâtis durant plus de deux décennies volèrent vite en éclats.

— Mon Dieu… murmura-t-il d'une voix tremblante.

À présent, le redouté patron de la NSA avait perdu toute sa superbe. Il semblait soudain vieilli, brisé. Peter se tenait toujours face à lui, le visage baissé, perlé de sueur. Sa respiration lente et profonde soulevait régulièrement son torse.

Stefan observait, aussi fasciné qu'effrayé par ce dont il venait d'être le témoin. Peter se releva et rejoignit l'obscurité. Morton s'agita un peu, oscilla d'avant en arrière, et se mit à parler.

Au bord des larmes, comme s'il expulsait un corps étranger de sa chair, il confia ce qu'il n'avait jamais avoué à personne. Il raconta le maquillage du suicide de Gassner, la mise au secret de ses hommes, la confiscation de toutes ses affaires personnelles. Les mots étaient hachés, il avait parfois du mal à finir ses phrases, comme si tout à coup, il avait conscience de ce qu'elles impliquaient. Le général déballait tout, en désordre. Son flot de paroles était ininterrompu, il ne répondait pas aux questions… Il soulageait sa conscience, il se confessait.

Souvent, il s'interrompait. Il revenait alors en arrière, ajoutant des détails, acceptant enfin d'aller au bout de ses terribles souvenirs.

Il avait lui-même nettoyé les traces de sang sur son bureau. Il avait mis plus de deux ans à retrouver le sommeil. Peu de temps après ce soir tragique, un enquêteur prit enfin le temps d'étudier les notes laissées par Gassner dans son hangar. Le général avait alors pris conscience que son subalterne avait vu juste. L'affaire était essentielle, et loin d'être finie. En une nuit, Gassner avait réuni certaines pièces majeures du puzzle. Morton avait alors décidé de réactiver le dossier en secret. Discrètement, il avait soustrait tout ce qui avait été saisi chez les Destrel et épluché par Gassner. Les études officielles durent se contenter de quelques feuillets sans importance. À l'insu de sa hiérarchie d'alors, Morton avait ensuite constitué une petite équipe de confiance pour reprendre les recherches. Au fil des mois, elle avait grossi, révélant chaque fois un peu plus l'importance des travaux des Destrel. Morton avait alors tout mis en œuvre pour appuyer ce projet. Sans révéler les sources de sa soudaine passion pour les travaux des savants disparus, il obtint quelques résultats sur les mécanismes psychiques et la mémoire, qui lui permirent de se voir accorder tous les crédits nécessaires et sa première promotion. C'est à cette époque qu'il décida de la création d'un centre d'étude ultrasecret entièrement dédié aux capacités méconnues du cerveau humain.

En réunissant scientifiques, médiums et chercheurs militaires autour de ce qui restait des travaux des Destrel, il espérait découvrir ce que personne, à part Gassner, n'avait osé imaginer. Morton se voyait déjà devenir le maître d'une discipline qui changerait à tout jamais le visage de l'humanité.

Entre deux aveux, Morton restait prostré, les yeux dans le vague. Chaque fois que Peter s'approchait de lui, il semblait pris de panique.

Un peu plus tard dans la nuit, le général, enfin allégé, reprit partiellement le contrôle de lui-même et finit par accepter de répondre aux questions. Le centre était situé dans le Vermont, creusé sous une montagne au nord de Saint-Johnsbury, à moins de cent cinquante kilomètres de la frontière canadienne. Même les pontes de la Maison Blanche ignoraient son existence. Après des années d'observations, d'analyses et de reconstitutions, le centre fonctionnait comme n'importe quel laboratoire de recherche. Plus de quinze ans après sa mise en route, chaque département menait ses études sur la télékinésie, la télépathie, et autres domaines situés aux limites de la science. Tous ceux qui travaillaient au centre avaient oublié ce qui leur avait valu d'être réunis. Pas Morton. Il supervisait personnellement tous les rapports d'expérience, exigeant que chaque semaine, le groupe de médiums se réunisse et se concentre sur ce qui pouvait avoir un lien avec les Destrel. Près de deux décennies de patience lui avaient été nécessaires pour obtenir un résultat. Quelques mois avant que les trois jeunes gens ne soient localisés en Écosse, les médiums avaient pressenti une activité autour de la mémoire des Destrel.

Personne ne pouvait l'expliquer, personne ne pouvait le comprendre, mais le fait était là. Le centre fut placé en état d'alerte, les expériences interrompues et tout le monde se mit à travailler sur le dossier. Morton ne voulait pas louper cette occasion comme la précédente.

Aidé par le contexte international tout entier accaparé par la lutte antiterroriste, Morton réussit à mettre en place une opération d'envergure sans éveiller les soupçons. Des dizaines d'agents furent envoyés en Europe, tous convaincus de traquer de potentiels auteurs d'attentats mais guidés en fait par les perceptions des médiums relayées par Morton. Après des semaines d'enquête, le dispositif avait abouti à la capture de Valeria. Elle avait été aussitôt emmenée au centre, où elle subissait des examens.

Peter et Stefan tenaient le début de leurs réponses, mais ils n'avaient aucune idée de la façon dont ils pourraient libérer la jeune femme. Aux questions concrètes qu'ils posaient sur le fonctionnement du centre, Morton répondait toujours qu'il ne savait rien. Il était sincère. Il répétait sans cesse que toutes les données étaient dans son coffre, dans un dossier secret dont il n'existait qu'un seul exemplaire.

Quelle que soit la solution envisagée par les deux garçons, il était évident que ce document était indispensable. Cela les conduisait à un nouveau problème : de quelle manière le récupérer ? Avec ou sans Morton, par la force ou par la ruse, il fallait pénétrer au cœur de la NSA. Mais comment s'introduire dans l'un des lieux les plus protégés du monde ?

Peter échafaudait les plans les plus extravagants lorsqu'une idée s'imposa soudain à lui…

31

— C'est une grave erreur, Lauren. Tu n'aurais pas dû l'amener.

Valeria ne se sentait pas à l'aise. L'homme appelé Simon n'était pas heureux de la rencontrer. Il était assez âgé, grand et mince. Sa peau cuivrée et ses cheveux très noirs attestaient d'origines indiennes. Ses tempes étaient blanches, il portait de fines lunettes et les mêmes vêtements fades que tous les résidents.

— Tu disais toi-même que tu souhaitais la voir, se défendit Lauren.

— Pas ici, coupa Simon. Ce n'est ni le bon endroit ni le bon moment. Qui sait ce qu'ils peuvent entendre ?

Valeria remarqua que la chambre de l'homme était exactement identique à la sienne. Celui-ci se détourna et s'affaira à remettre son lit en ordre.

— Lauren disait que vous pouviez m'aider à comprendre ce qui m'arrive, déclara Valeria.

Simon fit volte-face. Il soupira.

— C'est plutôt vous qui pouvez nous éclairer, dit-il.

— Elle n'a aucune idée de ce qu'elle est, intervint Lauren. Elle n'a jamais entendu parler de ce que nous pratiquons ici.

Simon balaya l'air d'un geste dédaigneux.

— Ici, on est au cirque, trancha-t-il. Nous sommes les animaux savants d'une bande de mécréants qui cherchent le moyen d'en tirer profit et pouvoir. Ils sont comme des gamins qui jouent avec des allumettes en pensant contrôler la foudre.

Il posa sur Valeria un regard plus doux.

— Je suis désolé, mais il faudra nous revoir plus tard. On ne doit courir aucun risque.

La jeune femme sentit les larmes lui monter aux yeux.

— Je suis à bout, dit-elle. J'ai besoin de comprendre. Je vais devenir folle.

Lauren se fit insistante :

— Elle voudrait savoir si deux autres jeunes gens comme elle sont arrivés ici.

— Comme elle ? s'étonna Simon. Mon Dieu, non. On est déjà dépassés avec une, alors trois !

Pour Valeria, cette remarque était un coup dur de plus. Cela signifiait que ses amis n'étaient pas dans le complexe. Ses espoirs de les retrouver s'envolèrent.

— Ça ne fait rien, dit-elle, essayant de garder contenance.

Soudain, elle chancela. Simon la rattrapa et l'assit sur son lit.

— Surveille le couloir, ordonna-t-il à Lauren.

Il prit le menton de Valeria et releva son visage blême.

— Pauvre enfant, fit-il. J'aurais été si heureux de vous rencontrer dans d'autres circonstances…

— Dites-moi ce qui m'arrive, supplia Valeria d'une voix faible.

L'homme lui saisit doucement les mains et plongea son regard profond dans le sien.

— Vous êtes la preuve que la mort n'est pas la fin. À travers vous, une vie disparue s'exprime encore. Ce n'est pas un souvenir, ce n'est pas un message lancé au hasard. En vous, il existe une seconde conscience. Elle est là, elle cohabite avec la vôtre. Elle ne demande qu'à se réveiller.

— Je suis possédée ?

— Pas le moins du monde, vous êtes habitée. Cela arrive parfois à certaines personnes. Elles ressentent, elles croient entendre. Le rationalisme borné de notre monde nous empêche d'écouter. Seuls les plus sensibles, ceux qui ne peuvent pas échapper à l'évidence, finissent par l'admettre.

— Si cela arrive à d'autres, pourquoi est-ce moi qui suis traquée et pourquoi suis-je prisonnière ici ?

— D'habitude, un médium ne capte que des extraits de pensée. C'est un peu comme si nous trouvions un message sur notre répondeur. Vous, c'est autre chose. Vous êtes en ligne. Vous êtes directement reliée au central. Cela signifie que quelque part, ailleurs, les esprits continuent à vivre au-delà de la matière. Par vous, l'un d'eux revient. Le verrou qui empêche la communication directe d'une âme avec un vivant a été forcé. La mort est ce verrou. Vous êtes plus forte qu'elle.

— Qui êtes-vous pour savoir de telles choses ?

— Un gros répondeur qui rêve de décrocher le téléphone…

— C'est cela qui intéresse Jenson ?

— Jenson et ses sbires sont des apprentis sorciers. Ils ont l'ambition de domestiquer quelque chose qu'ils ne comprennent même pas. Ils jouent avec une dimension de l'humanité qui nous dépasse tous. Ils sont en train d'essayer de capturer une goutte d'eau avec une pince rougie au feu. Ils ne voient en vous qu'un sujet d'expérience, l'exemple à décortiquer pour atteindre le contrôle absolu du cerveau. Ils ne savent pas, ils n'imaginent même pas. Le corps est pour eux une machine dont le cerveau serait le chef. Mais tous ceux qui ressentent vous le diront, cette approche est simpliste. Pour nous autres, le cerveau est d'abord un émetteur-récepteur. Suivant les individus, il est plus ou moins puissant, connecté à différentes longueurs d'onde. Vous portez loin, Valeria. Vous êtes reliée à une lointaine contrée où les esprits vont parfois chercher les réponses. Vous êtes une passerelle vers le monde des âmes.

Valeria allait poser une question lorsqu'elle prit brusquement conscience qu'elle entendait Simon, et que pourtant ses lèvres ne bougeaient pas. Stupéfaite, elle eut un mouvement de recul.

— N'ayez pas peur, lui dit-il. Ce monde ne se limite pas à ce que l'on nous en montre. Les plus grands mystères sont en nous. Nous ne sommes pas que des animaux guerriers qui avons pris le contrôle de notre planète. Nous sommes au début de l'aventure, et ceux qui nous retiennent aujourd'hui ne pourront rien y changer…

Valeria sentit une onde de bien-être parcourir son corps, comme si un souffle frais atténuait ses souffrances. Elle en fut aussi surprise que revigorée. Simon ajouta :

— Ne leur résistez pas, mais ne leur dites rien. Fiez-vous à votre instinct et reposez-vous sur ceux en qui vous avez instinctivement confiance. Ce sentiment-là n'a pas de prix, tout le reste n'est qu'apparence.

À cet instant, Lauren passa la tête par la porte et leur dit :

— Voilà Jenson !

D'un bond, Simon se leva. Tout à coup affolé, il se détourna de la jeune femme. Jenson entra.

— Ah professeur ! s'exclama Simon. Justement, cette jeune dame ne se sentait pas en forme. Je lui ai dit de venir se reposer ici.

Valeria acquiesça. Jenson ne la remarqua même pas et fixa Simon avec sévérité.

— Simon, vous me décevez. Dommage que votre bon

sens et votre loyauté ne soient pas aussi développés que vos facultés extrasensorielles.

Simon blêmit. Jenson continua :

— Peu importe ce que vous pensez de moi et du reste de l'équipe. Cela ne changera rien non plus. Votre naïveté et votre vision du monde sont touchantes. Disons que je ne partage ni l'une ni l'autre. Pour le moment, nous avons des choses à faire. Une autre fois, nous aurons tout le temps de débattre au sujet de ceux qui jouent avec les allumettes et de ceux qui commandent la foudre...

Il désigna Valeria aux deux adjoints qui venaient de le rejoindre et dit :

— Conduisez-la en bas. Je crois que nous pouvons passer à la vitesse supérieure.

Valeria résista, mais cela ne servit à rien. Elle n'avait aucune chance contre les deux costauds qui l'emmenaient. Elle essayait d'agripper les murs, se cabrait, hurlait, mais ni Jenson qui marchait devant, ni son assistante qui fermait l'escorte ne semblaient s'en émouvoir.

La jeune femme fut conduite à travers le dédale des couloirs, puis embarquée dans un ascenseur qui descendit longuement. La petite troupe déboucha sur un large palier, face à une imposante porte blindée métallique. Sur le panneau de commande d'ouverture, Jenson composa un code et posa sa main bien à plat. Un faisceau vert balaya sa paume, identifiant ses empreintes digitales. Une série de déclics annonça l'ouverture du panneau de métal qui se décala sur le côté, libérant le passage. Jenson entra le premier, suivi de ses hommes avec leur prisonnière.

Son assistante commanda la fermeture de la porte blindée derrière eux. Ils se trouvaient à présent dans une vaste salle qui, contrairement au reste du complexe, était pleine à craquer. Le long de la paroi de droite, des meubles d'acier aux portes vitrées s'alignaient, remplis d'objets, de documents empilés dont certains étaient en partie calcinés. Chaque étagère de chaque meuble présentait une accumulation hétéroclite d'éléments assez anciens, tous visibles mais soigneusement enfermés comme des reliques. Le mur face à eux était entièrement tapissé d'ordinateurs et de calculateurs dont les disques durs ronronnaient. Les panneaux de commande couverts de curseurs et de voyants clignotants ressemblaient à une unité de contrôle de centrale nucléaire. Sur l'unique bureau trônait un puissant terminal relié à trois écrans plats.

— Bienvenue dans le cœur de ce complexe, lança Jenson avec emphase. C'est un rare privilège d'être admis ici, vous savez. Personne n'y vient jamais et vous seriez surprise de savoir à quel point peu de gens savent seulement qu'il existe. Pourtant vous êtes ici chez vous, mademoiselle Serensa. Vous êtes le joyau que cet écrin attendait. Approchez.

Les deux adjoints entraînèrent la jeune femme vers le fond de la salle. Jenson la précédait toujours. Il s'approcha d'une forme longue recouverte d'un drap que Valeria n'avait pas remarquée jusque-là.

— Vous êtes une porte, chère mademoiselle, déclara Jenson. Vous êtes le passage vers une connaissance au-delà de toute valeur. Nous allons entrer en vous, passer à travers vous. Mais rassurez-vous, nous n'aurons pas besoin de vous forcer car nous avons la clé…

D'un geste ample, il retira le drap. Valeria écarquilla les yeux, épouvantée. Posé sur une sorte de sarcophage équipé de sangles, elle reconnut le genre de casque identique à celui placé par les Destrel dans la mallette. Il était connecté au même type de dispositif que Stefan avait reconstitué à partir des notes des savants disparus. Bien qu'à bout de forces, Valeria trouva l'énergie de se débattre.

Ses deux geôliers la soulevèrent et l'allongèrent de force dans la boîte capitonnée. À l'aide des sangles, ils immobilisèrent sans ménagement ses bras et ses jambes. Debbie s'approcha avec une seringue, mais Jenson lui fit signe d'attendre. Il se pencha sur Valeria. Elle sentait son souffle.

— J'espère que vous êtes bien celle que je crois, murmura-t-il en lui caressant les cheveux. Parce que lorsque nous avons expérimenté cet engin sur quelqu'un à qui il n'était pas destiné, il est devenu fou et s'est tué quelques heures après…

32

Peter avait pris la route de bonne heure pour être certain de trouver Martha Robinson chez elle. La nuit avait été courte et il avait du mal à surmonter l'impact de sa confrontation avec Morton. Même s'il avait eu le dessus, c'était une victoire qui lui avait beaucoup coûté. Plus que jamais, la vérité avait un prix et un poids. Incapable d'oublier son regard, ses mots, il en avait encore le ventre noué.

Impossible de déterminer laquelle, de sa conscience ou de celle de Gassner, était la plus bouleversée. Il était simplement révolté, écœuré et plus que jamais décidé à se battre. Ce qu'il adviendrait de lui importait peu pour l'instant. La seule chose qui comptait, c'était Valeria.

Pourquoi désirait-il tant la sauver ? Était-ce Gassner qui le lui soufflait, ou lui qui l'avait décidé ? Il n'avait pas la réponse, mais c'était sans importance. D'où qu'il vienne, ce désir était le sien.

Il revoyait le visage de Valeria, réentendait le son de sa voix, quelque chose d'immédiatement chaleureux. Il se remémora leurs conversations. Il aimait sa façon de baisser les yeux sous sa frange brune, juste avant de les relever pour dire quelque chose d'important. Ce détail la résumait assez bien, il associait le charme et le courage.

Ce matin, pour la seconde fois en quelques heures, Peter allait devoir convaincre quelqu'un que Frank Gassner vivait un peu en lui. Mais cette fois, il n'était pas question de terrifier, ni de contraindre qui que ce soit. Il lui fallait convaincre parce qu'il avait besoin d'un sérieux coup de main.

Dans les quartiers résidentiels, à cette heure matinale, beaucoup de gens étaient déjà partis travailler. Les rues étaient calmes, les arrosages automatiques projetaient de fines gouttelettes qui formaient de petits arcs-en-ciel dans la lumière franche du soleil. La journée s'annonçait magnifique.

Arrivé à hauteur de la maison, Peter se gara. Se regardant dans son rétroviseur intérieur, il ajusta son col et passa la main dans ses cheveux pour essayer de se coiffer. En vain. Il descendit. Soudain privé de la fraîcheur de la climatisation, l'air lui paraissait déjà bien tiède.

Il alla directement sonner à la porte. Aucune réponse. Il attendit un instant, puis sonna de nouveau avec insistance. Il recula de quelques pas, observa les rideaux du premier et du salon mais sans détecter le moindre signe de vie.

Dans le jardin voisin, une femme en robe de chambre traversa la pelouse pour aller ramasser son journal. Apercevant Peter, elle le salua poliment. Le jeune homme répondit d'un geste de la main et s'empressa de demander :

— Pardonnez-moi, savez-vous si Mrs Robinson est là ?

— Elle ne doit pas être loin. Je l'ai aperçue ce matin et sa voiture est derrière. Elle doit prendre son petit déjeuner.

Peter hocha la tête d'un air entendu et la remercia. Avec autant de naturel que possible, il contourna la maison. Ses pas crissèrent sur l'allée de gravier qui longeait le flanc de la villa. La voiture était en effet garée devant le garage tout en bois. Le jardin de derrière était plus dense que celui donnant sur la rue. L'endroit avait davantage de charme. Sous un pommier tout rond, un banc était installé. Peter repéra la porte de la cuisine. À travers les petits carreaux, il observa l'intérieur. Tout y était impeccablement rangé, sans aucune trace de petit déjeuner en cours. Il frappa, plus fort cette fois. Il plaça ses mains en visière et se colla contre la vitre pour essayer de mieux voir. Lorsqu'il posa sa main sur la poignée, il s'aperçut que la porte n'était pas verrouillée. Avec précaution, il passa la tête.

— Mrs Robinson, vous êtes là ?

La maison était silencieuse, aucun bruit de douche qui aurait pu justifier que Martha n'entende pas.

Peter traversa la cuisine et s'engagea dans le couloir qui menait au salon lorsque soudain, tout proche de son oreille, il entendit le déclic d'une arme à feu.

— Si tu bouges, tu es mort… siffla Mrs Robinson d'une voix glaciale.

Peter leva aussitôt les bras en l'air et dit :

— Je suis désolé d'être entré comme un voleur. C'est moi, Peter, vous ne me reconnaissez pas ?

— Si, justement. Alors tu vas être gentil et mettre les mains contre le mur en te tenant tranquille parce que sinon, je te promets que tu ressortiras d'ici avec un gros trou à la place du cerveau.

Martha posa le canon de son arme sur la nuque du jeune homme et l'appuya pour le forcer à obtempérer. Peter s'exécuta. Elle le fouilla. Dans la poche intérieure de son blouson, elle découvrit le revolver 9 millimètres, qu'elle confisqua.

— Il faut être drôlement gonflé pour revenir, fit-elle, ses yeux lançant des éclairs de colère. La dernière fois, tu m'as prise pour une vieille imbécile.

— Laissez-moi vous expliquer… se défendit Peter.

Il essaya de se retourner mais elle l'en empêcha en accentuant la pression de son arme.

— Tout doux, gronda-t-elle. Tu auras tout le temps de me raconter ta petite histoire en attendant que les flics arrivent.

— Je vous en prie, argumenta Peter. Écoutez-moi…

Sans ménagement, elle le dirigea vers le salon et l'obligea à s'asseoir sur une chaise.

— Donne-moi ta ceinture, lui ordonna-t-elle.

Devant l'air incrédule de Peter, elle répéta, plus ferme.

— Donne-la-moi et ne discute pas.

Peter défit la boucle, fit glisser la lanière et la lui tendit.

— Passe tes bras derrière le dossier.

Avec une prudence de dresseur de fauve, Martha s'approcha, et sans hésiter, lui ligota les deux poignets solidement au dossier. Elle serra jusqu'à lui faire blanchir les articulations. Peter crispa les mâchoires.

Mrs Robinson repassa devant Peter et reprit :

— Tu as été brillant la dernière fois. J'ai même cru à ton histoire. J'en ai eu les larmes aux yeux, j'étais toute retournée. Compliments, tu es un sacré comédien. Mais tu ne t'imaginais pas que j'allais rester sans vérifier ? Après trente-cinq ans dans le renseignement, j'ai encore pas mal de relations. Il ne m'a pas fallu longtemps pour découvrir que tu m'avais roulée dans la farine. Je me pose pourtant une question, une seule : pourquoi ? Pourquoi m'as-tu raconté tout ça ?

— Parce que j'avais besoin de votre aide.

Martha ouvrit de grands yeux.

— Alors ça ! s'exclama-t-elle. On peut dire que tu as de l'aplomb !

— Non, j'ai de bonnes raisons. C'est vrai, je ne suis pas le fils de Frank Gassner. Je vous ai dit ça parce que vous n'auriez jamais cru la vérité.

— Qu'est-ce que tu pouvais me raconter de plus incroyable ?

— Je vais vous le dire, mais avant, vous devez me promettre de ne pas appeler les flics.

Martha leva les sourcils dans une nouvelle expression de surprise.

— Toi, fit-elle en secouant la tête, tu es un cas ! Tu n'es pas vraiment en position d'exiger.

— Une demi-heure, c'est tout ce que je vous demande. Si, passé ce délai, vous n'êtes pas convaincue, alors vous pourrez les appeler. Vous ferez de moi ce que vous voudrez. Tout sera perdu, mais avant, je vous en supplie, écoutez-moi.

Martha agita son revolver et le menaça :

— N'espère pas te payer ma tête une seconde fois, mon garçon. Qu'est-ce que tu veux ?

— J'ai encore besoin de vous.

Peter marqua une pause. Martha le fixait intensément. Elle le traquait du regard. Il se lança :

— Si aujourd'hui Frank n'était pas mort et réclamait votre aide, accepteriez-vous ?

— Laisse cet homme en dehors de tout ça. Tu n'as rien à voir avec lui et il a bien mérité de reposer en paix.

— Si la cause pour laquelle il s'est le plus battu était en danger, si ceux qui l'ont trahi menaçaient de nouveau des vies, vous sentiriez-vous concernée ?

— Comment saurais-tu ce qui lui tenait à cœur, tu ne l'as pas connu !

— Frank ne vous parlait jamais de ses missions.

— Mêle-toi de tes affaires, ce n'est pas comme ça que tu vas me convaincre, tu es mal parti.

Malgré l'air sombre de Martha, Peter insista :

— Pourtant, une fois, une seule, il vous a parlé d'un couple de savants qu'il était chargé d'espionner.

Le regard de Martha se durcit, mais Peter continua :

— Rappelez-vous : il était très excité, il vous a emmenée dîner à Reader Mountain dans une taverne de chasseurs. Vous avez pris un verre dehors, sur la terrasse, et emporté par l'enthousiasme, ce soir-là, il vous a confié…

— Stop, fit Mrs Robinson, blanche de rage. J'ai compris. L'Agence t'envoie pour tester mon silence.

Elle se redressa et fit quelques pas en portant sa main libre à son front. Elle fulminait :

— Après quinze ans de retraite, ces espèces de requins veulent vérifier si la vieille ne va pas balancer des secrets d'État !

Elle gesticulait, sans quitter Peter des yeux. Elle s'approcha de lui et lui brandit son poing sous le nez.

— Eh bien, tu peux rassurer ces messieurs : ils ne risquent rien. Ce n'est pas moi qui balancerai leurs petites magouilles. Tu leur diras aussi que s'ils m'envoient encore un de leurs blancs-becs remuer les mauvais souvenirs que je leur dois, ils le verront revenir sur une civière.

— Je ne suis pas là pour ça, Martha.

— Alors comment sais-tu autant de choses sur ce que ce pauvre Frank et moi pouvions nous dire ? Allez parle, parce que sinon, ça va barder pour toi !

— Si Frank est mort, son esprit ne l'est pas.

— Qu'est-ce que tu racontes ?

— Je vous assure, Martha, que même si c'est difficile à croire, c'est la vérité. Il y a une part de lui en moi, mais vous l'expliquer prendrait trop de temps, un temps que je n'ai pas… Je vous en supplie, croyez-moi ! Demandez-moi n'importe quoi, vous verrez que je ne mens pas. Interrogez-moi…

Peter cherchait son regard mais, à présent, elle le fuyait. Elle était visiblement ébranlée par la sincérité du jeune homme, mais incrédule. Elle recula jusqu'à trouver appui sur le buffet du salon. La photo qui la montrait avec Frank vacilla. Elle secouait la tête, refusant l'idée même, cherchant désespérément comment échapper à ce jeune homme qui se permettait de jouer avec une de ses plus grandes douleurs. Peter redoutait qu'elle ne s'en aille, qu'elle fuie cette entrevue trop pénible. Elle pouvait appeler la police, ou pire, faire usage de son arme. Il décida de jouer le tout pour le tout.

— Frank ne s'est pas tué parce qu'il en avait assez de la vie, dit-il. Il l'a fait pour protéger un secret, pour aller chercher une réponse. Aujourd'hui, il est là. Son histoire n'est pas finie. Morton se dresse de nouveau sur sa route, décidé à se saisir du pouvoir que Frank était censé protéger. Je suis ici parce que Frank m'y a conduit. Nous avons besoin de votre aide. Morton va détruire d'autres vies.

Toujours adossée, la tête baissée, Martha restait silencieuse. Elle s'était tassée, comme torturée par ces affirmations.

— Martha, insista Peter, je suis désolé de vous entraîner là-dedans, mais sans vous tout est fichu. Il y a vingt ans, je suis mort parce que je croyais à un rêve. Aujourd'hui, je sais que ce n'en est pas un. J'ai la preuve, j'en suis la preuve. Pour que cela ne devienne pas une arme de plus, pour que des innocents puissent le rester, j'ai besoin d'un coup de main. Regardez mes yeux. Regardez-moi, Martha, pour l'amour du ciel ! Quand je suis venu vous voir, l'autre fois, au moment de nous séparer, vous souvenez-vous du regard que nous avons échangé ? Vous n'avez pas vu les yeux d'un étranger, mais ceux d'un homme que vous avez bien connu…

Martha resta immobile un long moment. Peter aurait voulu se lever et la prendre dans ses bras mais entravé, il ne le pouvait pas.

— Pourquoi n'êtes-vous pas venu me voir plus tôt ? finit-elle par demander, bouleversée. Pourquoi m'avoir laissée des années rongée par la peine de ne vous avoir rien dit, par le remords de ne pas avoir giflé ce général indigne ?

— Parce que alors je n'avais aucune idée de tout cela.

Je vivais normalement, loin de la mémoire de Frank. Tout s'est déclenché il y a quelques mois.

— Qu'attendez-vous de moi ?

— Morton cache un dossier secret dans le coffre de son bureau. Il y est question des travaux sur lesquels enquêtait Frank et de leur développement après sa disparition. Il me faut ce dossier. La vie d'une jeune femme en dépend. Elle est retenue quelque part dans le Vermont et subit des expériences comme un animal de laboratoire. Si nous l'abandonnons, alors Frank aura échoué et il sera vraiment mort pour rien.

Martha releva la tête et planta ses yeux dans ceux du jeune homme.

— Vous me demandez de vous aider à pénétrer dans le bureau du général Morton ?

Peter acquiesça.

— Vous réalisez que vous parlez d'une effraction dans le repaire du patron de la plus puissante agence de renseignements du monde ?

— Tout à fait.

Martha s'essuya les yeux et rectifia machinalement sa coiffure.

— Je ne comprends pas tout ce que vous me dites.

— Je suis un peu perdu moi-même, avoua Peter.

— Mais… hésita-t-elle. Mon instinct me pousse à croire ce que ma raison devrait rejeter. Peut-être parce que Frank me manque encore après toutes ces années. Peut-être parce que malgré tout, je vous sens sincère.

Soupirant, elle ajouta d'une voix apaisée :

— Frank ne croyait pas au hasard. Il était convaincu que derrière ce mot, l'homme cachait tout ce qu'il ne maîtrisait pas de l'enchaînement des choses. Il aimait dire que notre monde obéit à d'autres règles que celles qu'on nous enseigne. Il s'exaltait, parlait d'un Esprit, de forces immatérielles qui trouvent un écho en chacun de nous quand on se donne la peine de les entendre. Il finissait toujours en disant que…

— … « La science nous rend aveugles et sourds. Le puits du savoir est en nous. » Et il avait raison.

— J'ai mené une vie simple, dit Martha. Je ne le regrette pas. Jamais je n'ai remis en cause ce que j'ai vu. Je crois en Dieu, je crois à ce que mes parents m'ont appris mais plus que tout, je croyais en Frank. Je suis à présent convaincue qu'il disait vrai. Si le hasard existait, vous seriez venu après-demain…

33

D'habitude, Martha refusait de se rendre aux déjeuners des retraités de l'Agence. D'abord, ces réunions lui donnaient le cafard pour plusieurs jours, et puis elle n'avait pas besoin de ces rendez-vous formels pour garder des liens avec les anciens du service qu'elle appréciait vraiment. Pourtant, cette fois, elle avait une bonne raison d'y assister. Elle était prête à affronter les hordes d'ex-collègues de plus en plus voûtés, ressassant le bon vieux temps où ils servaient à quelque chose. Martha supportait mal ces séances de mélancolie collective, peut-être parce qu'elle-même regrettait le passé, certaines personnes en tout cas. Les rares fois où elle y était allée, ceux qu'elle avait connus étaient de moins en moins nombreux, réunis dans la salle d'honneur du siège de l'Agence où le gouvernement leur offrait un excellent repas de plus en plus mou pour cause de dents déficientes. Les jeunes cadres de l'Agence leur tenaient compagnie, contraints et forcés.

Ces jours-là, le grand patron faisait un discours et distribuait quelques médailles en s'évertuant à faire croire que tous étaient irremplaçables, mais que le monde devait continuer de tourner. Aujourd'hui, Martha était curieuse de savoir ce que les services du protocole de l'Agence allaient raconter pour excuser l'absence du général Morton. Allaient-ils faire sobre ou inventer une de ces histoires tordues qui avaient fait la réputation de la NSA ?

Martha avait eu le plus grand mal à convaincre Peter de ne pas l'accompagner. Le jeune homme avait argumenté, insisté, mais il est vrai que même avec son faux uniforme et la carte magnétique confisquée à Morton, il n'aurait sans doute pas fait dix mètres dans le périmètre de l'Agence. Martha, elle, avait les meilleurs des laissez-passer : un visage connu et une réputation à toute épreuve.

Pendant le trajet en voiture, elle n'avait pas cessé de penser à l'étrange soirée qu'elle avait passée avec Peter. Elle s'était surprise à évoquer avec lui des souvenirs du temps de Frank. Beaucoup des sentiments qu'elle avait cru éteints si longtemps après sa disparition s'étaient en fait révélés encore bien vivants. Par moments, elle avait discuté avec Peter comme une lointaine tante l'aurait fait avec son neveu venu lui rendre visite d'un autre continent, mais le plus souvent, elle évoquait la période de sa vie où elle avait côtoyé Frank comme s'il était là et qu'ils s'étaient enfin retrouvés. Parfois, un instant de lucidité la ramenait au présent, et le surréalisme de la situation la perturbait. Elle parlait à un jeune homme de vingt ans comme à un amour perdu qui en aurait quarante de plus. Quoi qu'il en soit, au contact de ces émotions, elle se sentait revivre. Elle ne comprenait pas les théories que la présence du jeune Hollandais faisait naître, mais son instinct s'en fichait.

Arrivée à la grille de la base de la NSA, elle baissa la vitre de sa portière et tendit sa carte d'identification. Le jeune planton la salua de façon réglementaire, saisit le rectangle de plastique et pointa son nom sur la liste.

— Bienvenue, Mrs Robinson, dit-il en faisant signe à son binôme d'ouvrir la grille blindée. Vous suivez la route sur environ un kilomètre et vous arrivez au parking principal.

— Merci, jeune homme, je crois que je m'en souviens encore ! plaisanta Martha.

Alors que la lourde grille s'ouvrait, les herses métalliques qui hérissaient le sol se rétractèrent jusqu'à disparaître. Lorsque le chemin fut libre, Martha appuya sur la pédale d'accélérateur un peu trop violemment, ce qui fit hurler son moteur.

Elle n'était pas revenue depuis au moins cinq ans. Peu de choses avaient changé, du moins dans les aménagements extérieurs. Entre les grands arbres du parc, le siège de l'Agence apparut. À cet instant, pour la première fois, Martha prit conscience de ce qu'elle venait y faire et son estomac se noua. Avec Peter, elle avait préparé sa visite le plus soigneusement possible, mais maintenant qu'elle y était, c'était une autre affaire.

Sur le parking, des petits groupes d'anciens aux cheveux blancs s'embrassaient sous le regard des plus jeunes en uniforme. Martha se gara, attrapa son grand sac à main mais n'eut pas le temps d'ouvrir sa portière. Une jeune femme, lieutenant, s'en chargea pour elle.

— Bonjour, madame, salua celle-ci. Je suis Bridget.

Martha s'extirpa de son véhicule. La jeune femme continua :

— Je vais vous demander une dernière fois votre carte pour vous remettre votre laissez-passer.

Martha sourit et sortit sa carte. En prenant appui sur le capot de la voiture, Bridget recopia le prénom en gros sur un badge aux armes de l'Agence.

— Nous avons une belle journée aujourd'hui, dit-elle pour meubler la conversation.

— Effectivement. Savez-vous si le général Morton sera des nôtres ?

— Malheureusement, il a été appelé à la Maison

Blanche. On ne devrait pas le dire, mais à vous, on le peut : il est en rendez-vous avec le président lui-même…

Comme les enfants en colonie, Martha se retrouva avec son nom épinglé sur son gilet. À peine eut-elle fait quelques pas que ce qu'elle redoutait le plus dans ce genre de circonstance se produisit.

— Martha chérie, s'exclama une vieille dame aux cheveux presque violets. Quel bonheur de te voir après toutes ces années !

Sans lui laisser le temps de réagir, la dame enlaça Martha et la serra jusqu'à l'étouffement. Sur le coup, Martha fut incapable de se souvenir du prénom de celle qui l'accueillait avec tant d'exubérance.

— Tu n'as pas changé ! ajouta celle-ci sans même la regarder. Viens, j'en connais qui vont être contents de te voir. Tu as fini par revenir, c'est bien. De toute façon, on finit toujours par revenir.

Soudain, Martha reconnut son interlocutrice : Melinda Fitzgerald, du secrétariat des officiers. Elle était toujours aussi coquette et n'avait pas perdu l'habitude de tripoter les gens quand elle leur parlait – surtout les hommes jeunes.

Le flot d'anciens fut dirigé vers la grande salle. Au-dessus de la porte, une banderole leur souhaitait la bienvenue. Les tables rondes étaient dressées dans un ordre impeccable, toutes décorées d'un bouquet posé en leur centre. En fond, de la musique classique passait. Une armée de serveurs en veste blanche attendait derrière un buffet couvert de petits-fours et de verres d'alcools légers.

Alors que l'assemblée s'égaillait entre les tables, Martha était assaillie de toutes parts. On lui serrait la main, on l'embrassait. Elle ne reconnaissait pas souvent les gens et se laissait faire en souriant autant qu'elle le pouvait. Mais elle n'était pas là pour faire la fête.

Au milieu du grouillement, un homme assez grand se planta devant elle.

— Martha, prononça-t-il avec un plaisir évident.

Elle plissa les yeux. L'homme avait de l'allure, mais elle ne le reconnut pas immédiatement. C'est le prénom sur le badge et sa fossette au menton qui la mirent sur la piste. Malcolm Forster, l'ancien aide de camp du général Morton. Ils avaient travaillé pour lui à la même époque. Lui aussi avait demandé sa mutation après l'affaire Gassner. Ils ne s'étaient presque jamais revus depuis.

— Comment allez-vous, Malcolm ?

— La vie suit son cours. Je suis heureux de vous revoir. Accepteriez-vous de vous asseoir à mon côté pour le déjeuner ?

Martha acquiesça d'un hochement de tête malicieux. La salle résonnait d'un brouhaha ponctué de petits rires. Les tables se remplissaient à vue d'œil. Martha et Malcolm s'installèrent là où il restait de la place. Face à eux, d'autres anciens étaient déjà en train de se montrer avec fierté les photos de leurs petits-enfants.

Malcolm Forster invita galamment Martha à s'asseoir.

— Vous n'étiez pas venue depuis des années, fit-il en prenant place à son tour. C'est une bonne surprise. Pourquoi maintenant ?

— Sans doute la maturité, plaisanta Martha. Et vous, pourquoi venez-vous ? Si je me souviens bien, vous n'étiez pas un acharné des pots et des fêtes du service.

— C'est vrai. Mais ma vie n'a rien de bien excitant et j'ai passé ici beaucoup de bons moments. Alors je reviens comme un gamin qui retourne visiter son école. À chaque fois, je trouve qu'il y a trop de bruit, que les conversations sont puériles et vaines. On ne voit jamais ceux que l'on espère. En rentrant, je me dis toujours que je n'y mettrai plus les pieds et puis un an plus tard, quand l'invitation arrive, j'y retourne. Cette année, j'ai bien fait puisque je déjeune avec vous.

— Vous étiez marié, je crois ?

— Ma femme est morte il y a quatre ans. Un cancer.

— Je suis désolée.

— Nous n'allons pas faire comme les autres, égrener les malheurs, les maladies et les rhumatismes ! Et vous, que devenez-vous ?

— Ma foi, je m'occupe, répondit Martha. Je voyage un peu, je vis un peu avec quelqu'un, je vois un peu les enfants et les petits-enfants, mais ils sont loin. Je m'investis aussi un peu dans les associations de mon quartier.

— « Un peu » de tout.

— C'est ça.

— Et rien ne vous occupe « beaucoup » ?

Aussitôt, Martha songea à Peter et Frank. Son expression courtoise se ternit un peu. Malcolm le remarqua et, poliment, changea de sujet.

— J'ai entendu dire que le général ne serait pas là. Il est avec le président.

— Oui, mais c'est un secret d'État, ironisa Martha. Je ne sais pas si c'est bien malin de le confier à une bande de retraités qui n'ont pas grand-chose d'autre à faire que de colporter des ragots.

— Toujours aussi incisive, Mrs Robinson, s'amusa Malcolm.

— On ne se refait pas.

Sur un ton plus sérieux, elle ajouta :

— Excusez-moi, mais avant que nous prenions trois kilos, j'aurais voulu saluer celle qui m'a succédé et qui est toujours en poste là-haut…

— Voulez-vous que je vous accompagne ?

— Ne vous donnez pas cette peine. Nous n'avons que des histoires de bonnes femmes à nous raconter. Attendez-moi là, je reviens vite.

En retraversant le hall d'entrée en direction des ascenseurs, Martha sentit le stress l'envahir. Elle se répétait en boucle l'instruction essentielle de Peter : être naturelle.

Alors qu'elle s'apprêtait à appeler la cabine, un sous-officier l'interpella :

— Madame, je suis désolé, les étages sont réservés au personnel en activité.

— Je sais. Je voulais juste rendre visite à quelqu'un que j'ai formé et qui travaille encore ici. J'étais la collaboratrice directe du général Morton et elle a pris ma suite. Pour une fois que je peux la voir…

Attendri par cette gentille vieille dame et impressionné par la mention du grand patron, le gradé pivota vers un téléphone et déclara :

— Je vais voir ce que je peux faire.

Quelques instants plus tard, Martha était conduite au cinquième étage. Le sous-officier l'escorta jusqu'au sas du service du commandement central.

— Les mesures de sécurité ont été terriblement renforcées depuis les attentats. Maintenant, il faut des codes et des cartes pour tout. Aujourd'hui, c'est un peu particulier, le boss n'est pas là et les services sont à moitié vides. Nous sommes réquisitionnés en bas.

L'homme sonna au poste de contrôle. Une voix métallique lui répondit.

— J'accompagne Martha Robinson, une ancienne du service qui vient rendre visite à Mrs Montgomery.

Le sas se déverrouilla.

— Je vous laisse ici, fit le gradé. Nous nous reverrons tout à l'heure, lorsque vous redescendrez.

Martha le remercia d'un sourire. En pénétrant dans le secteur de commandement, elle se crispa. Elle avait l'impression de s'engager dans un piège, une nasse dont elle ne ressortirait jamais si elle échouait.

Elle ne reconnaissait rien des lieux où elle avait autrefois travaillé. Le verre et l'acier avaient remplacé la moquette murale bordeaux – question d'époque. Le service était désert. Alors qu'elle allait s'engager dans le couloir principal, Susan Montgomery apparut devant elle.

— Mrs Robinson ! Alors ça, c'est une bonne surprise !

— J'étais au repas et j'ai eu envie de vous saluer, et puis de venir respirer l'air du bureau.

Les deux femmes s'embrassèrent.

— Le général n'est pas là aujourd'hui, c'est dommage. Je suis certain qu'il aurait été heureux de vous revoir.

— Ce sera pour une autre fois…

Martha et sa guide remontèrent vers le bureau de Susan. Le fait que tout ait été réagencé empêchait les souvenirs de remonter à sa mémoire. Martha passa devant la porte du bureau du général. Susan invita son aînée à s'asseoir dans le sien. Il était assez éloigné de celui de Morton.

— Je crois qu'à votre époque, les bureaux étaient plus grands. Aujourd'hui, ils rognent sur tout… Les budgets et la surface de nos cagibis !

Martha participait tant bien que mal à la conversation mais son esprit était accaparé par ce qu'elle avait à accomplir. Chez elle, Peter l'attendait. Elle devait absolument lui rapporter le dossier sur le centre.

Lorsque le téléphone de Susan sonna, Martha saisit l'occasion pour prendre congé rapidement et s'éclipser sans être raccompagnée. Elle sortit dans le couloir, tourna deux fois à gauche. Elle n'était plus qu'à quelques mètres de la porte du général. Elle ne devait surtout pas hésiter. Elle s'assura que le couloir était désert, sortit de son sac la carte magnétique de Morton que lui avait remise Peter et d'une main tremblante, l'introduisit dans le lecteur sur le côté de la porte. L'ouverture se déclencha aussitôt. Martha poussa le battant et referma derrière elle. Elle soupira. Son cœur battait la chamade.

En plus de trente ans de service, elle n'avait jamais rien fait d'illégal. Il lui avait fallu attendre d'être à la retraite pour venir fouiller le bureau de son ex-supérieur. Elle n'était pas mécontente de lui jouer ce sale tour.

La pièce était spacieuse, habillée de bois sombre. Tout y dégageait un parfum de luxe cossu et de pouvoir. Le large bureau se dressait face à elle, encadré par de grandes bibliothèques remplies de livres anciens qui couvraient trois murs entiers. Martha contourna le bureau et étudia les photos exposées entre les ouvrages sur l'art de la guerre ou l'histoire du monde. « Il n'a pas rajeuni », songea-t-elle en reconnaissant Morton sur un cliché avec le dernier président des États-Unis.

Martha se détourna des photos et s'intéressa au bureau. Au pied de la lampe, elle reconnut le très beau coupe-papier, une antiquité française napoléonienne que le service avait offerte au général pour ses trente ans de service. Elle se souvint qu'à l'époque, c'est Frank qui avait donné le plus… Martha n'avait pas le temps de traîner, elle devait en finir au plus vite.

Dans l'angle de la pièce, entre deux fauteuils Chesterfield, se trouvait le bar. Elle avait toujours vu ce meuble mais ne s'était jamais doutée de rien. Il est vrai que le général était spécialiste des cachotteries, Martha était bien placée pour le savoir. Elle passa la main derrière le rebord supérieur. Son doigt accrocha un ergot métallique qu'elle actionna. Le meuble pivota et laissa apparaître la porte noire d'un coffre-fort.

D'un regard, elle balaya la pièce et porta son attention sur une maquette reproduisant un assaut de la bataille de Green Wald. Au milieu d'une végétation miniature, des figurines de plomb peintes avec un luxe de détails rejouaient l'ultime charge des Nordistes contre une poche de résistance sudiste retranchée dans un fossé avec ses otages. Morton avait avoué à Peter que la clé se trouvait là. Martha étudia les personnages attentivement et finit par repérer la figurine d'un capitaine qui courait sabre au clair. Elle tira délicatement dessus. Dans le prolongement de sa jambe, dissimulée dans le socle, apparut la tige d'une clé de sûreté.

Elle retourna au coffre et introduisit la clé dans la serrure. Elle lui fit faire deux tours, actionna ensuite les deux cadrans crantés du code mécanique et abaissa la poignée. La petite porte s'ouvrit. Avec méthode, elle sortit les dossiers et les quelques boîtes qu'il contenait.

Lorsqu'elle découvrit une chemise à rabat vert sombre marquée d'un « D », elle en écarta les élastiques et feuilleta rapidement les pages. Sans ordre apparent, s'accumulaient là des plans, des rapports d'expériences et des notes de service sur un centre expérimental. Plusieurs documents étaient annotés de la main même du général. Martha tenait ce qu'elle était venue chercher. Elle glissa le dossier dans son grand sac à main.

— Eh bien, fit Malcolm en la voyant enfin revenir, vous aviez beaucoup de choses à vous dire.

Martha sourit sans répondre et s'assit. Devant elle, son assiette de salade d'écrevisses était superbe, mais elle était trop nouée pour avaler quoi que ce soit. Chaque fois que quelqu'un la regardait, elle avait l'impression d'être soupçonnée, comme si ce qu'elle venait d'accomplir se lisait sur son visage.

— Je ne me sens pas bien, dit-elle. Je crois que je vais rentrer.

Malcolm se pencha vers elle, attentionné.

— Vous avez parlé du général avec votre remplaçante, et cela réveille beaucoup de choses que l'on voudrait tous oublier.

— Oublier est impossible, répondit Martha. Je voudrais que cela n'ait jamais eu lieu.

Malcolm secoua la tête d'un air triste et entendu.

— Je vous raccompagne à votre voiture.

Moins d'une heure plus tard, Martha arrivait chez elle, où Peter l'attendait dans un état de fébrilité rare. Il l'accueillit avec soulagement.

— Je suis heureux de vous voir revenir… Tout s'est bien passé, vous n'avez pas eu de problème ?

— Mission accomplie.

Elle lui tendit le dossier. Son regard brillait de fierté. Peter le saisit et l'ouvrit. Martha jeta un coup d'œil par-dessus son épaule.

— C'est ce que vous vouliez ? demanda-t-elle.

— C'est mieux que ça, c'est une véritable bombe ! Je comprends que Morton ait gardé tout ça pour lui. Je ne sais pas comment vous remercier. Vous avez pris des risques insensés.

— Ce n'est rien. J'espère que vous allez pouvoir sauver votre amie.

— Moi aussi.

— En tout cas, vous avez l'air de tenir beaucoup à elle.

— C'est quelqu'un de bien.

— Seulement ? le taquina Martha. Vous faites tout ça parce qu'elle est « quelqu'un de bien » ?

Peter parut surpris de l'allusion.

— Elle est innocente, elle n'avait aucune raison d'être enlevée, expliqua-t-il. Je trouve normal d'essayer de la sauver. Je ferais la même chose pour n'importe qui.

— Vous ne parleriez pas de n'importe qui comme vous avez parlé d'elle hier soir. Vous étiez émouvant.

Peter rougit et baissa les yeux.

— Il vaudrait mieux que j'y aille, dit-il. J'aimerais

pouvoir rester, mais j'ai encore de la route et Stefan doit m'attendre.

— Oui, bien sûr. C'est plus raisonnable…

Martha parut soudain bien fragile.

— Je ne sais pas si nous nous reverrons… dit-elle.

— Quand nous en serons tous sortis, je vous promets de revenir.

Même sans se faire d'illusion, Martha fut heureuse de l'entendre.

— Alors filez, dit-elle. Je vais vous faire une bise comme une dame bien élevée.

Elle saisit Peter par l'épaule et l'attira vers elle.

— Bonne chance, mon garçon. Vous êtes la rencontre la plus incroyable de ma vie, un peu comme Frank. Je crois que vous êtes un type bien. Que Dieu vous garde.

Peter la serra dans ses bras et lui souffla :

— Si peu de temps ensemble, et j'ai pourtant l'impression de vous connaître par cœur. Merci pour tout, Martha. Merci d'avoir pris tous ces risques. Frank avait raison. Vous êtes indispensable…

Il l'embrassa puis ajouta :

— Et n'oubliez pas, si on vous fait des problèmes, dites que je vous ai obligée. Inventez n'importe quoi, que je vous ai menacée. N'hésitez pas à me charger.

Peter saisit sa main avec chaleur et sourit presque tristement. Ses doigts se lièrent un moment à ceux de Martha, puis il se dirigea vers la sortie.

— Dites à Frank qu'il me manque, lança-t-elle, émue aux larmes.

— Vous venez de le lui dire, répondit Peter.

Il lui fit un dernier signe et disparut.

34

— Redites-moi votre nom.

— Serensa… Valeria Serensa.

Simon s'acharnait à la faire parler. Fébrile, inquiet autant que révolté, il ne parvenait pas à se calmer.

— Où avez-vous grandi ? Décrivez-moi vos parents.

Il parlait précipitamment, impatient de vérifier. La jeune femme renversa la tête sur l'oreiller. Elle était à bout de forces, fiévreuse, le visage pâle, les cheveux collés par une sueur glacée. Lauren lui épongea le front une nouvelle fois.

— C'est important, insista Simon. Faites un effort… Votre plus beau Noël ! Racontez-moi votre plus beau Noël.

— Elle est épuisée, intervint Lauren. Laissons-la dormir. De toute façon, cela ne changera rien.

— Je veux savoir, il le faut ! répliqua vivement Simon. S'ils lui ont fait du mal, je les tuerai.

Il saisit la main inerte de Valeria et la serra, bouleversé.

— Tu as fait ce que tu as pu, dit Lauren pour l'apaiser. Même l'Esprit a ses limites. Face à leur barbarie, on ne peut pas tout. Ils ont la force pour eux. Nous savons toi et moi que cela peut leur apporter quelques victoires immédiates.

— Pas sur elle, pas contre une âme, se lamenta l'homme.

Valeria gémit.

— J'avais demandé un frère, murmura-t-elle.

Simon se pencha, soulagé et anxieux à la fois :

— Que dites-vous ?

— Pour Noël, j'avais demandé un frère. Mais ma mère ne pouvait plus avoir d'enfants. Mes grands-parents m'ont offert un chien. Il s'appelait Ténor. Quand il aboyait, il avait vraiment l'air de vouloir dire quelque chose.

Simon eut un sourire de joie. Il en aurait pleuré de soulagement.

— Parle, petite, parle. Raconte ce que tu es. Dis-nous qu'ils n'ont pas réussi.

Lauren s'agenouilla près du lit. Elle saisit les mains de Simon et de Valeria, qui reprit d'une voix faible :

— Ténor me suivait partout. Quand j'allais à l'école, quand je faisais du vélo jusque chez le vieux Rico, il était toujours là. La nuit, il dormait couché contre la porte de ma chambre. Il a fini par apprendre à ouvrir les portes lui-même. Quand tout était silencieux dans la maison, il venait. Il savait qu'il ne fallait pas faire de bruit. À table, je lui donnais en douce ce que je ne voulais pas manger. Cela faisait râler ma mère.

— Quel âge as-tu aujourd'hui ? demanda encore Simon.

— Vingt ans.

— Te souviens-tu d'avoir beaucoup voyagé, ou d'avoir été déjà mariée ?

Valeria entrouvrit ses yeux gonflés de fatigue.

— Mariée ? répéta-t-elle, incrédule. Mon Dieu non, je suis trop jeune. Un jour sûrement, lorsque je saurai avec qui.

Simon soupira de soulagement. Il commençait à croire que le pire avait été évité.

— Elle s'en est sortie, murmura Lauren.

Devinant l'angoisse de ses interlocuteurs, Valeria fit un effort, cherchant à fixer leur visage, mais la lumière du plafond l'aveuglait.

— De quoi parlez-vous ? questionna-t-elle. Que s'est-il passé ?

— Ils ont essayé de vous forcer, ragea Simon. Ils ont tenté d'ouvrir le passage entre votre âme et celle à laquelle vous êtes liée. Mais il semble qu'ils aient échoué.

Valeria balança sa tête de droite à gauche.

— J'ai soif, dit-elle. Il fait si chaud.

Lauren pivota et souleva la carafe posée sur la table de nuit. Elle remplit un verre que Valeria vida d'un trait.

— Merci, fit la jeune femme.

Elle se laissa retomber en arrière.

— Tout est flou, continua-t-elle. Je ne me souviens de rien. Je les revois m'attacher, ensuite, c'est le noir total, jusqu'à maintenant.

— Jenson est prêt à tout pour prendre le contrôle de votre cerveau. Il a essayé de réveiller la mémoire de vos vies antérieures. Il s'est servi d'une machine inventée par on ne sait qui.

— Et vous dites que ça n'a pas marché ?

— Je ne crois pas, répondit Simon. Vous n'avez aucun symptôme de dédoublement de personnalité. Votre mémoire est cohérente.

— Pourtant, cette machine fonctionne, commenta Valeria.

Lauren et Simon se regardèrent, stupéfaits.

— Comment le savez-vous ? Vous aviez déjà vu cette machine ? interrogea Lauren.

— Pas celle-là, une autre, ailleurs, et j'ai vu le résultat...

Incapable d'en dire davantage, la jeune femme se mit à tousser et se tordit sur elle-même. Une fois couchée sur le flanc, elle remonta ses genoux contre sa poitrine et s'apaisa. Les images de Peter au lendemain de l'expérience lui revinrent. Comme lui elle était épuisée, comme lui elle se sentait flottante.

— Où est cette autre machine ? demanda Simon.

— Elle n'existe plus.

— En avez-vous parlé à Jenson ? s'inquiéta Lauren.

Valeria agita la tête négativement.

— Il ne doit pas l'apprendre, fit Lauren, tranchante. S'il découvrait qu'un autre système a fonctionné, il n'aurait de cesse de réessayer avec le sien…

— Nous n'arriverons pas à la protéger de nouveau, lâcha Simon. Personne n'en aura la force.

Le professeur Jenson manipulait les fragments de papier jaunis et calcinés avec les mêmes égards que s'il s'agissait de précieux manuscrits datant du Moyen Âge. De son doigt ganté de coton blanc, il suivait les lignes tracées à l'encre bleue qui avaient autant souffert du feu que du temps. Souvent, il était obligé de s'aider d'une loupe pour réussir à saisir un mot de plus. Chaque fragment était une énigme. Il était frustré de ne pouvoir lire que des extraits. Certains passages essentiels étaient incomplets au point d'en devenir totalement hermétiques.

Seul dans la salle où quelques heures plus tôt, il avait pratiqué son expérience sur Valeria Serensa, Jenson essayait de tirer les conclusions. Point positif pour lui comme pour elle, la jeune femme n'avait pas perdu la raison et n'avait pas tenté de mettre fin à ses jours. Mais de là à en déduire quels effets la stimulation de son cortex sous hypnose avait produits, il y avait un pas que Jenson était incapable de franchir. Les bribes d'indications des Destrel ne lui permettaient pas de savoir à quoi il devait s'attendre. Alors, inlassablement, il reprenait un à un les éléments encore lisibles d'un vieux compte rendu carbonisé pour tenter d'y découvrir un indice.

Sur un long ruban de papier quadrillé, l'activité cérébrale de Valeria avait été enregistrée pendant toute la durée de l'expérience. À chaque palier de stimulation, les fines lignes accusaient des variations abruptes aussitôt compensées. Qu'est-ce que cela pouvait bien signifier ? Jenson n'avait aucune idée des effets qu'aurait le processus imaginé par les Destrel. À intervalles réguliers, il se référait aussi aux quelques notes de Gassner. Elles avaient le mérite d'être plus synthétiques et claires. Tout bien considéré, avant lui, Gassner avait été le seul à tenter de comprendre vraiment les travaux des savants disparus.

Depuis des années, Jenson avait eu le temps de prendre connaissance de tous les documents saisis en Écosse. Avec l'arrivée de Valeria et l'aide des médiums, il espérait pouvoir enfin progresser à grands pas. En ayant le début de l'équation et en imaginant le résultat, se faisait fort de pouvoir reconstituer l'opération.

Rien dans les textes des savants n'abordait les effets de la stimulation. Une seule phrase de Gassner, une des dernières écrites avant son suicide, mentionnait simplement des céphalées et quelques troubles de la vision. Un sentiment d'impuissance submergea Jenson. Il reposa le fragment et soupira. Il avait tant misé sur cette expérience avec Valeria que, privé de résultats évidents, il se décourageait. Il aurait donné dix ans de sa vie pour avoir les facultés des médiums qui travaillaient pour lui. Eux pratiquaient de façon naturelle ce que lui ne faisait que détecter avec un arsenal technologique qui montrait chaque jour ses limites.

Le bip de l'interphone l'arracha à ses pensées. Il attira le boîtier à lui, convaincu d'un appel de Debbie. Il appuya sur le bouton d'intercom.

— J'espère que c'est important, dit-il d'emblée.

— Ça l'est, monsieur.

À sa grande surprise, il reconnut la voix du responsable de la sécurité du centre.

— Dumferson ? Que se passe-t-il ?

— Désolé de vous déranger, professeur, mais nous avons de la visite.

— Eh bien, vous n'avez qu'à vous en occuper, mon vieux, c'est votre boulot. Je suis en pleine étude.

— Il s'agit du général Morton, monsieur.

Surpris, le docteur marqua une pause.

— Le général Morton est là ? s'assura-t-il.

— Oui, monsieur, avec deux experts militaires.

— Bon sang, bougonna Jenson. Il n'a pas mis les pieds ici depuis quinze ans en me laissant tout le sale boulot, et maintenant qu'on a cette fille, il rapplique…

— Je le fais patienter dans votre bureau.

— C'est ça ! grogna Jenson en retirant nerveusement ses gants. Je remonte.

35

Debbie tendit la main vers Valeria et d'un geste précis du pouce, releva la paupière de la jeune femme. Elles étaient seules dans la salle d'examen. L'assistante de Jenson éclaira l'œil avec une lampe électrique. La pupille était fixe. Debbie laissa l'œil se refermer et glissa la lampe dans la poche de sa blouse.

— Je vais à présent énoncer une série de mots, déclara-t-elle. Dites-moi simplement ce qu'ils évoquent pour vous.

Valeria était sous hypnose, étendue dans un large fauteuil qui soutenait aussi ses jambes. Sa tête était calée par un coussin plastifié. Sur une chaise, toute proche, Debbie ordonnait ses feuilles.

— Nous commençons, dit-elle. Si je vous dis « Marc » ?

Valeria resta impassible, le visage dénué de toute expression.

— Un proche, finit-elle par répondre d'une voix atone.

Hormis ses lèvres, elle était demeurée parfaitement immobile. Debbie compara sa réponse à celle enregistrée quelques jours plus tôt dans les mêmes conditions. Valeria avait alors répondu : « Apôtre ». C'était avant la tentative de réactivation de sa mémoire antérieure. Debbie consigna la nouvelle réponse et reprit :

— Si je vous dis « compagnon » ?

Valeria fronça les sourcils, comme si elle faisait un effort. Après une hésitation, elle répondit :

— Diego.

Debbie remarqua le trouble mais la réponse était finalement identique. Elle enchaîna :

— Si je vous dis « Écosse » ?

— Chapelle, dit aussitôt Valeria.

Réponse inchangée.

— Si je vous dis « réveil de la mémoire antérieure » ?

Valeria resta sans réaction. Debbie répéta la question en articulant davantage :

— Si je vous dis « réveil de la mémoire antérieure » ?

— Cathy, répondit la jeune femme après un temps.

L'assistante de Jenson sursauta. Elle sentit l'excitation l'envahir. Cette réponse-là était le premier signe tangible que l'opération de stimulation du cortex avait fonctionné. Elle nota le prénom sur sa feuille et le souligna trois fois. À cet instant, le panneau d'entrée de la pièce s'ouvrit. Elle se leva d'un bond, prête à éconduire l'importun, et tomba nez à nez avec le professeur Jenson.

— Je suis en pleine séance, dit-elle à voix basse. C'est très prometteur mais le moment est délicat…

— Désolé de faire irruption, mais ces messieurs ne m'ont pas laissé le choix. Ils voulaient voir le sujet…

Jenson se décala et Debbie découvrit les trois militaires. Sa mine s'assombrit.

— Je déteste travailler devant des inconnus, sifflat-elle.

Jenson lui fit discrètement signe de se taire.

— Ce ne sont pas des inconnus, rétorqua-t-il entre ses dents serrées. Ce sont nos patrons. Alors nous les accueillons poliment, ils regardent, ils sont contents et ils repartent vite…

Le professeur fit signe aux trois hommes d'entrer. Encadrant le général, Peter et Stefan pénétrèrent dans la pièce. Aussitôt, ils cherchèrent Valeria des yeux, sans la repérer tout de suite. Jenson leur désigna le fond de la salle d'examen où deux fauteuils étaient alignés contre le mur. Debbie siffla, agacée par leur intrusion.

Peter accompagna le général jusqu'à l'un des sièges. En se retournant, il aperçut enfin le visage de Valeria. Son cœur s'emballa. Il était incapable de détacher son regard d'elle. Elle lui paraissait fatiguée, plus âgée aussi.

— Eh bien, lui fit Jenson à voix basse, vous n'avez jamais vu un sujet sous hypnose ?

Peter n'entendit pas et s'approcha de la jeune femme. Stefan aussi la regardait. Il en avait les larmes aux yeux. Debbie contourna le fauteuil de sa prisonnière pour tenter d'empêcher Peter d'approcher davantage, mais le jeune homme, sans quitter Valeria des yeux, l'écarta d'un geste aussi doux que ferme.

Morton, inerte, suivait la scène sans rien dire. Seul un petit rire étouffé lui échappa. Peter et Stefan étaient aux pieds de la jeune femme. Malgré les regards assassins et les grognements de Debbie, les deux garçons s'approchèrent encore.

— Qu'est-ce qui se passe ici ?… maugréa Jenson.

— Ils la connaissent, déclara Debbie d'une voix haineuse. C'est certain. Ils sont venus nous la retirer…

Sans prêter attention à la remarque, Peter tendit sa main et la glissa sous celle de Valeria.

— Ne la touchez pas, capitaine, protesta Jenson. C'est très dangereux. Elle est sous hypnose.

Valeria ouvrit les yeux. Elle reprit conscience sans en avoir reçu l'ordre. Debbie porta les mains à sa bouche, soudain alarmée.

— C'est impossible ! s'exclama-t-elle.

À son tour, Stefan s'approcha. Il s'agenouilla auprès de Valeria et la prit dans ses bras. Il tremblait.

— Mais bon sang, s'énerva Jenson. Qu'est-ce qui vous prend ? Debbie, appelez la sécurité.

Peter dégaina son arme et le mit en joue.

— Ne tentez rien, professeur, sinon vous allez vraiment savoir ce qu'est la vie après la mort.

36

Revolver en main, Peter força Jenson à pénétrer dans son repaire blindé. Derrière Valeria et Stefan, Morton suivait à petits pas, docilement. Son regard n'exprimait rien, et entrer au cœur du centre ne lui fit aucun effet. Il semblait indifférent à ce qui l'entourait. La dose de tranquillisants que lui avait fait ingurgiter Stefan l'avait littéralement assommé, mais il était aussi sous le choc d'une vie de certitudes réduites à néant.

Stefan installa Valeria, encore faible, sur une chaise.

— Reste là, lui dit-il d'une voix douce. Il faut que j'aide Peter. Tu ne crains plus rien maintenant.

Stefan étudia la salle et les vitrines. Peter dévorait déjà leur contenu des yeux. Il fixait quelques pages à demi brûlées. Une écriture fine y égrenait les commentaires qui se perdaient dans les contours carbonisés. La vue de ces documents réveilla en lui des sentiments troubles. Par bribes, la dernière nuit de Gassner lui revint. Passé et présent se mélangeaient. Entre l'ivresse d'avoir retrouvé Valeria, l'exaltation d'être confronté à ces archives, le désir de vengeance et la mélancolie, Peter se sentait comme une embarcation ballottée sur une mer d'émotions déchaînée.

— Ouvrez ces vitrines, ordonna-t-il au professeur.

— Que comptez-vous faire ?

Peter attrapa l'homme au col et le plaqua contre le montant métallique.

— Et vous, que comptiez-vous faire ? dit-il entre ses dents. Ces documents ne vous appartiennent pas.

Stefan lui posa une main apaisante sur le bras.

— Calme-toi, Peter. Et vous, donnez-lui les clés, sinon ça va mal tourner.

Jenson désigna le bureau.

— Dans le tiroir de gauche.

Stefan trouva le trousseau et ouvrit lui-même la première vitrine. Il tendit les clés à son ami.

— Ça doit te faire drôle, lui dit-il. Vas-y doucement…

Il retourna auprès de Valeria. Peter plongea la main dans le meuble vitré et effleura les pages. Malgré les années, l'odeur de brûlé était encore perceptible. Avec le parfum du feu et du papier vieilli, les souvenirs revinrent plus violemment encore. Son esprit était assailli d'images qui se superposaient – l'explosion de la porte d'entrée chez les Destrel, le feu dans la cheminée, le martèlement de la pluie sur les tôles dans son hangar, et lui en pleine nuit, s'affairant comme un possédé entre les petits tas de documents en partie détruits.

Assis dans son coin, Morton affichait un demi-sourire, comme si du fond de sa léthargie, il saisissait toute l'ironie de la situation.

Dans la vitrine voisine, Peter aperçut quelques feuillets d'un format inférieur, repliés et remplis de notes. Ceux-là n'étaient pas noircis par le feu, juste un peu jaunis par le temps. Après avoir essayé plusieurs clés, Peter trouva celle qui ouvrait le meuble. Il était fébrile. En le voyant ainsi, Valeria se leva et s'approcha.

Peter saisit les feuillets. Avec précaution, il les déplia. L'encre noire était parfaitement lisible. L'écriture était plus irrégulière que celle des Destrel. Les phrases étaient courtes. Parfois, les notes n'étaient que des questions, des hypothèses inabouties, des mots lancés comme autant de pistes. Les mains de Peter tremblaient. Alors que la découverte des écrits des Destrel n'avait fait que l'émouvoir, ces pages le bouleversaient. Peut-être parce qu'elles étaient directement liées à lui, à son histoire, à ses vies.

— Ce sont des documents très fragiles, intervint Jenson, paniqué de voir cet inconnu manipuler ses trésors.

— Je sais, répondit Peter, laconique.

— J'ignore ce que vous cherchez, ajouta Jenson, mais vous devriez partir avec votre amie et laisser tout cela. Fuyez avant que la sécurité ne vous découvre. En fouillant dans ces documents confidentiels, vous aggravez votre cas.

Peter ne répondit pas. Il s'assit tranquillement au bureau et avec le premier stylo venu, écrivit quelque chose sur le dernier feuillet.

— Vous ne devriez pas, insista le professeur, qui hésitait à lui retirer les feuillets de force.

— Reculez, lui intima Stefan.

Toujours serein, Peter acheva d'écrire, reposa le stylo et se leva. Il approcha de Jenson et lui plaça la feuille bien en évidence devant les yeux. Sur le feuillet, il avait recopié la dernière ligne tracée par Gassner : « Possibilité de marquer une mémoire d'une vie à l'autre. »

Les deux lignes étaient identiques. L'écriture n'était pas que ressemblante, elle était exactement la même. Le plus doué des faussaires n'aurait pas pu l'imiter avec ce degré de perfection. Sans l'ombre d'un doute, la même main avait écrit les deux lignes, à vingt ans d'intervalle. Jenson blêmit.

— C'est impossible, murmura-t-il.

Valeria saisit le feuillet, l'observa et demanda à Peter :

— Tu as découvert d'où te venait le rêve, c'est ça ? C'est par celui qui a rédigé ces feuillets ?

— Il s'appelait Frank Gassner. Il était chargé de surveiller les travaux des Destrel. Il a été trahi, comme eux.

— Était-il leur ami ou leur ennemi ?

— Ils ne se connaissaient pas, intervint Stefan. Mais une chose est certaine : aujourd'hui, Gassner est leur allié.

Valeria rendit le feuillet à Peter et d'un air accablé, confia :

— Ce matin, de force, ils ont essayé de réveiller ma mémoire antérieure. Avec ça.

Elle désigna le sarcophage et le casque. Elle retira le drap. Stefan s'approcha du système qui ressemblait à celui qu'il avait reconstitué à l'université d'Édimbourg. Il souleva le casque, beaucoup plus moderne que le leur, puis s'installa devant le clavier de la console. En jetant un coup d'œil à l'écran, il pianota.

— Ne touchez pas à ça ! hurla Jenson en fonçant vers le jeune homme. C'est du matériel ultra-sophistiqué. Vous allez tout détraquer.

Peter arrêta le professeur d'un mouvement sec. Stefan s'infiltra dans les programmes et naviguia entre les différentes applications, puis lâcha :

— Ça ne peut pas marcher. Il manque des pas de programme. Je vois aussi d'après le journal d'expérimentation qu'ils ont fait des essais avec plusieurs gammes de fréquences pour la stimulation, mais ils n'ont pas les bonnes.

— Qu'est-ce que vous en savez ? lança Jenson, dédaigneux.

Peter se contenta de sourire. Stefan revint vers Valeria.

— Et maintenant, lui demanda-t-il, comment te sens-tu ?

— J'ai eu très mal à la tête, rien d'autre.

— Tu as dormi depuis leur tentative ? s'enquit Peter.

— Juste un peu.

— Et à ton réveil, tu n'as rien ressenti ? Comme si des idées arrivaient en toi et s'installaient ?

— Non.

Jenson les observait, mi-fasciné mi-effrayé.

— Qui êtes-vous ? interrogea-t-il.

Morton eut un petit gloussement.

— Vous ne comprendrez pas dans cette vie-là, répondit Peter.

— Votre mépris m'indiffère, répliqua Jenson. Si toutefois vous arrivez à sortir d'ici, vous serez recherchés comme des criminels de la pire espèce. Vous n'aurez plus jamais la paix, vous passerez le reste de votre existence en cavale, la peur au ventre. Et tôt ou tard nous vous retrouverons, tous les trois.

En entendant la menace, Valeria songea au calvaire qu'avaient enduré les Destrel.

Peter s'avança tranquillement vers Jenson. Il le dominait. Le scientifique recula mais se retrouva bloqué contre une vitrine. Il émanait du jeune homme une puissance effrayante. Jenson plaça instinctivement un bras devant son visage pour se protéger.

— Écoutez-moi, professeur. Personne ne sait que ce centre existe. L'affaire Destrel n'était connue que du général et de vous. Vous avez manipulé tous les autres employés sans jamais leur dire sur quoi ils travaillaient vraiment. La totalité des archives est contenue dans cette pièce. Une fois tout cela détruit, pas un humain sur cette terre ne croira ce que vous pourrez raconter sur nous. Vous vous êtes vous-même acharné à décrédibiliser les preuves…

— Qui vous dit que tout est ici ?

— Croyez-moi, je suis bien placé pour le savoir, et le général Morton m'a appris ce que j'ignorais depuis vingt ans. Avant que le choc fasse vaciller son esprit, nous avons eu le temps de parler. J'ai lu son dossier sur ce centre. Il m'a même confié des choses dont vous n'êtes pas informé… Vous n'avez plus rien à m'apprendre.

269

— Vous ne pouvez pas détruire ces documents, vous n'en avez pas le droit ! Ils sont inestimables !

— C'est pour cela que personne ne doit les posséder. Des gens comme vous n'en feront rien de bon.

L'intercom posé sur le bureau bipa.

— Répondez, ordonna Peter. Un conseil : ne tentez rien et soyez naturel.

Jenson appuya sur le commutateur de l'interphone.

— Qu'y a-t-il ?

— C'est vous, professeur ?

— Oui.

— Ici le poste de sécurité, nous avons un problème. Nous avons découvert votre assistante enfermée dans une salle d'examen. Elle était inconsciente. Nous préférons ne prendre aucun risque. Le chef et ses hommes sont en route pour vous mettre en sûreté, vous et le général…

À la seconde où l'agent prononçait ces mots, l'ascenseur s'ouvrait face à la porte blindée restée béante.

37

En pénétrant dans la salle la mieux gardée du complexe, le chef de la sécurité fut aussitôt soulagé. La présence du général Morton, du professeur et de deux militaires le rassura. Intérieurement, il jugea que l'équipe de permanence avait peut-être réagi un peu vite en déclenchant l'alerte. La visite de Morton électrisait décidément tout le monde. Il fit signe à ses deux hommes de marquer le pas à l'entrée.

— Mes respects, mon général, salua-t-il avant de se diriger vers Morton.

Le général ne répondit pas. C'est à peine s'il eut une réaction. Redoutant d'importuner l'assemblée, le chef de la sécurité se tourna alors vers Jenson :

— Désolé de vous déranger, professeur, mais en trouvant votre assistante inanimée, on s'est demandé si elle avait été victime d'un malaise ou d'une agression. Nous avons préféré être prudents.

Personne ne lui répondit. L'homme se rendit responsable de l'ambiance glaciale. Lui qui n'était jamais venu dans cette partie du centre prit alors conscience de ce qui l'entourait. Il remarqua les vitrines, le sarcophage. Le mélange de technologie ultramoderne et de vieilleries était surprenant. La pièce ressemblait à la fois à un musée et à un laboratoire spatial. Une sorte de malaise s'insinua en lui.

— Puisque tout est en ordre, dit-il, je vais vous laisser.

Déjà ses hommes ressortaient. Il salua le groupe toujours silencieux lorsque soudain, il croisa le regard de Peter. Il s'immobilisa.

— Je vous connais, lui déclara-t-il spontanément.

Peter fut incapable de répondre.

— Cela m'étonnerait, intervint Stefan, qui pressentait le pire. Nous ne sommes en poste que depuis peu de temps et nous ne sommes jamais venus ici.

Le chef de la sécurité s'approcha du jeune capitaine en scrutant ses yeux avec insistance. Après avoir tenté en vain d'éviter son regard, Peter le fixa avec la même intensité. Les deux hommes s'étudiaient avec une attention propre à percer les apparences.

— C'est bizarre, commenta l'homme, votre regard m'est familier. Je suis certain que je le connais bien et pourtant, je n'arrive pas à savoir où nous nous sommes déjà rencontrés. Mon visage ne vous dit rien ?

Lentement, avec discrétion, Stefan porta sa main à l'étui de son revolver. Il passa les doigts autour de la crosse, prêt à toute éventualité. Morton suivait la scène des yeux, sans se départir de son demi-sourire. Lui semblait comprendre.

Peter finit par tendre la main à l'homme qui n'en finissait pas de l'observer et lui dit :

— Bonjour, Dumferson. Si on m'avait dit que nous nous reverrions en pareilles circonstances, je ne l'aurais jamais cru.

Était-ce la voix ou le regard ? Difficile d'en être sûr, mais Dumferson s'arrêta net, une expression d'effroi et d'incrédulité sur le visage.

— Ça fait un bail, continua Peter. Ne vous fiez pas à ce que vous voyez. Sentez, ressentez.

Il fit un pas vers l'homme qui, déstabilisé, se réfugia de l'autre côté du bureau. Inquiets du comportement inhabituel de leur chef, les agents de sécurité portèrent la main à leurs armes. Aussitôt, Stefan dégaina et les mit en joue.

— On se calme ! lança-t-il.

Tous étaient les témoins de l'étrange face à face. Peter avançait lentement vers celui qui, vingt ans plus tôt, était venu le chercher pour le dernier rendez-vous avec Morton.

— La situation est assez savoureuse, vous ne trouvez pas ? déclara Peter. Vous, Morton et moi, ici, devant tous ces souvenirs…

Dumferson saisit son arme et la pointa sur le jeune homme.

— Arrêtez de me regarder ainsi. Baissez les yeux, demanda-t-il d'une voix qu'il voulait menaçante mais qui avait quelque chose d'implorant.

— Cela ne servira à rien, répondit Peter. Vous et moi savons. Vous aviez raison, Dumferson, ils étaient décidés à me faire la peau. Ils ont confisqué ce que notre équipe avait sauvé en Écosse. Vous vous souvenez ? Notre retour, les interrogatoires. Vous avez tous évité de me charger… Le dernier matin, c'est vous qui êtes venu dans le hangar rouillé où je triais les documents. Vous étiez inquiet pour moi, Dumferson. Vous m'avez trouvé épuisé, sale, à bout de forces mais motivé comme jamais. Vous étiez surpris de tout ce que j'avais réussi à faire pendant la nuit. Je vous ai parlé de ce que j'avais découvert. Je vous l'ai dit, rappelez-vous, l'affaire Destrel était loin d'être terminée…

Dumferson saisit sa tête à pleines mains, comme si un hurlement lui transperçait les tympans. Il ferma les yeux de toutes ses forces, esquissa quelques pas titubants, heurtant le bureau, renversant les écrans et le pot à crayons. Il resta un moment recroquevillé. Puis il ouvrit les yeux, hagard.

— Je n'en ai parlé à personne, jamais… gémit-il. Comment pouvez-vous savoir ?

— J'étais là, Douglas, c'est aussi simple que cela. L'esprit de Gassner est en moi. Il ne faut pas avoir peur.

Peter s'approcha et posa sa main sur l'épaule de son ex-équipier. Dumferson fut parcouru d'une espèce d'onde, comme si le passé resurgissait, comme s'il avait remonté le temps. Il allait se redresser et découvrir son colonel là, devant lui.

Jenson sentait la situation lui échapper totalement. Il était incapable de comprendre ce qui se déroulait sous ses yeux, mais il savait que c'était mauvais pour lui. Il ordonna aux gardes :

— Arrêtez-les ! Arrêtez-les tous ! Ce sont des imposteurs. Ils nous menacent !

Alors que les hommes s'élançaient, Dumferson les arrêta d'un geste. Il se redressa.

— Non, les gars, laissez. Ne l'écoutez pas. Ça va aller.

Sa voix était faible, comme s'il venait d'encaisser un choc violent. Les gardes hésitèrent. Leur chef était bouleversé, les yeux rougis, le corps agité de tremblements. Jenson essaya de protester mais Dumferson ne lui en laissa pas le temps.

— Écoutez-moi, déclara le chef de la sécurité à ses hommes. On se connaît depuis longtemps, je vous demande de me faire confiance. Sortez d'ici, verrouillez la porte et ne laissez personne entrer. S'il se passe quoi que ce soit, prévenez-moi par l'intercom.

— Bien, monsieur.

— Dumferson, vous êtes un traître ! s'écria Jenson.

— Non, professeur, plus depuis quelques minutes…

En moins d'une demi-heure, Peter lui avait expliqué la situation. De temps à autre, le chef de la sécurité le dévisageait, encore incrédule, comme si le gamin qu'il avait face à lui accomplissait un incroyable tour de magie. Ce jeune homme ressuscitait le seul supérieur que Dumferson avait jamais admiré.

— Bon sang, ce que ça peut faire bizarre ! commenta ce dernier. C'est comme si votre image se superposait à la sienne. Je l'ai côtoyé pendant près de dix ans, tous les jours, et là, j'en viens à mélanger vos traits, vos visages… Ce qu'il y a de pire, c'est que je vous parle comme si vous étiez Frank et qu'il me répond. C'est assez traumatisant.

— On s'y fait, déclara Peter avec un haussement d'épaules.

— S'il était là, il me trouverait vieilli, empâté. Quand même, c'était une époque passionnante, on travaillait pour de vrais enjeux. On y croyait ! Si seulement tout cela n'avait pas mal fini…

— Ça n'est pas fini, commenta Peter.

Dumferson acquiesça avec un petit sourire. C'était bien une remarque à la Gassner.

— Alors vous faisiez partie de l'équipe qui surveillait les Destrel ? interrogea Valeria.

— Oui, et j'étais sous les ordres directs du colonel Gassner.

— Et comment avez-vous atterri ici ? demanda Stefan.

— Après la disparition du colonel, l'unité a été dissoute. Nous avons tous été éparpillés et affectés à des postes souvent miteux. Le général Morton m'a contacté quelque temps après, en me racontant qu'il déplorait ce qui s'était passé, qu'il connaissait ma valeur et qu'il était prêt à me redonner ma chance. Il s'agissait de travailler sur un projet top secret : un centre expérimental nouvelle génération. Trop heureux de sortir de la galère, j'ai accepté, et ça fait plus de quinze ans que je suis en poste ici.

— Et vous n'aviez aucune idée de ce à quoi ce centre était consacré ? s'enquit Peter.

— Non, ce n'était pas mon job. Vous le savez bien, tout est très sectorisé. D'autant qu'en l'occurrence, tout passait par Morton. J'étais sous son autorité et c'est à lui seul que je rendais des comptes.

Jenson écoutait la conversation avec autant de rage que de dépit. Plus il en apprenait, plus il s'apercevait que Morton avait manipulé tout le monde, lui y compris. Le général avait fait en sorte d'éviter toute communication transversale, tenant chacun par des intérêts personnels. Ainsi, personne n'avait de vision d'ensemble, et lui seul aurait été en position de s'approprier une éventuelle découverte. Dans son système, tout le monde surveillait tout le monde et lui était au-dessus de la mêlée.

Sur sa chaise, Morton s'en moquait. De temps en temps, il relevait le nez et dévisageait l'un des intervenants.

— Une belle bande de crapules, jugea Dumferson en toisant le général et Jenson.

Il s'attarda sur le professeur et ajouta :

— Vous, je ne vous ai jamais vraiment apprécié. Aujourd'hui, je sais pourquoi.

Revenant aux trois jeunes gens, il demanda :

— Et maintenant, qu'allez-vous faire ?

— Nous voulons reprendre une existence normale, déclara Valeria. Toute cette histoire a bouleversé notre vie malgré nous. Nous souhaitons pouvoir être en paix, comme si tout cela n'était jamais arrivé. Nous ne voulons être les cobayes de personne.

— Ce doit être possible, commenta Dumferson. À part le professeur et le général, personne ne vous connaît. Il suffira d'annuler les avis de recherche lancés sous de faux prétextes auprès des services secrets et tout ce joli monde vous oubliera. Il vous faudra être discrets quelque temps.

— Et pour tout ça ? fit Peter en désignant le contenu des vitrines et la machine reliée au sarcophage.

— Il faut tout faire disparaître, trancha Stefan. Définitivement. C'est notre seule chance. L'affaire est née de ces documents, elle s'arrêtera avec leur destruction.

— Et pour la mallette ? intervint Valeria.

— Nous verrons cela plus tard, répondit Peter. Elle est en sécurité pour le moment.

Jenson ne perdait pas un mot de la conversation. Il réfléchissait de toutes ses forces à la façon dont il pouvait retourner la situation à son avantage.

Valeria précisa :

— Dans le centre, certaines personnes sont détenues et utilisées contre leur gré. Ce sont des médiums.

— Ne vous mêlez pas de ça, gronda Jenson.

— Je ne suis pas au courant, constata Dumferson. Pour nous, les gens qui travaillent ici sont au secret, mais nous ne connaissons ni leur fonction, ni ce qui les lie au centre. Je sais juste qu'un individu prénommé Simon n'a pas le droit de sortir…

— Vous me le paierez tous, ragea Jenson.

— Ce Simon est médium, lui aussi, annonça Valeria. Il m'a aidée.

— Pour le libérer, il n'y a qu'une solution, déclara Dumferson. Comme pour vous, nous devrons effacer toute trace de son existence ici, et il devra fuir.

Jenson frappa du poing sur la table. Il pointa un index menaçant :

— Je ne vous laisserai pas faire ! Vous contrecarrez l'un des projets les plus importants de l'histoire de l'humanité. Si vous croyez que vos petites existences valent ce que vous songez à détruire, je vous le dis, vous vous trompez. Rien ne s'arrêtera jamais, parce que la vie est ainsi, parce que personne n'a jamais pu arrêter la marche du progrès.

Exalté, Jenson faisait de grands gestes, vociférant ses menaces comme un prédicateur certain de son pouvoir. Il poursuivit :

— Vous ne pourrez pas me stopper, la mort des Destrel n'a rien empêché…

Peter s'avança vers lui et, sans aucun avertissement, le frappa violemment au visage. Jenson s'effondra sans terminer sa phrase. Dumferson se pencha par-dessus le bureau pour observer le corps inerte, étalé sur le sol comme un pantin désarticulé. Le nez commençait à saigner.

— Jolie droite, apprécia-t-il. C'est Frank ou c'est vous qui l'avez frappé ?

— Étant donné la violence du choc, commenta Stefan, ils s'y sont probablement mis tous les deux…

Dans la grande salle mise à sac, Peter sauta au bas de sa chaise et jeta par terre le dernier détecteur d'incendie qu'il venait d'arracher du mur. Au plafond, un peu partout, les fils pendaient, dénudés. Les vitrines étaient maintenant vides et leur contenu grossièrement entassé au centre de la pièce avec le sarcophage renversé, les disques durs fracassés, les tours d'ordinateurs et les écrans défoncés. Le tas était impressionnant.

Valeria, Stefan et Dumferson étaient remontés avertir les médiums de ce qui avait été décidé et vérifier qu'aucun autre document les concernant n'avait été oublié. À l'heure qu'il était, Jenson devait toujours être évanoui, enfermé dans un local technique des étages supérieurs.

Seul, Peter contemplait l'amoncellement hétéroclite. Il s'agenouilla au pied du bric-à-brac jeté pêle-mêle et en tira une note de Marc Destrel. Il la parcourut. Il lui sembla la reconnaître, mais de façon curieuse, le sentiment lui déplut, comme s'il en avait assez. D'un geste las, il la rejeta sur le reste. En vidant les vitrines, le jeune homme avait bien songé à garder une ou deux feuilles, en souvenir, mais à quoi bon ? Il fallait tourner la page, la brûler même.

En fouillant dans sa poche à la recherche du briquet que lui avait confié Dumferson, Peter songea que la vie était décidément bien étrange. À vingt ans d'intervalle, l'esprit qui avait sauvé ces documents du feu allait cette fois les détruire. Non sans une pointe de sadisme, Peter aurait bien aimé que Jenson assiste à l'embrasement de son trésor. Le professeur aurait sans doute été fou furieux de voir sa scule chance d'élucider l'énigme partir en fumée. En obligeant Jenson à affronter ça, Peter aurait un peu vengé Gassner et les Destrel – et Valeria aussi.

Il alluma le briquet, se pencha et enflamma les pages qui dépassaient. Aussitôt, le papier sec crépita dans le laboratoire. Les flammes se propagèrent, rongeant les mots d'un front noir qui ne laissait que de la cendre. Le feu gagna en puissance, dévorant les pages voisines, léchant les carcasses des ordinateurs dont le plastique noircissait, sur le point de fondre. Une fumée épaisse monta bientôt. Peter se dirigea vers le point de contrôle de l'air conditionné et poussa l'aspiration d'air à son maximum. Dans quelques minutes, cette pièce ne serait plus qu'une fournaise. Déjà, le feu s'étendait, transformant l'amas en brasier. Les objets, les liasses de relevés prenaient feu les uns après les autres. La température de la salle augmentait à toute vitesse, mais ce n'était pas uniquement pour cela que le front de Peter perlait de sueur. Il recula, fuyant la chaleur : il savait qu'il ne pourrait plus rester longtemps. Après lui, plus personne ne verrait ces documents si précieux, plus personne ne pourrait jamais les lire.

Tout ce qui était irrévocable l'avait toujours mis mal à l'aise, presque rendu malheureux. Peut-être parce que cela le renvoyait à ses limites, à son impuissance face au définitif. Gassner non plus n'avait jamais aimé cette notion... mais étrangement, alors que les flammes n'étaient plus loin d'atteindre le plafond, Peter ne sentait plus sa présence.

— À quoi penses-tu ?

Peter sursauta. Depuis l'entrée de la salle, Stefan contemplait son ami dans la lueur du feu. Sa silhouette se découpait, nette. Au plafond, un premier bloc d'éclairage explosa sous la chaleur.

— Je suis descendu voir si tu avais besoin d'un coup de main, continua Stefan. Si je dérange, je peux remonter.

— Non, reste. Je ne t'avais pas entendu venir. J'étais perdu dans mes pensées.

— Honnêtement, il y a de quoi s'y perdre.

Il toussa à cause de la fumée qui, malgré l'aspiration, commençait à saturer l'air.

— Il vaudrait mieux ne pas traîner ici, fit-il.

Peter acquiesça. Il jeta un dernier regard aux documents dévorés par les flammes et battit en retraite vers la sortie. Il activa la fermeture de la porte blindée. Lentement, l'énorme battant d'acier scella la salle. Lorsque le dernier interstice se réduisit à l'extrême, seule une lueur rougeâtre s'échappait encore. La fournaise faisait exploser les vitres et tordait les tôles dans des hurlements effrayants. Les dalles du plafond, à moitié fondue, tombaient les unes après les autres.

Au moment où la porte acheva sa course, le silence s'abattit sur le couloir d'accès.

Les deux garçons restèrent un instant sans rien dire. Ce qui venait d'être accompli était essentiel. Peter préféra ne pas trop y réfléchir pour le moment. Ils avaient d'autres priorités.

— Comment trouves-tu Valeria ? demanda-t-il.

— Je crois qu'elle a vécu des jours terribles, mais elle m'a l'air solide.

Peter hocha la tête, satisfait de voir son impression confirmée. Puis ce fut au tour de Stefan de l'interroger :

— Tu penses qu'elle pourra oublier ce qu'elle a enduré ici ?

Peter fut surpris par la question.

— Pour être franc, je ne sais pas, dit-il. Je ne crois pas que l'on puisse oublier, on apprend seulement à vivre avec le souvenir.

La réponse était logique mais ne convenait pas vraiment à Stefan. Il aurait souhaité entendre autre chose, c'était important pour la suite.

— Allez viens, dit-il. Il est temps de filer.

38

D'après la carte routière, il ne restait plus qu'une trentaine de kilomètres avant d'atteindre l'adresse indiquée par Dumferson. Il avait prévenu : la maison était inhabitée depuis plusieurs années et elle n'était sûrement pas en parfait état, mais sa situation à la sortie d'un trou perdu du Maine, à moins de cent kilomètres de la frontière canadienne, en faisait l'endroit idéal pour attendre que les avis de recherche soient retirés et que Simon reçoive des papiers d'identité.

Sans broncher, la vieille Buick avalait les côtes de plus en plus abruptes de cette région boisée. Stefan était au volant. Les paysages préservés et la liberté fraîchement retrouvée leur procuraient la sensation de découvrir un monde neuf et pur. Ils étaient partis depuis deux heures, roulant pour s'évader, décidés à fuir le centre et son ambiance malsaine, qui pourtant leur collait encore à la peau. Aucun n'arrivait à chasser les visions de couloirs blafards et de pièces exiguës donnant la désagréable impression d'être prisonnier d'un Tupperware stérilisé. Ni les paysages uniformément couverts de grands arbres ni le beau temps n'arrivaient à leur faire oublier ce à quoi ils venaient d'échapper.

Sur la banquette arrière, Valeria dormait, la tête calée dans le blouson de Peter. À sa gauche, Simon regardait par la fenêtre de sa portière avec l'avidité d'un gamin qui s'aventure pour la première fois dans le monde. Par la vitre entrouverte, il percevait le parfum des forêts chauffées par le soleil de cette superbe matinée. Il n'était pas sorti du centre depuis plus de cinq ans. Ses yeux plissés s'accommodaient mal de la lumière et malgré cela, il faisait tout pour les maintenir bien ouverts. Il n'en finissait pas de se réjouir. Il n'osait pas y croire. De temps en temps, il caressait son pantalon, un modèle de coton marron tout à fait ordinaire mais qui, à côté des éternelles tuniques du centre, ressemblait à un habit de fête.

Environ un an après le début de sa captivité, Simon avait progressivement commencé à perdre le fil du temps. Les rythmes artificiels et l'absence de repères dans le centre avaient fini par porter leurs fruits. Les autres médiums qui eux, bénéficiaient parfois d'autorisations de sortie, le tenaient au courant des dates et lui apportaient des nouvelles de l'extérieur, mais il s'était peu à peu convaincu qu'il ne ressortirait jamais. Sans famille directe, sans proches dans le pays, il n'avait même pas pu compter sur l'inquiétude des siens pour déclencher une quelconque enquête. Il ne pouvait espérer aucune aide. Dès lors, il avait vécu comme un véritable rat de laboratoire, victime de son don, manipulé par Jenson qui alternait vaines promesses auxquelles Simon ne croyait plus depuis longtemps et menaces physiques qui le faisaient cauchemarder.

Le front collé au carreau, Simon observait tout ce que le pays présentait à ses yeux : les fleurs, les granges, les chevaux galopant dans les vastes enclos, les chiens et les gens de tous âges. Les enfants et les vieux le faisaient sourire. Tout banals qu'ils étaient, ils lui avaient terriblement manqué. Simon sursauta de surprise lorsqu'un énorme camion chargé de troncs les frôla en sens inverse.

— Nous ne devrions pas tarder à arriver à Skowhegan, déclara Peter, les yeux sur la carte. Après, il faudra prendre vers Bingham et nous ne serons plus loin. Skowhegan a l'air un peu moins paumé. On pourrait s'y arrêter, acheter des provisions et manger un morceau ?

Stefan approuva. Peter jeta un œil à l'arrière, s'aperçut que Valeria dormait toujours et demanda à voix basse :

— Et vous Simon, qu'en dites-vous ?

L'homme parut décontenancé. Il n'était plus habitué à ce qu'on sollicite son avis. À force d'être emprisonné et pris en charge nuit et jour, il ne savait plus choisir.

— Je ne sais pas, dit-il. Décidez et ça m'ira très bien.

Même s'il n'avait exprimé aucune opinion, il avait la grisante sensation d'avoir été écouté. Satisfait, il se replongea dans la contemplation du paysage. Les maisons de plus en plus rapprochées annonçaient la petite localité. Dans des villages aussi reculés, il n'y avait pas de centre commercial, c'est d'ailleurs ce qui en faisait le charme. Hormis la station-service et les entrepôts forestiers, les quelques magasins étaient tous en centre-ville.

Impossible de se perdre à Skowhegan, il n'y avait qu'une seule rue. Les maisons aux façades peintes en bleu ou en bordeaux étaient construites un peu en retrait de la chaussée. Entre le bureau du shérif et le cabinet médical, dont l'enseigne annonçait fièrement qu'on y soignait aussi bien les animaux que les humains, se trouvaient une épicerie, un coiffeur et une taverne dont il était difficile de savoir si elle était ouverte ou abandonnée tant la devanture était sale et délabrée. Stefan se gara juste devant.

Simon porta son attention sur l'épicerie, dont il dévora l'étalage des yeux. La multitude d'articles multicolores suspendus au-dessus du présentoir d'ustensiles de cuisine le fascinait.

— Est-ce que je peux venir avec vous faire les courses ? demanda-t-il. Je vais vous paraître idiot mais pour moi, c'est un peu Noël…

— Pas de problème, décréta Stefan. Allez-y, je reste avec Valeria.

Dans le rayon des conserves, Peter remplissait généreusement son panier de boîtes de pâtes aux tomates. Sous l'œil du commerçant qui devait le prendre pour un demeuré, Simon regardait avec ravissement les paquets de biscuits sucrés. Il y en avait des ronds avec de la confiture rouge, des fourrés à l'orange, de toutes les formes. Il ne se souvenait même pas qu'il ait pu en exister autant. Il prit des tartelettes à l'abricot et revint vers Peter.

— On peut prendre ceux-là ? Avant, je les adorais…

— Prenez-en autant que vous voulez, lui répondit Peter, attendri.

Malgré la différence d'âge prononcée, on aurait pu croire que c'était Simon le plus jeune.

Un homme entra dans la boutique. Il salua rapidement l'épicier et se dirigea à la hâte vers le rayon des bières. Il attrapa trois packs de Bud et revint vers la caisse. Au passage, il bouscula Simon, ce qui fit tomber l'un de ses packs.

— Espèce de… ! Tu peux pas faire attention ! s'énerva aussitôt l'individu.

Simon, complètement désemparé, se figea dans un mutisme absolu, tête baissée. Il jeta un coup d'œil effaré à Peter.

— Désolé, fit celui-ci, mais si vous aviez fait attention, ça ne serait pas arrivé.

L'homme fit volte-face.

— T'as un problème ? grogna le type, l'œil mauvais. Tu cherches des crosses ? Parce qu'ici, les étrangers…

Peter recula.

— Mitch ! tonna l'épicier. Fous la paix à mes clients.

L'homme ramassa son pack, le paya et sortit en grommelant.

Dans la voiture, Valeria dormait toujours. Simon n'avait pas attendu pour se jeter sur ses gâteaux. Ses chaussures lui faisaient mal. À cela non plus, il n'était plus habitué. Stefan conduisait en mangeant un sandwich et Peter n'arrivait pas à chasser l'incident de son esprit.

Silencieux, le visage fermé, il ne cessait de se repasser mentalement la scène du magasin, et cela lui posait un véritable problème : pour la première fois, face à une situation de crise, Gassner ne lui avait pas soufflé comment réagir. La petite voix n'avait rien dit. Peter s'était retrouvé comme n'importe quel gamin de vingt ans menacé. Et il avait eu peur.

Stefan retira le grand drap blanc, découvrant le lit double.

— Dumferson n'est pas venu ici depuis longtemps, commenta-t-il en agitant la main pour dissiper le nuage de poussière.

— Ce sera très bien, répondit Peter en décoinçant l'unique fenêtre d'un coup de reins. C'est finalement l'adresse la plus confortable que nous ayons eue depuis bien longtemps.

L'air frais entra dans la pièce. La chambre, la plus grande des deux situées à l'étage, donnait sur une belle étendue herbeuse parsemée de bouleaux.

Au rez-de-chaussée, Valeria disposait les provisions sur les étagères de la cuisine pendant que Simon achevait d'ouvrir les volets. La maison était située assez loin du village, isolée de la route par un alignement de châtaigniers sous lesquels avait prospéré un inextricable taillis de ronces et de mûriers. Sur le côté, coincé entre la maison et un vieux garage de planches, on devinait les restes d'un potager.

En s'étirant, Simon cala le dernier battant de bois des fenêtres de la cuisine. Il souffla et se retourna vers Valeria. Il s'immobilisa dans la contemplation de la jeune femme.

— Eh bien quoi ? demanda-t-elle, amusée, vous n'avez jamais vu quelqu'un ranger des courses ?

— Il y a des années que je n'ai pas vu quelqu'un faire quoi que ce soit de normal.

— Tenez, aidez-moi, mettez le liquide vaisselle et l'éponge sur l'évier, derrière vous.

Valeria s'affairait, heureuse de se consacrer à une tâche ordinaire. En accomplissant ces gestes simples, elle retrouvait un peu sa vie d'avant. Simon la fixait toujours. Valeria surprit son regard et déclara :

— Je vous trouve étonnant.

— Pourquoi ?

— Là-bas, au centre, vous aviez tout d'un patriarche. Vous aviez l'air si sage, si rassurant, et là, vous ressemblez presque à un enfant.

— Les circonstances étaient particulières. Vous m'avez d'abord connu comme médium, et dans l'état de détresse où vous vous trouviez, même mes maigres capacités pouvaient vous aider. Mais je vous promets que je ne suis ni un patriarche ni un monument de sérénité et de sagesse. Les autres me respectaient pour ce que je ressentais mais lorsqu'il s'agissait de vie quotidienne, chacun se débrouillait très bien sans moi. C'est plutôt moi qui avais besoin d'assistance. Je suis resté enfermé trop longtemps, j'ai perdu toute autonomie. Je crois aussi que je m'étais résigné à ne plus jamais vivre normalement. Je m'étonne vraiment de ce qui m'arrive depuis hier soir. Et puis il y a autre chose...

L'homme réunit ses mains et croisa ses doigts.

Valeria l'avait déjà vu faire ce geste, au centre, lorsqu'ils avaient parlé la première fois.

— Vous savez, dit-il, lorsque vous m'avez proposé de fuir avec vous, j'ai d'abord eu peur.

— De quoi ? s'étonna la jeune femme qui, du coup, interrompit son rangement.

— Je sais que cela va vous surprendre, mais j'ai eu peur de vous trois. J'étais un captif à qui l'on offrait soudain la liberté, et c'était inespéré. Mais il y avait aussi ce que j'éprouve à votre contact.

Simon sembla chercher ses mots et reprit :

— Voilà plus de cinquante ans que je côtoie des gens et je n'ai jamais perçu cela auparavant.

Il hésitait à en dire plus.

— Que ressentez-vous ? demanda Valeria, intriguée.

— Une puissance, terrible, extraordinaire, qui n'a rien de commun avec ce qu'émettent les gens d'habitude.

— Je n'en ai pas conscience.

— Je sais. Mais croyez-moi, c'est impressionnant. Imaginez-vous soudain confrontée à une force qui vous touche intimement et que vous ne maîtrisez pas, que vous ne comprenez même pas. Tout ce que vous êtes, tout ce que vous percevez est remis en cause. Comme si vous étiez confrontée à une clé des mystères de la vie, à ces choses que l'on sent mais sur lesquelles on n'ose même pas s'interroger. Elles sont à la limite de notre champ de compréhension. Et tout à coup, la réponse vous apparaît avant même que vous n'ayez atteint la maturité pour poser la question. C'est un choc ! Avec la fascination, surgit la peur. Simplement par ce que vous êtes, vous avez balayé les maigres certitudes que je m'étais patiemment construites pendant des années. Je croyais comprendre l'Esprit mieux que les autres et vous m'avez brutalement ramené à ma minuscule dimension.

Valeria n'aimait pas l'idée de pouvoir être autre chose que simple.

— Vous discernez aussi cela avec Peter et Stefan ? demanda-t-elle.

— Avec Peter, c'est pire. Il est le plus puissant de vous trois. Son esprit est, comment dire... en éruption constante, il émet et reçoit en permanence.

— Vous pouvez sentir ce qu'il émet ?

— Non, je peux juste dire si la radio est allumée et jusqu'où elle porte, mais je n'entends pas ses émissions. Je détecte une activité. Au mieux je peux, si je suis physiquement proche de la personne et qu'elle est consentante, arriver à me brancher sur elle, mais même une perception aussi ponctuelle reste un exploit pour moi.

— Et Stefan ?

— Il est comme vous. Vos flux sont irréguliers, on a parfois l'impression que vous envoyez des signaux au hasard, comme un message lancé dans la nuit des âmes. Votre émetteur appelle et la réponse ne vient pas encore parce que la liaison est brouillée. Comme si la longueur d'onde n'était pas la bonne. Mais j'ignore comment cela se régule. Je sais reconnaître une radio, mais je ne sais même pas l'utiliser. Lorsque le professeur a tenté de forcer votre esprit, j'ai cru qu'il avait juste réussi à tout détruire et vous avec.

— Apparemment non. Vous aussi, vous avez subi leurs expériences ?

— Non, ils savaient qu'il n'y avait rien de plus à tirer de moi que ce qu'ils utilisaient. J'ai eu peur pour vous parce que moins d'un an auparavant, ils ont eu un autre prisonnier et ils lui ont fait subir quelque chose du même genre.

— Jenson y a fait allusion juste avant de m'attacher dans cet horrible sarcophage.

— Il vous a dit ce qui était arrivé après ?

— L'homme est devenu fou et s'est tué, c'est ça ?

— Malheureusement, la réalité est un peu plus effrayante que ça. Ce pauvre type, un Allemand je crois, Julius… Je ne me souviens plus de son nom. Je l'ai rencontré à son arrivée. Je devais évaluer son potentiel. Il avait l'air complètement terrifié. Il s'était accroché à moi. Il a été emmené quelque part dans les étages du centre pour y subir le même genre de traitement que vous. Lorsque le soir suivant, il a été remonté dans sa chambre, il délirait. Il marmonnait en boucle, répétant quelques mots à propos d'un pianiste, d'une chapelle. Il pleurait sans arrêt. On m'a appelé à son chevet pour évaluer à quel point sa puissance d'émission cérébrale avait augmenté. Au lieu de se renforcer, elle était nulle. Il était détruit, son cerveau était – l'expression est horrible mais exacte – grillé. Ils l'ont laissé hurler toute la nuit. Même à l'extrémité des interminables couloirs, on l'entendait de nos chambres.

« Quelques heures plus tard, le silence était revenu. On a cru qu'il s'était endormi. Lauren est allée le voir à son réveil le lendemain et elle a trouvé les hommes de Jenson en train de laver sa chambre à grande eau. Ils n'avaient pas fini, il restait des traces de sang partout sur les parois. Ils lui ont juste dit à mots couverts que le pauvre avait fracassé sa table de nuit et, avec l'un des pieds, s'était défoncé le crâne…

Valeria sentit son estomac se soulever.

— Son nom, dit-elle, ce n'était pas Kerstein ?

— Si, c'est ça. Maintenant que vous le dites, ça me revient. Comment le savez-vous ?

— C'était un universitaire à qui Stefan était allé se confier. Ce Kerstein l'avait interrogé sous hypnose, puis avait disparu sans laisser de traces.

— Il aura peut-être parlé du cas de votre ami à quelqu'un de trop, et l'affaire sera remontée aux oreilles du centre…,

— Possible, en effet, qu'il se soit jeté lui-même dans la gueule du loup… déclara Valeria, pensive.

— J'ai vu passer toutes sortes de gens au centre, mais aucun n'a fini de manière si atroce.

— Je peux comprendre ce qu'il a ressenti. Je ne suis restée enfermée que quelques jours, et déjà les idées noires m'envahissaient. Je crois qu'au bout d'un certain temps, convaincue comme vous que je ne ressortirais pas, j'aurais songé au suicide moi aussi.

— Ça nous arrive à tous, confia Simon. Mais heureusement, en tout cas chez le plus grand nombre, la pulsion de vie est la plus forte, surtout quand on est habité.

— Tous les prisonniers étaient médiums ?

— Pas forcément, mais chacun avait sa spécialité. En cinq ans, j'ai fini par saisir un peu le fonctionnement du centre. Jenson supervisait tout. Il travaillait sur les possibilités méconnues du cerveau humain. Il faisait de la recherche pure, explorant des hypothèses, mais le plus gros de son travail consistait à étudier les cas concrets et à essayer d'en déduire des lois ou des principes jusque-là inconnus. La mission qui m'était imposée était d'évaluer la puissance d'émission psychique des nouveaux arrivants. Cela me donnait l'occasion de les rencontrer. Parfois, même si les entretiens étaient étroitement surveillés, j'arrivais tout de même à nouer des liens. J'ai vu défiler des télépathes, des gens dotés d'un vrai don de voyance, d'autres capables de télékinésie. Je me souviens d'une femme qui m'avait particulièrement impressionné : elle pouvait donner la composition chimique d'un objet rien qu'en le touchant. Elle rentrait littéralement en fusion avec la matière. Aucun alliage ne résistait à son analyse. Avec une précision infernale, elle vous débitait la liste des constituants. C'était vraiment spécial. Jenson avait ainsi tout un catalogue d'aptitudes à étudier, à décortiquer. Parfois, certaines lui servaient à en évaluer d'autres. C'était mon cas. J'ai assisté à des trucs incroyables que même là-bas, j'avais du mal à croire. J'ai vu des gens capables de se parler à travers des murs, des magnétiseurs, ceux qui soulèvent des poids de plusieurs tonnes avec deux doigts, ceux qui peuvent se glisser dans vos souvenirs juste en vous regardant dans les yeux… Je vivais dans un autre univers, où plus rien n'était normal. Tous ces dons n'étaient plus disséminés sur la planète, mais concentrés dans ce laboratoire. Du coup, nous étions nombreux à perdre la notion du monde tel qu'on le conçoit en général. Je crois que Jenson avait lui aussi perdu le sens commun. Il était déconnecté de la réalité. Je ne sais même pas s'il lui arrivait de sortir du centre… Pour vous dire à quel point la pression psychologique était forte, pendant une période, je suis allé jusqu'à me demander si Jenson ne mettait pas tout cela en scène pour m'utiliser encore plus. Mais non. Il aurait pu truquer les effets mais pas ce que je ressentais. Peu à peu, j'ai fini par établir une relation directe entre ce que je percevais des gens et l'étendue de leurs pouvoirs. J'avais défini ma propre échelle de mesure et en quelque temps, rien qu'en rencontrant les sujets, j'étais capable de dire s'ils allaient nous époustoufler ou se cantonner au banal.

— Seulement en percevant leur flux psychique ?

— Oui. Et je ne me suis jamais trompé. Peu à peu, je me suis même pris au jeu. J'étais à chaque fois curieux de savoir ce qu'ils pouvaient accomplir. C'est un peu comme quand vous voyez un athlète débarquer dans un stade. Vous le jaugez, vous évaluez sa constitution, ses bras, ses jambes, sa puissance. Dès que vous le voyez, vous savez s'il sera plus fort, vous sentez si c'est de la gonflette ou si c'est un titan. Tout l'enjeu, ensuite, est de savoir à quoi il utilise son potentiel. Est-il coureur, sauteur en hauteur, lanceur de poids, lutteur ? Au centre, j'étais un peu à l'entrée du stade.

— Que sont devenus tous les gens que vous avez rencontrés ?

— Certains sont restés au centre, retenus comme

moi, mais pour la plupart, après quelque temps, on ne les revoyait jamais.

— Remis en liberté ?

— Je ne sais pas. Jenson emmagasinait des milliers de données, organisait des centaines d'expériences, mais pour le reste tout était top secret. On s'est souvent posé la question. Le doute planait sur l'issue des séjours. Beaucoup, parmi les médiums, étaient convaincus que les sujets devenus inutiles étaient purement et simplement supprimés. Cela contribuait à entretenir le climat de terreur que vous avez connu. Pour survivre, il fallait être utile à Jenson.

— Vous avez dû vivre un enfer…

— Oui et non. Même dans l'horreur de ce lieu maudit, j'ai été le témoin de choses extraordinaires. C'est étrange. Vous avez été ma dernière rencontre et vous avez aussi été la plus exceptionnelle. J'ai tout de suite senti que vous étiez un sommet dans mes évaluations, mais il m'a fallu plusieurs jours pour mesurer à quel point. Vous n'étiez ni télépathe, ni capable d'aucun prodige paranormal et pourtant, votre flux est, avec celui de vos amis, le plus puissant que j'aie jamais perçu, et de loin… Alors je vous ai observée, espionnée même. Je savais que Jenson vous portait un intérêt particulier et je dois avouer que d'une certaine façon moi aussi. En tant qu'homme, votre fragilité me touchait, mais en tant que médium, j'étais vraiment curieux de découvrir qui vous étiez. Et en vous surveillant, j'ai appris une chose essentielle. Votre puissance vient de votre connexion directe aux esprits, à l'un d'entre eux en particulier. Vous tirez votre puissance de cette association. Le flux est si pur qu'il en devient palpable. Je crois qu'un jour, vous parviendrez à le maîtriser, comme moi, j'ai appris à mon humble niveau. Et ce jour-là sera un grand jour pour l'humanité…

Peter entra dans la cuisine, les interrompant.

— Ça y est, dit-il. La maison est en ordre. Vous avez chacun une chambre en haut. Stefan et moi partagerons le salon avec le lit de camp et le canapé.

Au regard absorbé de ses interlocuteurs, le jeune homme comprit qu'il débarquait dans une discussion intense. Il demanda :

— Tout va bien ?

— Oui, répondit Valeria. Nous parlions perception…

— Je vous ai dérangés, excusez-moi. Je vous laisse. Il est bientôt 18 heures. Je dois aller appeler Dumferson.

La seule cabine publique de la bourgade se trouvait à la station-service, accrochée à la façade, entre le râtelier de pneus poussiéreux et le distributeur de boissons. Le gérant en combinaison crasseuse leva à peine le nez du moteur dans lequel il était plongé à l'autre bout du terre-plein.

Dumferson décrocha à la deuxième sonnerie.

— Oui ?

— C'est Peter. Comme convenu.

— Pile à l'heure. Vous avez trouvé la maison ?

— Sans problème. C'est parfait. On n'était plus habitués à un tel luxe, encore merci. Et de votre côté ?

— D'après les toubibs, Morton a pété un plomb. L'effet des médicaments s'est dissipé depuis longtemps, mais il ne parle plus du tout. Ils disent même qu'il y a de grandes chances pour qu'il ne retrouve jamais ses esprits. Ils diagnostiquent un choc psychologique traumatisant. Du coup, personne n'a songé à s'interroger sur la façon dont il avait échoué chez nous.

— Et le centre ?

— On peut dire qu'ils étaient surpris. Je n'ai jamais vu des experts du gouvernement faire une tête pareille ! Ils encaissent très mal qu'un tel complexe ait pu être construit et géré dans leur dos. Il va y avoir du remue-ménage. La Maison Blanche envoie un mandataire et une armée de conseillers pour évaluer le site. Ils vont tout éplucher. En attendant, les programmes sont interrompus et les personnels mis à pied.

— Qu'ont-ils fait de Jenson ?

— Ils l'ont embarqué pour l'interroger. Ce salopard a l'air décidé à faire de la résistance mais personne ne l'écoute. À leurs yeux, il est d'abord complice d'un gigantesque détournement de fonds publics, et il a aussi trahi la confiance de sa hiérarchie puisque j'ai appris qu'à l'origine, le département d'État l'avait recruté comme consultant pour la NSA. C'est un vrai sac de nœuds et comme ils ne peuvent pas s'en prendre à Morton, ils vont sûrement s'acharner sur lui. Étonnamment, il n'a pas dit un mot sur vous.

— Il se réserve pour plus tard…

— Trop tôt pour le dire, mais de toute façon, il ne pourra pas grand-chose. Il n'a plus Morton pour le protéger. Sans appui politique, il va trinquer. Et maintenant, passons aux bonnes nouvelles : les avis de recherche vous concernant ont été annulés et grâce à un copain au FBI, j'ai même pu les faire effacer des banques de mémoire centrales. Il n'existe plus aucune trace du fait qu'on vous ait poursuivis un jour. Pour les papiers d'identité de Simon, c'est bon. Ils sont partis ce matin en express. Vous devriez les avoir demain matin, en poste restante, au bureau de Bingham.

— Génial. Et pour vous ?

— Comment ça ?

— Qu'allez-vous devenir ?

— Je ne me fais pas trop de soucis. Dans ces cas-là, on ne s'acharne pas sur les seconds couteaux. Ma ligne de défense est toute trouvée : je n'ai fait qu'obéir à mon supérieur. C'est la règle chez les militaires. On ne peut pas me condamner pour cela. Alors je vais encore passer un peu sur le gril et ils vont me remettre au placard ailleurs. Sauf que cette fois je ne vais pas hésiter à charger mon chef…

— Il faut vous souhaiter bon courage ?

— Merci. Pas d'angoisse. Je vais me débrouiller.

Puis, après une hésitation, Dumferson ajouta :

— Vous savez, je ne me rends pas encore très bien compte de ce que j'ai vécu ces dernières vingt-quatre heures, et je crois que je ne le réaliserai jamais vraiment. Mais je suis heureux de vous avoir rencontré. Je vais vous avouer un truc idiot : lorsque Gassner est mort, nous avons tous souffert de ne pas avoir pu lui dire ce que nous avions sur le cœur à son sujet.

— C'était si grave que ça ?

— Il était insupportable, intraitable, infatigable, mais c'était de loin le mec le plus droit et le plus juste que nous ayons rencontré. En vous aidant, j'ai l'impression d'avoir payé un peu de ma dette envers lui. S'il avait vécu, j'aurais bien aimé devenir son ami. J'espère qu'un jour on se reverra et qu'on aura le temps d'en parler.

— Quand vous voudrez.

— En attendant, il y a encore du boulot. Je veux passer les affaires de Jenson au peigne fin tant qu'il est retenu par les fédéraux.

— Bon courage et à demain, même heure.

— Reposez-vous et prenez soin de la jeune femme, elle en a bien besoin. À demain.

Assise sur un tas de vieilles bûches moussues à demi éboulé devant la maison, Valeria profitait des dernières lueurs du jour. Les yeux perdus dans le ciel qui virait lentement du bleu au pourpre, elle jouait, rêveuse, avec le pendentif qui avait enfin retrouvé sa place autour de son cou. La petite émeraude sertie d'argent tournoyait, glissait d'un doigt à l'autre.

La vieille Buick déboucha du chemin de terre en ronronnant et s'arrêta devant le garage de bois. Peter descendit et remarqua la jeune femme.

— Si tu restes là, lui dit-il en claquant sa portière, tu vas servir de dîner aux moustiques.

Elle posa sur lui un regard serein. Il s'approcha. Par timidité, il éprouva le besoin de faire semblant de s'intéresser au vieux garage. Il jeta un œil par le carreau cassé d'une fenêtre.

— Il n'y a plus grand-chose là-dedans, fit-il. Quelques outils rouillés…

— Il a dû servir de cabane à tous les gamins des environs, commenta Valeria qui suivait le jeune homme des yeux.

Elle le retrouvait tel qu'elle l'avait vu la première fois. Sa grande silhouette semblait tenir en équilibre sur des échasses. Assise, elle le trouvait encore plus grand. Dans le contre-jour, les mèches de ses cheveux blonds décoiffés accrochaient la lumière. Il vint finalement s'asseoir à côté d'elle.

— Quelles nouvelles de Dumferson ?

— Il fait le ménage. Ça se passe bien.

— Tant mieux.

— Et toi, comment ça va ? demanda Peter.

— Étonnamment bien. J'ai juste envie de dormir.

— Pas surprenant. Avec toutes les drogues qu'ils t'ont injectées, ton organisme doit avoir besoin de récupérer. Tu fais des cauchemars ?

— Non, je ne rêve pas. Je suppose que mon esprit se protège de tout ce qui s'est passé. Les derniers jours sont de plus en plus confus dans mon souvenir, ils deviennent flous. Je n'en garde qu'une peur sourde et un rejet complet.

— Il faut tourner la page. Nous sommes libres désormais.

— C'est vrai, tu as raison.

Valeria détourna son visage.

— J'ai parlé avec Simon, dit-elle. C'est un homme surprenant. Il a pas mal de points communs avec nous.

Lui aussi a hérité d'un don qui a bouleversé sa vie. Il y a beaucoup réfléchi. Je crois qu'il pourrait nous aider à comprendre ce qui nous arrive.

— Tu es certaine d'avoir envie de te plonger là-dedans maintenant ?

— Disons que puisqu'on doit vivre avec ça, autant apprendre tout ce que nous pouvons. Histoire d'être moins dépassés. Cela nous concerne, après tout.

— Pour ma part, j'ai envie d'un peu de calme. Simon t'a dit ce qu'il comptait faire une fois qu'il aura ses papiers ?

— Il veut retourner en Inde, refaire sa vie. Mais il n'est pas encore décidé. Il est certain de vouloir quitter les États-Unis et après, c'est encore vague. Il a peut-être quelques parents éloignés près de Calcutta. Il va avoir du mal à oublier tout ce qu'il a subi.

— On n'efface pas comme ça cinq ans de captivité dans le cachot le plus high-tech du monde.

— Lui dit que ce n'est pas l'enfermement qui l'a le plus marqué.

— Et qu'est-ce que c'est alors ?

— Ce qu'il sait. Tout ce qu'il a appris, tout ce dont il a été le témoin. Auparavant, il sentait des choses mais cela restait une façon un peu décalée de voir la vie. Au centre, il a mesuré à quel point c'était hors norme. Il dit qu'il ne peut plus voir l'existence comme avant. À présent, il ne sait plus rien faire sauf capter les flux, les évaluer. Tout son être est conditionné à cela. Il dit aussi que son plus grand choc est de nous avoir rencontrés. Sentir ce que nous émettons, particulièrement toi, a changé sa vision du monde pour toujours. En fait, il ne croit plus à la mort.

Dans la pénombre qui s'installait, Peter observa furtivement le profil de Valeria.

— J'arrive moi aussi à cette conclusion, dit-il. Mais

il y a autre chose. Si je ne me trompe pas, Simon ne sentira bientôt plus rien de spécial à mon contact.

Surprise, elle tourna la tête vers lui.

— Pourquoi dis-tu cela ?

— Parce que j'ai l'impression que Gassner n'est plus en moi.

Prononcer cette simple phrase l'allégea tout à coup.

— Que veux-tu dire ?

— Grâce à lui, j'avais certaines aptitudes, des raisonnements et des capacités qui m'étaient jusqu'alors inconnus. Depuis hier, je me rends compte que je suis en train de les perdre. Comme si Gassner sortait de moi, comme si son esprit repartait avec tout ce qu'il avait apporté.

Valeria voulut saisir la main du jeune homme, mais elle n'osa pas.

— Cela t'inquiète ? demanda-t-elle.

— Ça me perturbe. Son identité s'est tellement confondue avec la mienne que, par moments, je ne faisais plus aucune différence entre nous. Du coup, je ressens une absence, comme si un peu de moi disparaissait. C'est paradoxal.

— Je ne crois pas que tu aies changé. Tu sais, depuis que cette histoire nous est tombée dessus, je me pose beaucoup de questions, sur ce que je suis, sur la vie. Lorsque j'étais au centre, j'ai cru que je ne ressortirais jamais. Ils savaient au moins s'y prendre pour nous inculquer ce sentiment parce que Simon l'a éprouvé aussi. Ils t'enfermaient dans un désespoir permanent. C'était horrible. Lorsque tu crois que tout est perdu, tu ne te mens plus, tu remets les choses à leur vraie place. J'ai eu peur de ne plus jamais vivre, et là, mon regard sur ce que j'ai traversé a changé. Dans ces moments-là, ce que tu regrettes vraiment, ce qui te manque le plus devient alors évident.

« La nuit, je n'arrivais pas à dormir tant que l'épuisement ne l'emportait pas sur la terreur de voir Jenson ou son épouvantable assistante débarquer. Alors je pensais. Les idées se télescopaient dans ma tête dans un chaos total. C'est terrible à dire, mais je me suis rendu compte que la plupart des choses que j'ai faites ces dernières années n'avaient aucune importance pour moi. Je me suis souvenue de mon enfance, de mes parents, des quelques proches avec qui j'ai vécu des choses fortes, pourtant, à partir de l'adolescence, tout devenait moins clair, plus ambigu.

« En grandissant, on apprend à faire semblant, on joue le jeu de la vie, on étouffe son instinct et on cède aux convenances. Si tu y réfléchis un peu, c'est fou le nombre de choses que l'on fait sans y croire, pour faire comme les autres, pour être comme il faut. Quand tu retires le superficiel, il ne reste plus grand-chose. Durant toute cette époque, la seule chose qui m'était personnelle, intime, qui était vraie en moi, c'était ce rêve, notre rêve. Et puis je t'ai rencontré, et bizarrement, alors que l'on ne se connaissait pas, tu es la seule personne avec qui je n'ai jamais fait semblant. Avec toi, je n'ai jamais joué de jeu. À cause de notre vision, à cause de l'urgence, de la peur, de la menace perpétuelle, avec toi je n'ai été que moi-même.

« M'apercevoir de cela a été un choc, mais surtout une véritable libération. Je me suis tout à coup sentie lucide, intègre, respectueuse de ce que je suis. Au centre, je n'ai repris espoir qu'une seule fois lorsque, à ma grande honte, j'ai espéré que toi et Stefan aviez été capturés vous aussi. La simple idée de vous revoir, de te retrouver même dans cet enfer suffisait à me rendre la situation vivable…

La jeune femme prit une inspiration et ajouta :

— Stefan m'a dit que tu avais eu des moments difficiles après le réveil de la mémoire de ce Gassner. Il n'a pas voulu raconter. Il m'a un peu inquiétée sans le vouloir mais depuis hier, je te retrouve, et c'est la meilleure chose qui me soit arrivée depuis longtemps.

La nuit était tombée. Dans la maison, les lampes du salon avaient été allumées derrière les rideaux tirés. On entendait aussi le son étouffé d'une radio qui diffusait une vieille chanson. Dans le ciel, les étoiles apparaissaient les unes après les autres. Il faisait bon.

— Tu vas retourner en Espagne ? demanda Peter.

— Je ne sais pas. Dumferson a promis d'appeler mes parents pour les rassurer. Je n'ai pas voulu le faire moi-même, j'ai trop peur des questions. Cela me laisse quelques jours de plus pour décider. Et toi ? Que vas-tu faire, maintenant ?

39

La nuit avait été courte mais paisible. Peter et Stefan s'étaient assoupis les premiers, laissant Valeria et Simon poursuivre seuls leur interminable discussion sur les mystères du destin qui avait orchestré leur rencontre. Hasard ou plan ? Qu'est-ce que le hasard, et qui pourrait maîtriser un tel plan ? Rien que d'y songer, les cerveaux s'échauffaient.

Une fois dans leur chambre, les deux rescapés du centre avaient eu le plus grand mal à trouver le sommeil. L'effet combiné d'une liberté retrouvée et de souvenirs trop présents l'expliquait sans peine.

Au petit matin, le chant des oiseaux avait réveillé Simon qui, du coup, s'était levé le premier. Aussi gentiment que maladroitement, il avait préparé le petit déjeuner et attendu que ses compagnons émergent les uns après les autres.

Pour les trois jeunes gens, il s'agissait d'un des premiers matins où ils n'avaient ni rêvé de la chapelle ni eu à changer d'adresse dans la précipitation. Parfois, ils se jetaient des coups d'œil incrédules, se sentant en complet décalage avec l'atmosphère estivale qui régnait.

En milieu de matinée, ils avaient méthodiquement nettoyé la maison, replacé les draps sur les meubles et tout refermé avant de se rendre au petit bureau de poste de Bingham. En saisissant l'enveloppe cartonnée que lui tendait la guichetière, Simon avait les mains qui tremblaient.

Il n'attendit même pas d'être revenu à la voiture pour ouvrir le pli. Il en extirpa un passeport indien, une attestation de protection sociale et une liasse de billets de cent dollars. Un petit mot manuscrit était glissé sous l'élastique : « Le centre vous doit bien ça. Bonne chance. Douglas. »

Dans la voiture qui filait, Simon n'en finissait pas de retourner son document d'identité. Une fois encore, il l'ouvrit et relut les mots sur la première page : Simon Sanghari. Depuis des années, dépossédé de tout, il n'avait été qu'un prénom.

— Alors ? demanda Stefan en l'observant dans son rétroviseur. Quel effet ça fait d'être de nouveau soi-même ?

Simon se contenta de sourire sans quitter son passeport des yeux. Valeria était émue pour lui.

— Eh bien, ne le rangez pas, commenta Peter, parce que nous arrivons bientôt à la frontière canadienne.

Malgré la confiance que Peter avait dans le travail de Dumferson, il ne pouvait s'empêcher de redouter le contrôle des gardes frontaliers. Lorsque la Buick s'arrêta devant le poste de douane, l'agent examina les passagers avec attention. Stefan tendit les quatre passeports.

— Touristes ?

— Oui, répondit Stefan. Nous nous rendons à Montréal.

L'agent vérifia les visas et fit le tour du véhicule.

— C'est bon, leur dit-il en faisant signe de lever les barrières électriques.

Moins de deux heures plus tard, la Buick se garait sur le parking de l'aéroport de la capitale québécoise.

— Alors c'est décidé, lança Valeria à Simon. Pour vous, c'est Calcutta ?

— Oui. Là-bas, je pourrai me débrouiller. Puisque je dois recommencer de zéro, je préfère retourner là où j'ai mes racines.

Ils s'engagèrent dans les grands couloirs aux murs tapissés d'affiches éclairées. Un escalator les remonta vers le rez-de-chaussée de l'aéroport. Pris entre les passagers qui traînaient d'énormes bagages, assailli par ce monde trop coloré et les annonces sonores incessantes qui couvraient la musique d'ambiance, Simon stressait. Ils remontèrent la galerie commerciale jusqu'au hall d'embarquement principal.

— Et pour vous trois, c'est l'Écosse ? interrogea Simon en essayant d'être léger.

— Oui, répondit Peter. Nous avons encore un point à régler ensemble. Ensuite, nous verrons.

Ils se dirigèrent vers le comptoir d'information. Pour Calcutta, le prochain vol était prévu dans la soirée, avec un changement à Delhi.

Pour Édimbourg, il était possible d'attraper un vol British Airways vers Londres qui partait dans moins d'une heure. De là-bas, une correspondance régulière les amènerait à leur destination.

— Il faut vous dépêcher, expliqua l'hôtesse. L'embarquement commence dans un petit quart d'heure.

Les quatre voyageurs se réfugièrent le long d'un mur du hall, à l'écart de la foule grouillante. Chacun songeait aux adieux imminents.

— Je ne pensais pas que nous serions obligés de nous séparer aussi vite, confia Valeria avec regret.

— Sauvez-vous, jeunes gens, déclara Simon. Nous nous reverrons. Dès que j'aurai une adresse, je vous ferai signe.

Il fit une pause.

— C'est ici que nos routes se séparent, reprit-il, la gorge serrée. Ça va me faire drôle. Je me suis bien habitué à vous. Je vous dois ma liberté. Merci de m'avoir tiré de ce trou.

Stefan lui tendit la main le premier.

— Vous allez nous manquer, nous aussi vous devons beaucoup. Bon retour. Vous et nous sommes bien placés pour savoir que la pensée nous liera toujours.

Simon acquiesça en souriant et serra longuement sa main. Il salua ensuite Peter et se tourna vers Valeria.

— Que l'Esprit vous garde, lui dit-il en la saisissant pudiquement par les épaules. Et n'oubliez jamais que vous n'êtes pas seule.

La jeune femme se hissa sur la pointe des pieds et l'embrassa sur la joue.

— Nous n'avons pas fini notre conversation, dit-elle. Alors à bientôt…

Les trois jeunes gens s'éloignèrent vers les comptoirs pour l'Europe, laissant Simon seul, bientôt invisible dans le hall bondé.

La plupart des passagers de l'avion s'étaient endormis. Les hôtesses avaient disparu dans leur carré. Le film était terminé depuis longtemps et on n'entendait plus que le ronronnement régulier des réacteurs. Seuls quelques irréductibles écoutaient encore de la musique au casque. Valeria n'avait même pas attendu d'incliner son siège pour sombrer dans un profond sommeil. La revue qu'elle avait à peine eu le temps de feuilleter était encore ouverte sur ses genoux.

— C'est Dumferson qui t'inquiète ? demanda Stefan à Peter à voix basse.

Le grand Hollandais fut surpris. Il croyait que son compagnon dormait aussi.

— Il ne répond pas. Je n'aime pas ça.

— Tu t'en fais trop. Ce n'était pas tout à fait l'heure. Il était sûrement occupé ailleurs. Tu le joindras demain matin. Avec le décalage horaire, ça ira.

— J'espère. N'empêche, c'est assez bizarre.

— On est libres, on peut enfin vivre normalement et plus personne ne nous court après, alors décompresse.

— Tu dois avoir raison.

— Essaie de dormir, on a le temps. Tu as l'air crevé. Ça y est, on a réussi. On a récupéré Valeria. Regarde-la.

Peter se tourna vers sa voisine. La jeune femme semblait apaisée. Ses longues mèches bouclées encadraient son visage à peine éclairé par les veilleuses. Ses lèvres légèrement entrouvertes laissaient passer son souffle régulier. Leur courbe était parfaite.

Stefan la regardait également. Les deux garçons, un peu gênés de se surprendre à la dévisager ainsi, changèrent de sujet.

— Et pour la mallette ? interrogea Stefan.

— Je ne sais pas trop.

— Tu peux me dire où elle est maintenant.

— Je l'ai cachée au pied d'un vieux pont en ruine à l'entrée de Drymen, au sud du loch Lomond. Je n'avais pas beaucoup de temps, c'est tout ce que j'ai trouvé. La nouvelle route passe juste à côté, c'est un pont à une seule arche, la mallette est dans la pile de droite, environ un mètre au-dessus du niveau de la rivière, dans un creux.

— Personne ne risque de la découvrir ?

— Je me suis donné un mal de chien pour aller la planquer. Entre les ronces et la hauteur, il faut vraiment vouloir y aller. Je ne crois pas qu'on puisse tomber dessus par hasard.

— Qu'est-ce qu'on va en faire ?

— Je me pose la question depuis un bon moment. Je ne me sens pas le droit de détruire son contenu. J'ai réussi à mettre le feu aux archives du centre parce que c'est ce que les Destrel avaient voulu. Mais la mallette, ils l'ont remplie et cachée pour qu'elle reste, qu'elle soit transmise. Alors je ne sais pas. S'il faut choisir entre la voir tomber entre les mains de gens comme Jenson ou la détruire, je n'hésite pas. Mais il existe peut-être des scientifiques plus intègres qui pourraient valoriser cette découverte.

— J'aimerais bien savoir où ils se cachent, fit Stefan, amer. On ne doit courir aucun risque avec des travaux d'une telle importance. À mon avis, il faut placer la mallette en sûreté et chercher à qui la donner. Cela peut prendre des années, le temps que le monde ait gagné en sagesse.

— Ça ne risque pas d'arriver tout de suite.

— Crois-tu que nous soyons capables de décider nous-mêmes à qui la confier ?

— Qui d'autre pourrait le faire ? C'est à nous que ce rêve est venu. C'est en moi que Gassner s'est réveillé.

— Et une fois qu'elle sera dissimulée, comment faire pour que, dans le futur, elle soit retrouvée ?

Stefan regarda son complice droit dans les yeux. Peter connaissait la réponse à sa question mais redoutait de l'entendre. Stefan lui souffla :

— Toi et moi savons qu'il n'existe qu'un moyen de graver ce secret au-delà de nos propres vies…

40

Juché sur un rocher, Stefan inspira à pleins poumons.

— Tu veux que je te dise pourquoi j'aime ce pays ? demanda-t-il à Valeria, assise en contrebas.

Sans même attendre sa réponse, il enchaîna :

— C'est le seul endroit où tu peux être en plein air tout en te sentant aussi en sécurité qu'au fond d'un trou de souris. Regarde-moi ces paysages, ces montagnes. Ici, même les sommets ont l'air doux, rassurants. Chaque pierre, chaque fleur respire la paix. Ici le monde n'est pas fou. Écoute ce silence, pas une voiture, pas de foule, rien que nous, à l'extérieur mais à l'abri. On peut enfin oublier l'humanité et sa folie.

— Te voilà bien lyrique, commenta la jeune femme.

Stefan se mit à rire et Valeria avec lui. Elle aussi était heureuse de retrouver l'Écosse. Peut-être parce que tout avait commencé ici, plus sûrement grâce à la sérénité qu'elle y ressentait malgré tout.

À peine arrivés à Édimbourg, ils avaient loué une voiture à l'aéroport, une Toyota grise, et avaient quitté la ville pour rejoindre les Highlands. Ils étaient remontés jusqu'à Stirling, puis avaient bifurqué vers l'ouest. Sur cette route perdue, un peu au sud dans la vallée de Glenfield, Peter avait repéré la cabine téléphonique et souhaité s'arrêter. Il avait prétexté la réservation de chambres, mais ses amis savaient qu'il allait encore essayer de joindre Dumferson. De son promontoire, Valeria distinguait sa silhouette dans la cabine rouge vif posée dans les hautes herbes. Cette note de couleur dans le paysage aux tons doux était incongrue. Lorsque le jeune Hollandais sortit enfin, elle descendit à sa rencontre. Stefan sauta de son rocher et la suivit.

— Alors ? lança-t-il.

— Il leur reste des chambres, ça a l'air bien mais c'est un peu cher.

— On s'en fiche ! s'exclama Stefan, je vous invite. Puisque je peux de nouveau me servir de mon compte en banque, j'ai les moyens. J'en ai marre des petits bungalows. Après tout, on est en vacances maintenant !

Constatant que sa remarque n'avait pas déridé Peter, il ajouta :

— Tu n'as pas réussi à joindre Dumferson ?

— Non, toujours pas.

— Réessayons tout à l'heure, proposa Valeria. Tu verras qu'il sera là. Il a certainement une bonne raison pour ne pas répondre. Que veux-tu qu'il arrive ?

En regardant par la fenêtre de sa chambre, Valeria comprit ce qui attirait autant de gens dans un pays où il pleut même l'été. Les auteurs de contes de fées avaient dû venir puiser leur inspiration ici…

L'hôtel n'avait en effet pas grand-chose à voir avec un hébergement de fortune. Donnant sur un immense parc parfaitement entretenu aux massifs taillés à la perfection, d'imposants bâtiments hérissés de tours et couverts d'une multitude de petits toits évoquaient un château tout droit sorti d'une fable. L'établissement était autrefois la demeure d'un prince de la Couronne. Sur le parking, la Toyota faisait tache entre les Jaguar et autres Mercedes.

Valeria ôta son pull et entra dans la salle de bains. Elle étudia son visage dans le miroir. Ses traits paraissaient plus durs, ses yeux plus sombres. Elle effleura sa joue et soupira. Achevant de se déshabiller, elle passa sous la douche. Elle ouvrit l'eau et mit la main sous le flot pour vérifier la température. Elle l'augmenta de quelques degrés et se glissa dessous. Son corps fut envahi d'une onde de bien-être. Elle pencha la tête en arrière et lissa ses cheveux sous le jet. L'eau l'apaisait. Elle se voyait bien partie pour prendre la plus longue douche de l'Histoire.

Tout à coup, il lui sembla entendre un bruit dans la chambre. Elle tendit l'oreille. Rien. Elle mit son impression sur le compte du stress et attrapa la minuscule bouteille de shampooing offerte par l'hôtel. Un second bruit attira son attention. Peut-être s'agissait-il de Peter ou de Stefan qui, dans la chambre voisine, claquaient une porte ou un placard ? La troisième fois, Valeria coupa l'eau et entrouvrit la porte de la cabine de douche.

— Il y a quelqu'un ?

Personne ne répondit, mais il lui sembla percevoir un mouvement dans la pièce voisine. Elle attrapa un peignoir, l'enfila et s'approcha de la porte. Peut-être s'agissait-il du service d'étage ou d'une femme de ménage ?

Dans la chambre, tout semblait en ordre. Elle décida d'allumer la télévision pour profiter d'un bruit de fond rassurant. Elle s'approcha de l'appareil, prit la télécommande posée dessus et appuya machinalement sur la cinq. Juste avant que l'image n'apparaisse, dans le reflet sombre de l'écran, elle eut le temps d'apercevoir une ombre dressée derrière elle. Elle poussa un cri. La télécommande chuta sur la moquette…

Étendu sur son lit, Peter ne parvenait pas à se concentrer sur autre chose que la trotteuse de sa montre. Joindre Dumferson virait à l'obsession. Il se redressa et, comme un quart d'heure plus tôt, pivota pour s'asseoir sur le bord du matelas. Il saisit le combiné placé sur la table de nuit et composa le numéro qu'il connaissait maintenant par cœur. Une fois encore, l'appel prit quelques secondes pour atteindre l'autre côté de l'Atlantique. La première sonnerie retentit, puis une seconde. Peter était tellement sous pression que même dans un intervalle si court, il avait à la fois le temps d'imaginer que Dumferson ne répondrait toujours pas, mais aussi de croire qu'il allait l'entendre et que toutes ses peurs s'envoleraient aussitôt. À la quatrième sonnerie, Peter discerna enfin le déclic. Son cœur se mit instantanément à battre plus fort.

— Allô ? fit la voix.

— C'est Peter. Je suis si content de vous entendre.

— Moi aussi, Peter.

La voix était différente, plus grave, plus distinguée aussi. Le jeune homme crut qu'il avait fait un faux numéro.

— Excusez-moi, dit-il, je souhaitais parler à Douglas Dumferson.

— J'ai bien peur que cela ne soit plus possible, mon garçon.

Peter sentit un frisson glacial lui parcourir la colonne vertébrale. Il venait de reconnaître Jenson.

— Peter, ne raccroche pas. Nous devons parler.

— Où est Dumferson ? paniqua-t-il. Pourquoi répondez-vous sur sa ligne ?

— Je vais t'expliquer, écoute-moi. Je veux te proposer quelque chose. Nous pouvons nous entendre.

Une peur absolue gagna le jeune homme. Tout à coup, il songea que Jenson était peut-être en train d'essayer de localiser son appel. D'un geste brusque, il raccrocha.

Il resta quelques instants sans parvenir à reprendre le contrôle de ses pensées. Il se frictionna le visage avec énergie et se précipita pour prévenir ses compagnons.

Lorsqu'il ouvrit la porte de sa chambre, il se heurta à un colosse en costume sombre qui semblait l'attendre. Peter n'eut même pas le temps de se débattre. L'homme le rejeta dans sa chambre, entra et referma tranquillement la porte derrière eux. Peter perdit l'équilibre et trébucha sur le coin du lit avec un cri sourd. L'homme se pencha ; Peter sentit sa main sur son cou. Puis il vit le visage de son agresseur basculer et disparaître dans la nuit.

41

— Vous savez ce que c'est ? demanda Jenson en agitant deux CD audio sous le nez de Stefan.

Le jeune homme, solidement ligoté sur un vieux siège métallique, le regardait sans comprendre.

— Non. Visiblement, cela ne vous dit rien. Et pourtant, ça vous concerne de près.

Jenson soupira. Il reprit ses allées et venues dans la cave poussiéreuse.

— Vous ne voulez toujours pas me parler ?

Pour toute réponse, Stefan lui adressa un regard assassin. Jenson ne détourna pas les yeux pour autant. Il soutint son regard avec arrogance. Il le pouvait : il contrôlait de nouveau la situation.

— J'ai tout mon temps, annonça-t-il. Mais n'imaginez pas que vous allez vous en sortir comme ça.

Stefan s'était fait kidnapper dans le parc de l'hôtel, alors qu'il était sorti faire quelques pas dans le labyrinthe de buis. Les hommes de Jenson l'avaient approché sans aucune difficulté. Il les avait pris pour des clients de l'hôtel et s'était fait assommer par surprise.

Lorsqu'il était revenu à lui, Stefan était prisonnier dans ce trou. Aucun bruit, aucune rumeur ne venait de l'extérieur. Le réduit sentait le vieux carton humide.

Une lampe à l'abat-jour crevé était posée sur une pile de caisses, sans doute abandonnées là depuis longtemps.

— Soyez malin, tenta de le convaincre Jenson. Nous avons tous à y gagner.

Il lui présenta les CD une fois de plus.

— Je les ai écoutés, c'est édifiant. Vous y racontez beaucoup de choses passionnantes, en particulier au sujet de votre rêve, vous savez, cette chapelle… C'est impressionnant ce que l'on peut livrer sous hypnose.

Stefan blêmit. Satisfait de son effet, Jenson poursuivit :

— C'est Julius Kerstein lui-même qui me les a remis. C'est une mine d'informations très instructive. En la recoupant avec ce que j'ai pu apprendre de Mlle Serensa, je déduis que c'est dans cette chapelle que vous avez trouvé les documents relatifs aux travaux des Destrel…

Stefan s'efforça de ne rien laisser paraître. Pour se concentrer sur autre chose, une nouvelle fois, il tenta de faire jouer les liens qui entravaient ses poignets derrière le dossier, mais rien n'y fit. Ils étaient trop serrés. Jenson ne le lâchait pas du regard. Il se comportait comme un chat avec une souris, s'approchant au gré des coups qu'il souhaitait porter. Il s'immobilisa devant Stefan.

— Votre dossier universitaire est assez brillant, déclara-t-il. Vous n'êtes pas stupide. Alors essayez de raisonner. Vous et moi avons des connaissances que nous pourrions mettre en commun. C'est notre intérêt à tous les deux. Nous pouvons finir ensemble ce que j'ai commencé. Vous savez, au centre d'étude, pendant des années, j'ai étudié des cas remarquables qui m'ont conduit à quelques belles découvertes. Certaines sont assez passionnantes, mais je désire les inscrire dans un ensemble plus vaste. Je n'ai que des notes de musique et je veux l'instrument qui les joue. Notre système cérébral est sous-exploité, c'est un lieu commun, mais moi, je sais à quel point et j'en ai la preuve. Vous voyez, je joue franc-jeu avec vous. Je sais aussi ce que le cerveau peut produire avec un peu d'entraînement. Si vous le souhaitez, je vous expliquerai tout dans le détail. C'est assez fascinant.

Jenson était volubile, il se montrait réellement passionné. Il reprit :

— Je dois pourtant l'avouer, en accumulant ces connaissances, j'ai acquis une conviction qui dépasse de loin toutes les autres : tous les effets spectaculaires, les phénomènes paranormaux dont j'ai été le témoin, ne sont que les symptômes d'une réalité spirituelle et psychique qui dépasse de loin notre vision du monde.

« La vie n'est pas ce que l'on nous enseigne. Nous n'appartenons pas au règne animal. Alors qui sommes-nous ? Pourquoi certains peuvent-ils plus que d'autres ? C'est après cette vérité-là que je cours. Je veux savoir d'où viennent les intuitions, découvrir ce qui renseigne notre instinct, maîtriser tous ces capteurs que nous n'écoutons jamais et qui pourtant existent, sans parler des forces qu'ils commandent. Je crois que l'homme n'est pas une fin en soi. Il trouve sa définition et sa vraie puissance dans sa multitude. Si Dieu existe, il est la somme de chacun de nous, vivants et morts, revenus et à venir. C'est de cette connaissance-là dont je rêve de m'approcher. Tout ce que j'ai appris n'est qu'un monceau de pierres auxquelles il manque une clé de voûte pour parachever l'édifice. Vous êtes connecté à cette conscience qui nous dépasse ; par vous, nous devrions pouvoir l'étudier, l'interroger même…

— Ne comptez pas sur moi, siffla Stefan.

La remarque fit sur Jenson l'effet d'une douche froide. Son exaltation fit place à une attitude nettement plus menaçante.

— Vous devriez réfléchir, fit-il d'une voix glaciale.

Il s'approcha encore de Stefan et ajouta sur le même ton :

— Demandez-vous ce que vous êtes et songez à quoi vous vous opposez. Vous ne faites pas le poids.

Jenson se détourna brutalement. Il n'avait plus rien d'un scientifique qui maîtrise ses émotions. Il était au bord de la colère noire. Il fit volte-face et pointa son index sur Stefan.

— Si vous persistez dans cette attitude, n'espérez pas une quelconque pitié qui vous épargnerait des souffrances. Soit vous m'aidez et nous y gagnons tous les deux, soit vous refusez et ce sera à vos risques et périls. Les deux options conduisent au même résultat : à la fin, je saurai tout. C'est vous qui choisissez la route…

La détermination de Jenson ne faisait aucun doute. Stefan comprenait à présent la peur qu'avait pu éprouver Valeria face à cet individu.

— Laissez-moi vous confier autre chose, enchaîna celui-ci. Vos amis gagneraient beaucoup à ce que vous deveniez plus coopératif…

— Si vous leur faites du mal, je vous tue.

Jenson, effroyablement sûr de lui, éclata de rire. Stefan réattaqua :

— De toute façon, vous n'en avez plus pour longtemps. Les autorités vous recherchent. Maintenant, celui qui est traqué, c'est vous. Profitez de vos dernières heures de liberté, parce que, après, il faudra rendre des comptes.

Le professeur ne semblait pas ébranlé par cette idée. Il affichait toujours sa fière assurance.

— Certaines choses vous échappent, jeune homme, lâcha-t-il avec mépris. Comment croyez-vous que j'aie pu échapper au FBI ? Faites-moi confiance, j'ai encore quelques appuis. Vous n'avez à l'évidence aucune expérience des mécanismes qui gouvernent notre monde. Aujourd'hui, je suis un paria parce que ceux qui décident ont l'impression de s'être fait doubler avec le centre. Ce n'est ni l'objet de l'étude, ni les expériences qui y ont été menées qu'ils désapprouvent, ça non ! Ils ont forcément commis bien pire ailleurs. Ce qu'ils ne supportent pas, c'est que cela se fasse hors de leur contrôle. Car tout peut se faire, mais uniquement lorsque ça leur profite.

« Donc aujourd'hui, je suis condamné pour avoir trahi ce principe. Ils vont m'accuser d'avoir détourné les fonds publics, d'avoir enfermé des gens, mais ce ne sont que des prétextes. Et cela durera jusqu'à ce que le vent tourne. Demain, lorsque je rentrerai en leur proposant la plus fabuleuse découverte jamais faite sur l'esprit humain, que pensez-vous qu'ils feront ? Vous croyez vraiment qu'ils vont me rappeler les fautes pour lesquelles j'étais voué au bûcher ? Absolument pas. Ils m'accueilleront en héros. Tout ce qui les intéresse, c'est ce que vous avez à vendre. Le reste ne compte pas.

— Vous êtes comme eux !

— Je n'ai pas fait les règles mais je suis dans le jeu, alors je m'en sors comme je peux.

— Dans ce cas, j'ai quelque chose à vous vendre, déclara Stefan. Mais c'est moi qui fixe le prix.

— Je vous écoute.

— Prouvez-moi que Valeria et Peter sont en bonne santé et relâchez-les. Ensuite, je vous dirai ce que vous voulez savoir.

Jenson ricana.

— C'est votre marché ?

— Avec la promesse que vous leur fichiez la paix, oui.

— Mon garçon, soit vous êtes idiot, soit vous n'avez pas la moindre idée de ce que vous valez.

— Que voulez-vous dire ?

— Laissez-moi vous présenter ma vision des choses. Vous verrez qu'elle sert aussi vos intérêts. Depuis trois semaines, vous et vos amis avez découvert qu'il était possible d'être connecté à des esprits par-delà la mort. Vous vous êtes soudain trouvés face à la preuve que l'âme survit et continue d'exister en toute conscience, loin du

317

corps auquel elle était rattachée. En toute innocence, vous expérimentez ce lien. De mon côté, je cherche ce que l'on peut en faire. Voilà toute la différence entre nous. Vous êtes la mine d'or et je suis joaillier, vous savez voler et j'ai besoin d'aller haut. Vous ne voyez pas tout le bénéfice que nous aurions à nous allier ?

— Pour vous, peut-être. Mais pour tous les autres, je vois surtout le danger. Si vous êtes si fort, vous n'avez qu'à vous faire pousser des ailes…

— Vous marquez un point. À mon tour de jouer. Naïvement, vous semblez croire qu'il y a deux camps : ceux qui peuvent et ceux qui rêvent de pouvoir. Pour vous, tout est blanc ou noir. Mais vous vous trompez. Je vais vous confier un petit secret : j'ai avec moi des gens qui ont autant de pouvoir psychique que vous, et qui croient à ce que je fais.

Jenson recula jusqu'à la porte et l'entrouvrit. Il murmura quelques mots puis revint vers Stefan.

— Comment pensez-vous que je vous aie localisés si précisément et si vite ? Comment croyez-vous que je puisse savoir si vous mentez ou non ? Qui me dit lorsque l'Esprit vous parle ?

La porte de la cave s'ouvrit. Debbie apparut. L'assistante du professeur Jenson n'était plus en blouse blanche, mais elle avait toujours son regard bleu à glacer le sang.

Jenson sourit, d'un sourire effrayant.

— Vous n'imaginez pas ce dont elle est capable.

Il s'approcha de Stefan, se plaça exactement face à lui et lui souffla sur le ton de la confidence :

— Je sais que votre mémoire antérieure n'est pas encore réactivée. Je sais que vous êtes capable de programmer les ordinateurs qui peuvent piloter la stimulation cérébrale. Vous l'avez déjà fait.

Debbie s'approcha à son tour.

— Il a peur, déclara-t-elle. Il ne songe qu'à ses amis. Il voudrait être avec eux.

Jenson tendit la main vers Stefan.

— Si vous ne voulez pas faire équipe avec nous, menaça-t-il, j'irai fouiller votre cerveau jusqu'à y trouver ce que je cherche. Si la télépathie ne suffit pas, nous travaillerons au scalpel. Alors maintenant, pour la dernière fois, je vous demande de m'aider, en commençant par me dire où sont cachées les archives concernant les Destrel que vous détenez encore.

42

Plusieurs fois, Valeria avait appelé, mais personne n'avait répondu. Dans l'obscurité totale, elle sentait une présence, proche, mais trop terrifiée pour s'aventurer dans le noir, elle restait adossée au mur qu'elle avait mis si longtemps à trouver. Elle s'était réveillée sur le sol de terre battue. Combien de temps était-elle restée inconsciente ? Ses cheveux avaient eu le temps de sécher complètement depuis qu'elle avait été agressée dans sa chambre. Elle n'était pas blessée, elle n'avait pas l'impression d'avoir été droguée. L'air était sec. Elle respirait par la bouche. Il lui avait fallu longtemps pour chasser la sensation d'étouffement qui l'avait d'abord oppressée. Peu à peu, elle reprit son souffle. Vêtue de son seul peignoir, elle se sentait encore plus vulnérable. Elle avait d'abord tâté le sol pour essayer de deviner où elle était enfermée. L'écho mat de ses appels laissait penser qu'elle se trouvait dans une pièce assez petite et sûrement pas trop haute, peut-être un sous-sol. À quatre pattes, elle avait exploré les quelques mètres autour d'elle. Elle n'avait découvert qu'une bouteille vide.

Lorsqu'elle avait buté sur le mur, elle s'était assise contre, ramenant ses jambes sur sa poitrine, le menton calé entre ses genoux. Repliée sur elle-même, elle avait désespérément cherché le moindre point de lumière, la plus petite lueur qui aurait pu se glisser par une porte ou un soupirail. Mais elle n'avait rien décelé. Ses pupilles étaient dilatées comme jamais, à l'affût, mais en vain. La sensation était à ce point étrange qu'elle se demanda même si elle n'était pas devenue aveugle. Même dans les plus sombres placards où elle se terrait lorsqu'elle était gamine, elle avait toujours aperçu une clarté. Ici, rien. C'est peut-être ce que l'on ressent quand on perd la vue. Les larmes lui étaient venues. À l'enfer blafard du centre succédait celui, obscur et sec, de ce cachot.

Peu à peu, elle s'était mise à écouter avec la même intensité qu'elle avait cherché à voir. Ses mouvements produisaient un son étouffé. Et puis, à force de tenter de capter le moindre bruit, même lointain, elle avait fini par l'entendre. Quelque part, à une distance indéterminée mais sans doute assez proche, un souffle presque inaudible. Elle avait mis un moment avant d'en être certaine, mais il s'agissait d'une respiration. La panique l'avait peu à peu gagnée. Elle avait murmuré, imploré, mais sans rien entendre en retour. Elle se sentait comme une souris dans le vivarium d'un cobra. Elle était prostrée, terrifiée, redoutant l'attaque soudaine.

Dans cette nuit totale, ses peurs primales resurgissaient, renforcées par les terreurs que Jenson avait fait naître en elle. Qui était tapi dans l'obscurité ? Elle craignait que l'ombre colossale aperçue dans sa chambre juste avant de perdre conscience ne la surprenne de nouveau. Elle devait se concentrer de toutes ses forces pour arrêter d'imaginer des monstres rampants aux dents acérées qui rôdaient près de ses pieds nus.

La respiration dans le noir se fit soudain plus forte. Valeria se recroquevilla encore un peu plus. Tout à coup, ce fut un gémissement qui monta.

— Qui est là ? interrogea de nouveau la jeune femme,

la gorge nouée. Mon Dieu… se lamenta-t-elle en refermant son peignoir du mieux qu'elle pouvait.

La respiration n'était plus là.

— Valeria ?

La jeune femme était dans un tel état de nervosité qu'elle ne comprit pas immédiatement d'où venait la voix.

— Valeria, c'est toi ?

— P… Peter ?

— Oui, enfin ce qu'il en reste…

Le jeune homme se renversa sur le flanc et soupira. Il se redressa et se massa les tempes pour essayer d'atténuer l'atroce douleur qui lui tenaillait le cerveau. Il sentit soudain deux bras l'enserrer : Valeria venait de se jeter sur lui. Elle l'étreignit de toutes ses forces.

— Oh Peter, j'ai eu si peur !

Ses mains se promenèrent sur le visage du jeune homme, parcourant son nez, ses paupières. Elle caressa ses cheveux, agrippa son sweat. Ils tombèrent tous les deux à la renverse sur le sol. Peter referma les bras autour de la jeune femme et essaya de la calmer. Elle hoquetait, sanglotait. Lui-même avait du mal à reprendre ses esprits.

— Que s'est-il passé, demanda-t-il. Où sommes-nous ?

— Je n'en sais rien, dit-elle en reprenant son souffle. J'ai été enlevée à l'hôtel et je me suis réveillée ici. C'est bizarre : sans rien voir, j'ai la sensation de connaître cet endroit. Et toi, comment t'es-tu retrouvé ici ?

— Lorsque j'ai appelé Dumferson, je suis tombé sur Jenson. Je courais vous prévenir lorsqu'une brute m'a coincé… Et Stefan ?

— Il ne doit pas être loin.

— Il faut essayer de sortir, décréta le jeune homme.

Avec délicatesse, il se dégagea de l'étreinte de Valeria et se leva. Avançant prudemment, bras en avant, il commença à explorer la pièce. Il traversa une toile d'araignée. À tâtons, il ne tarda pas à rencontrer un mur. Il en parcourut la surface – des briques sans aucun doute. Il découvrit une gaine électrique en métal et la suivit jusqu'à un interrupteur.

— Attention les yeux, annonça-t-il. Je vais essayer d'allumer la lumière.

Au déclic, rien ne se produisit. Poursuivant son investigation, Peter découvrit une porte. Méthodiquement, il parcourut ses contours. Elle était en bois mais certainement renforcée parce qu'elle sonnait le plein. Ni poignée, ni serrure.

— Nous sommes piégés comme des rats, conclut-il.

— Tu crois que Jenson est derrière tout cela ?

— Qui d'autre ?

Peter revint vers la jeune femme. Il aurait apprécié que Gassner soit encore là pour l'aider à sortir de ce mauvais pas.

— Tu n'as pas trop faim ? demanda-t-il.

— Non, juste un peu soif mais ça va.

— Il va falloir tenir.

Peter passa son bras autour de Valeria. Elle s'abandonna, contente de ne pas être seule, heureuse d'être avec lui.

— Tu crois qu'ils ont aussi eu Simon ? interrogea Peter.

— Tout est possible. La petite opération de Jenson était bien montée. On s'est fait cueillir en beauté.

— Si seulement nous savions où nous sommes…

Valeria éprouva un vertige. Elle allait mettre cela sur le compte de l'épuisement nerveux lorsqu'un autre, beaucoup plus puissant, survint. Elle chancela. Tout à coup, des dizaines d'images lui traversèrent l'esprit. Un peu déroutée, elle s'appuya contre Peter.

— Je divague, dit-elle. J'ai des visions. Tout ça me porte sur le système.

Une nouvelle série d'images la submergea. Un coucher de soleil à travers une fenêtre à petits carreaux, sa main posée sur un torse d'homme, un chat se glissant par une porte entrebâillée.

— Je crois savoir où on est, murmura-t-elle soudain.

— Comment ça ?

— Nous sommes toujours en Écosse, dans la maison de Cathy et Marc Destrel. Oui, c'est ça, j'en suis certaine.

— Ça t'est venu comme ça ?

— Je le sens, nous sommes chez eux.

Peter saisit le visage de sa compagne.

— Tu as eu des vertiges ?

— Plusieurs.

— Bon sang, je voudrais tellement voir tes yeux. Raconte-moi, la pressa-t-il. Les images arrivent comme un film en accéléré ?

— Oui, c'est exactement ça...

— Elle est en train de venir en toi.

— Catherine Destrel ?

— J'ai ressenti la même chose avec Gassner. Ne t'inquiète pas. On ne souffre pas. C'est déstabilisant au début mais on s'habitue. Pourtant tu n'as pas subi le processus de réveil, Stefan a dit que l'installation du centre ne pouvait pas fonctionner...

— Je ne comprends pas.

Valeria fut prise d'un nouveau vertige. Soudain, à l'extérieur, un coup sourd résonna. Des pas approchèrent, plusieurs personnes descendant un escalier.

— Allonge-toi au fond, ordonna Peter à voix basse. Fais semblant de dormir.

Un raclement de bois fit vibrer la porte, puis quelqu'un manipula un trousseau de clés avant de déverrouiller la serrure. Le battant s'entrouvrit, laissant apparaître le contour d'une tête dans une faible clarté. Le visage enfoui dans les bras, allongé sur le sol comme s'il était encore inconscient, Peter observait les visiteurs du coin de l'œil. La porte s'ouvrit en grand et trois silhouettes se découpèrent. Celle du milieu fut jetée dans la pièce et la porte se referma aussitôt. La serrure fut rebouclée et la barre remise en place.

Stefan était tombé dans la poussière. S'appuyant sur ses coudes endoloris par le choc, il essayait de se mettre à genoux. Valeria et Peter s'approchèrent de leur ami.

— Ils ne vous ont rien fait ? demanda celui-ci, la voix faible.

— Non, répondit Peter. On s'est réveillés là. Et toi ?

— C'est Jenson. Il ne nous lâchera pas avant d'avoir ce qu'il veut.

Stefan se laissa tomber sur le côté et souffla.

— Je suis bien content de vous retrouver, les dernières heures m'ont paru assez longues…

Valeria tendit la main pour le réconforter. Elle rencontra son épaule et la serra chaleureusement.

— Il a tenté son expérience sur toi ? demanda-t-elle.

— Pas encore, il garde sûrement ça pour plus tard. Ils voulaient d'abord savoir où était la mallette…

— Il t'a torturé ? s'enquit Peter, alarmé.

— On peut dire ça. Debbie, son assistante, est là aussi. Ils sont complices. Celle-là, si je la coince… C'est une médium. Méfiez-vous d'elle. Elle est redoutable.

Valeria se souvint de la jeune femme avec répulsion. Stefan gémit. Peter l'aida à s'asseoir le long du mur, près de la porte.

— Je ne sais pas combien de temps je pourrai résister, continua-t-il. Ils vont sûrement aussi s'en prendre à vous. Il ne faut pas rester là.

— Valeria sait où nous sommes, révéla Peter.

— Moi aussi, ironisa Stefan. Nous sommes dedans jusqu'au cou.

— C'est la cave de la maison des Destrel, précisa la jeune femme.

325

— Ah… La boucle est donc bouclée, commenta Stefan. Et comment l'as-tu découvert ?

— C'est Catherine Destrel qui le lui a dit… annonça Peter.

Un silence s'installa. Stefan songeait à ce que cette nouvelle impliquait.

— Si Jenson apprend ça, dit-il, il va être convaincu que son expérience a marché et il sera encore plus impatient de me connecter à ses engins de malheur.

— Tu penses que ce qui arrive à Valeria n'est pas la conséquence de l'expérience ?

— Je ne suis pas spécialiste, mais si je me réfère aux notes des Destrel, c'est impossible.

— Cela signifierait qu'une âme pourrait communiquer spontanément, observa la jeune femme.

— … Et en direction du sujet de son choix, renchérit Peter. Les âmes parlent à qui elles veulent.

— On a un problème plus urgent à régler. Il faut se tirer d'ici. Jenson va nous éplucher jusqu'à ce qu'on en crève.

— Ils sont combien là-haut ? demanda Peter.

— Jenson, Debbie et deux hommes. Je les ai entendus, ils vont nous apporter à manger. Il faut en profiter pour attaquer, ce sera sans doute notre seule occasion.

— Ils sont armés ? s'inquiéta Valeria.

— Sûrement, mais est-ce qu'on a le choix ?

43

Peter soutenait Valeria. Les vertiges de la jeune femme étaient de plus en plus longs mais de moindre intensité. Son cerveau bouillonnait, elle entrevoyait désormais beaucoup de souvenirs liés à la maison. À la différence de Peter, elle n'avait pas besoin de dormir pour recevoir les implants psychiques venus de Cathy Destrel.

L'oreille collée à la porte, Stefan écoutait. Il tenait la bouteille vide par le goulot, prêt à s'en servir. Ils n'auraient droit qu'à une seule chance. Il avait aussi arraché la gaine métallique protégeant les fils électriques du plafonnier en panne et s'en était fait une sorte de fouet.

— Ça va ? demanda-t-il à voix basse.

— On est prêts.

— Tu les entends venir ? interrogea Valeria.

Avant même que Stefan réponde, ils entendirent les pas dans l'escalier. Une seule personne. La lenteur de la démarche et le très léger tintement de vaisselle indiquaient que l'homme était chargé. Il posa le plateau devant la porte et retira la barre, sortit le trousseau de clés de sa poche et déverrouilla. Calant la porte avec le pied, il l'entrebâilla. À la vue des trois jeunes gens effondrés sur le sol, il ouvrit en grand et glissa le plateau à l'intérieur.

D'un mouvement sec, Stefan fit siffler son fouet, qui atteignit l'homme au visage. Le grand type poussa un cri rauque et porta ses mains à son œil. Stefan bondit et se jeta sur lui. Il le frappa violemment à la tête avec sa bouteille. Au même moment, Peter assena un puissant crochet à l'estomac de leur geôlier. L'homme s'affala sur lui-même contre le mur du couloir.

D'une main, Peter attrapa le pain posé sur le plateau et de l'autre, aida Valeria à sortir. Après de longues heures dans l'obscurité, même la faible lumière du couloir était aveuglante.

— Il faut remonter, indiqua Stefan. L'autre type doit être dans une chambre située juste à gauche en haut de l'escalier. On y va avec Peter et on se le fait par surprise.

— Non, trancha Valeria. On passe par là.

Elle désigna un étroit couloir qui partait dans l'autre direction et s'enfonçait dans la cave.

— Il y a une trappe de service qui donne directement dehors.

— Tu en es sûre ?

— Je vous l'ai dit, je connais cet endroit.

Peter retira les chaussures et la veste du garde et les tendit à la jeune femme.

— Je sais que ce n'est pas ta pointure, mais ça ou courir dehors pieds nus…

Il confisqua également son revolver.

Les trois jeunes gens se faufilèrent à travers le dédale humide. Par moments, Valeria hésitait une ou deux secondes, mais elle finissait toujours par s'y retrouver.

— Eh, Mike ! Qu'est-ce que tu fous ?

L'autre garde venait d'interpeller son complice qui tardait à remonter.

— Dépêchons-nous, fit Peter.

La voix du garde résonna de nouveau.

328

— Mike, réponds !

Les trois fuyards l'entendirent dévaler l'escalier. L'homme jura en découvrant son complice sur le sol et le cachot grand ouvert. Il se mit à hurler :

— Professeur, professeur ! Ils se sont enfuis !

Essayant de rester concentrée malgré la peur qui montait en elle, Valeria pénétra dans une salle et, sans hésiter, escalada le tas de vieux charbon empilé au fond. Elle fut soulagée de découvrir deux battants métalliques en haut de la paroi.

— C'est là. Ça donne dehors.

Peter grimpa pour la rejoindre. Les battants étaient fermés par une serrure. Le jeune homme tira, sans succès.

— C'est fermé à clé ! On est bloqués.

Ils entendaient déjà leurs poursuivants dans le couloir. Le garde et Jenson étaient sur leurs talons.

— Attendez ! s'exclama Valeria.

Avec frénésie, elle se mit à inspecter le pourtour des tuyaux de chauffage et d'écoulement qui parcouraient les murs de la pièce.

— Ils arrivent, s'inquiéta Stefan. Qu'est-ce qu'on fait ?

Peter descendit du charbon et vérifia que le revolver du garde était bien chargé. Six balles. Il se plaça en embuscade à l'entrée de la pièce, prêt à faire feu sur ce qui se présenterait dans le couloir.

La voix de Jenson monta :

— Vous ne pourrez pas sortir, vous le savez bien. Rendez-vous !

Valeria poursuivait sa fouille. Pour l'instant, elle n'avait déniché que des toiles d'araignée et des excréments de rongeurs.

Jenson lança :

— Si vous revenez maintenant, je promets qu'aucun mal ne vous sera fait.

La main de Valeria rencontra enfin ce qu'elle cherchait : une clé. Elle se précipita vers les battants métalliques, l'introduisit dans la serrure, mais ne réussit pas à l'actionner. Stefan vint lui prêter main-forte et, ensemble, ils parvinrent à forcer le mécanisme grippé.

Une silhouette se profila dans le couloir. Peter fit feu. L'ombre recula. Il entendit des chuchotements, puis un silence inquiétant s'installa.

En forçant, Stefan et Valeria réussirent à entrouvrir le premier battant. Stefan glissa ses doigts dans l'interstice et tira. Le passage s'ouvrit en grinçant. Il donnait au pied d'un foisonnant buisson de ronces dans lequel une souris n'aurait pas pu se faufiler. Stefan jura. Valeria, qui avait repéré quelques vieilles lattes de parquet dans un recoin, sauta du tas de charbon pour aller les chercher.

— On va se frayer un chemin, dit-elle, décidée. On en sortira tailladés mais je préfère ça plutôt que de retomber entre les mains de l'autre malade...

Dans le couloir retentit un choc sourd et violent. Peter crut d'abord qu'il s'agissait d'une grenade fumigène, mais il ne vit rien apparaître. Il entendit d'autres chuchotements, puis soudain une ombre se dessina. Il fit feu. Cette fois, la forme ne recula pas. Peter écarquilla les yeux. À l'autre bout du couloir, le garde avançait dans sa direction, protégé par la porte de leur cachot qu'il avait dégondée et tenait devant lui tel un bouclier. Bien que ralenti par le poids du battant, il progressait assez rapidement. Peter ouvrit le feu en visant les bords pour essayer de toucher les mains. Les balles ricochèrent. Le jeune homme tenta alors de viser les pieds, sans plus de succès.

— Dernier avertissement ! gronda Jenson, ne me mettez pas en colère...

Dans l'inextricable buisson, à plat ventre sur les planches, Stefan avait progressé d'un bon mètre. Debout sur le tas de charbon dans son peignoir maculé de terre et de charbon, Valeria lui passait les planches au fur et à mesure. Les morceaux noirs irréguliers roulaient sous ses pieds. Elle se retourna vers Peter.

— Il faut y aller, lui souffla-t-elle.

Le jeune homme répondit sans détourner le regard de sa cible.

— Filez, je vais les bloquer.

Il cherchait désespérément où faire feu pour stopper l'avance du garde derrière son bouclier improvisé.

Toujours allongé, Stefan fit remonter une planche le long de son corps et la poussa devant lui. En utilisant cet appui et son poids, il parvint à coucher les tiges de ronces qui se dressaient comme autant de barreaux. Il donna un dernier coup de reins et déboucha enfin. Valeria le suivit, ses bras et ses jambes nues lacérés par les épines.

Peter ne disposait plus que d'une seule balle. Il commença à reculer sur la pointe des pieds. Lorsque le garde ne fut plus qu'à quelques mètres de l'entrée de la réserve, le jeune homme tira en direction de l'ampoule électrique située juste au-dessus de son assaillant. Le globe explosa, projetant des éclats de verre sur le garde et plongeant le couloir dans la pénombre. Peter en profita pour battre en retraite. D'un bond, il sauta pour agripper le bord de la trappe de service. Une fois à l'extérieur, il attira les battants à lui, et les bloqua comme il le pouvait, sans se soucier des ronces qui l'entaillaient à chacun de ses mouvements. Trois coups de feu claquèrent. Le dernier percuta la plaque d'acier de la porte qu'il venait de refermer.

— Peter ! s'écria Valeria.

— Ça va ! répondit-il. J'arrive.

— Fais vite, par pitié !

À l'angle de la maison, une ombre apparut dans la nuit. Debbie fixait Valeria et Stefan de son regard inhumain, un couteau à la main.

— Jusqu'au bout, vous nous compliquerez la vie, cracha-t-elle.

Peter sortit du buisson tel un diable en brandissant une planche. L'assistante de Jenson, surprise, n'eut pas le temps de réagir. De toutes ses forces, Peter lui balança la planche au visage. La jeune femme la prit en pleine figure, tourna sur elle-même et s'effondra. Peter se pencha au-dessus d'elle :

— C'est pas extrasensoriel, ça, comme raclée ?

44

Il leur avait fallu marcher près de deux heures dans la nuit avant de trouver une voiture à voler. À plusieurs reprises, ils avaient cru que Jenson et ses hommes étaient sur le point de les rattraper.

Pour remplacer la chaussure trop grande restée coincée dans le fourré de ronces, Peter avait enroulé son sweat-shirt autour du pied de Valeria.

Arrivés au premier hameau, Stefan avait jeté son dévolu sur une petite Mazda. Avant d'être sûrs d'aller demander la protection de la police, tous trois avaient décidé d'aller se réfugier dans l'ancienne cache de Stefan située derrière les bungalows pour pêcheurs. Ils comptaient aussi sur les quelques boîtes de conserve et les vêtements qui y étaient restés. Tous savaient que le répit ne serait que de courte durée.

Valeria jouait avec les bouclettes du tissu éponge de son peignoir que les ronces avaient effiloché. Peter conduisait et Stefan, qui semblait se repérer dans les parages, le guidait. Le faisceau des phares accrochait des arbres, des murs de pierre. Une fois, un renard traversa juste devant eux.

Cette fois, ils se garèrent à l'extérieur de la zone de chalets et gagnèrent la cachette par la forêt. En tirant la plaque dissimulée sous les feuilles, Stefan eut l'impression de revenir chez lui. Il se laissa glisser dans le trou.

À tâtons, il chercha la lampe de camping et la boîte d'allumettes. Elles étaient un peu humides mais il finit par réussir à allumer. La lampe baignait l'endroit d'une chaude lueur.

— Les vêtements sont sous le lit de camp, indiqua-t-il à Valeria.

La jeune femme passa le bras sous la literie et tira la pile soigneusement pliée. Les tissus étaient eux aussi un peu humides mais cela n'avait pas d'importance. Elle était impatiente de se promener autrement qu'à moitié nue.

— Les garçons, pourriez-vous vous retourner pendant que je me change ?

Côte à côte, Peter et Stefan s'assirent sur la table basse. La lampe projetait leurs ombres vacillantes sur les parois. Stefan attrapa trois boîtes de boulettes de viande et vérifia la date de péremption.

— Si on s'était échappés deux semaines plus tard, on n'aurait rien eu à manger ! plaisanta-t-il.

— On va les faire réchauffer sur la lampe, proposa Peter.

— Vous pouvez vous retourner, annonça Valeria. Je suis prête !

Elle avait enfilé un pantalon de chasseur, une chemise et un pull bien trop grands pour elle. D'un geste, elle arrangea ses longs cheveux. Dans la lumière orangée, ses yeux semblaient encore plus veloutés.

Peter disposa la première boîte en équilibre sur le sommet chromé de la lampe. Valeria s'assit sur le lit de camp. Elle frissonna.

— Il faut aller voir les flics le plus tôt possible, dit-elle, sinon Jenson aura le temps de disparaître.

— Pour gagner du temps, on pourrait se séparer,

proposa Stefan. L'un de nous va à la police et les deux autres vont planquer la mallette…

En chœur, Valeria et Peter secouèrent vigoureusement la tête.

— Non, fit Peter. On reste ensemble.

Stefan n'insista pas.

La sauce commençait doucement à bouillir. De petites bulles apparaissaient à la surface de l'épais jus rougeâtre. Stefan essuya un vieux verre puis son assiette et dit :

— Le service n'est pas génial. Je n'ai que ces deux récipients, mais ce n'est pas grave, je vais manger dans la boîte.

— J'ai tellement les crocs que je pourrais manger par terre, déclara Peter.

Stefan fit le service. Valeria s'approcha de la table, prit place sur la caisse et se jeta littéralement sur les boules de viande hachée.

Seul Stefan ne mangeait pas. Il observait ses deux compagnons.

— On s'en est sortis, fit-il remarquer.

— On a quand même eu chaud, une fois de plus… plaisanta Peter.

Valeria se contenta d'approuver d'un mouvement de la tête.

— Il va falloir dormir, reprit Stefan. Une grosse journée nous attend demain. Nous devons récupérer la mallette et la placer dans un endroit plus sûr. Elle y attendra peut-être longtemps.

— Quelqu'un sait où la mettre ? interrogea Peter.

— Ce ne sont pas les endroits qui manquent dans cette région, commenta Valeria.

— Tu as raison, réfléchissons-y chacun de notre côté. La nuit porte conseil, fit Stefan, qui se mit enfin à manger.

Valeria bâilla.

— On lève le camp à quelle heure ? demanda-t-elle en s'allongeant.

— Disons dans trois ou quatre heures, le temps de récupérer un peu, déclara Stefan.

— D'accord.

Peter rassembla les couverts et repoussa la table sous l'entrée pour dégager un peu de place.

— On a juste assez d'espace pour nous trois, dit-il.

— À la guerre comme à la guerre, observa Stefan avec un sourire.

Sur le lit de camp, Valeria était déjà en train de s'assoupir, épuisée. Peter déchira son peignoir sale pour en faire deux oreillers qu'il proposa à ses complices.

Stefan attendit que Peter soit étendu à même le sol pour éteindre la lampe. Dans l'obscurité de leur cachette, il resta les yeux grands ouverts.

— Bonne nuit, lança-t-il.

— Dors bien, répondit Peter.

Valeria marmonna, déjà à demi endormie.

Le silence s'installa. Peter sentait le sommeil le gagner.

— Peter ? lança Stefan.

— Qu'y a-t-il ?

— Je sais que ce n'est pas le moment, mais je voulais te dire un truc important.

Peter se redressa sur le coude et se tourna vers son ami.

— Vas-y.

— Vous êtes les deux personnes que je suis le plus heureux d'avoir rencontrées dans ma vie.

— Cool. Ça me touche vraiment, Stefan. Mais maintenant, tu dois dormir. On aura tout le temps d'en reparler quand on se sera débarrassés de Jenson.

— Tu as raison. À demain.

45

En se retournant, Peter se cogna la tête contre le mur de pierre. Le choc résonna dans son crâne. Il essayait de se réinstaller le plus confortablement possible lorsqu'une pensée le tira de sa léthargie : normalement, il aurait dû se cogner contre Stefan.

Le jeune homme ouvrit les yeux. Par la trappe à peine entrouverte, la lumière du jour pénétrait dans la cache. Il se redressa. Valeria dormait toujours, mais Stefan n'était plus là.

Sans bruit, Peter se leva et se dirigea vers l'ouverture. Il monta sur la table installée juste en dessous et souleva la trappe. La tête au milieu des herbes, il inspecta les abords. Aucune trace, aucun bruit.

— Il fait déjà jour ? fit Valeria en se réveillant. Il doit être tard. On ne devait pas se lever avant l'aube ?

Peter rabaissa le panneau. Le peu de lumière du jour qui filtrait suffisait à éclairer la cavité d'une clarté beaucoup plus crue que celle de la lampe. Le relief des pierres, la terre des joints, tout se découpait plus précisément.

— Où est Stefan ? demanda la jeune femme.

Peter écarta les mains en signe d'ignorance.

Valeria se redressa et, en s'étirant, promena son regard autour d'elle. Elle fixa brusquement la table.

— Qu'est-ce que ça fait là ?

Elle se leva avec vivacité et attrapa le petit carnet vert. Peter s'approcha.

— Mais… tiqua le jeune homme. J'aurais juré qu'il n'y était pas hier soir. Il devrait être dans la…

Les deux jeunes gens se regardèrent. Peter bondit sur la table et se précipita à l'extérieur. Oubliant toutes les règles de sécurité, il appela Stefan de toutes ses forces. Il s'enfonça dans la forêt et hurla encore son prénom. Il courait en tous sens, essoufflé, affolé, de plus en plus convaincu que Stefan n'était plus dans les parages.

Il finit par revenir à la cachette. Il trouva Valeria assise sur le lit, bouleversée, tenant le carnet ouvert devant elle.

— Qu'y a-t-il ?

Elle lui tendit les notes sans rien dire, le regard embué de larmes. Sur les dernières pages, Stefan avait écrit :

Chers vous deux,

Jenson ne nous lâchera jamais. Je sais que tant qu'il lui restera un souffle de vie, il s'acharnera sur nous, jusqu'à ce que nous aussi, comme ceux qui ont écrit ces pages avant moi, décidions de quitter son monde. Alors, j'ai pris une décision, sans vous parce que je sais que vous m'en auriez empêché. Je sais qu'elle est bonne, c'est le seul moyen que l'histoire ne se répète pas dans vingt ans. Je suis allé chercher la mallette. Ne vous inquiétez pas, elle est désormais ailleurs, cachée en sécurité. Elle peut attendre des siècles que le hasard ou l'Esprit la remette enfin à ceux qui pourront en faire œuvre utile. Vous ne devez pas savoir où elle est, j'emporte ce secret avec moi. Ainsi vous n'êtes plus responsables de rien, vous voilà libérés de ce fardeau. Maintenant, je vais retourner déposer ce carnet près de vous, puis j'irai faire ce que je dois : tuer Jenson. Je n'y survivrai pas. Tout va finir là où tout a commencé. Je n'ai pas peur. Je sais ce que je fais et je vous promets que je ne faiblirai pas.

Le soleil ne va pas tarder à se lever. Il fait un peu frais. Ce matin, je sais que ce monde est le nôtre. Si nos vies le fuient parfois, c'est pour mieux revenir, pour se préparer, jamais pour en finir. En partageant vos jours, j'ai appris bien des choses, mais une seule m'importe, la seule qui vaille la peine : je tiens à vous plus qu'à moi-même.

Exister seul n'aurait aucun sens. Avec vous j'ai envie, j'espère, avec vous je suis. Quel que soit le jeu que l'on nous fasse jouer, mon seul but sera de vous retrouver, de vous garder. Nous allons nous revoir. En attendant, nous devrons encore combattre, éloignés mais ensemble. Ne vous perdez pas. Une vie ne vaut rien sans celles qui la retiennent.

Je crois que vous vous aimez. Je suis certain que je vous aime. Un jour peut-être, un enfant viendra vous voir. Il aura mes yeux, il connaîtra notre secret. Écoutez-le, ce sera peut-être un ange au bout de son exil. Il vous cherche déjà. Que les âmes vous gardent. Soyez heureux.

À vous deux,

Stefan

FIN

ET POUR FINIR...

Il est très tard. Ce livre-là est terminé. J'ai beaucoup de mal à quitter les gens, même ceux que j'invente pour mes histoires. Ce que j'espère maintenant, c'est que vous avez aimé vous embarquer dans cette aventure. Ma seule ambition est de vous donner quelques émotions, de vous emmener ailleurs, à la découverte de ce qui est caché tout au fond de vous, de moi, et que l'on oublie trop souvent. Cet élan-là me guide parce qu'il rapproche. C'est un sentiment personnel, intime, qui n'aurait aucune utilité sans les gens qui me donnent les moyens de le partager.

Alors pour leur aide, leur enthousiasme et leur soutien, je souhaite remercier sincèrement Laurent, Céline, Déborah, Natacha, François et Jean-Claude ainsi que les équipes du Fleuve Noir.

Mon éternelle gratitude à Sean et à Douglas pour m'avoir fait découvrir l'Écosse. C'était il y a exactement vingt-quatre ans aujourd'hui et je ne m'en remets toujours pas. Ce que vous m'avez montré et appris là-bas m'éclaire chaque jour. Si vous étiez moins connus, j'aurais mis vos noms...

Merci au colonel Derlinger et au professeur Falberg pour leurs précieuses conversations. Merci à Jean-Marc David pour ses remarques aussi constructives que chaleureuses. Merci à Hélène et Sam, à Stéphane et Martine pour leur amitié. Merci à Soizic et Stéphane pour les joyeuses soirées qui m'ont souvent rafraîchi les idées. C'est promis, Soizic, le prochain coup, ils s'embrasseront toutes les deux pages et ils cuisineront tout au beurre salé.

Merci à mes parents pour toutes les chances qu'ils m'ont données. Ils sont partis trop tôt et penser à eux m'a appris ce qu'est le manque de ceux que l'on aime. Merci à Annie et Bernard pour ce qu'ils sont, pour tout ce qu'ils donnent et aussi tout ce qu'ils fabriquent, ce qui concrètement va du vin aux plats bizarres et/ou brûlés mais délicieux en passant par tous ces moments de pur bonheur. Ils ont aussi fabriqué la femme de ma vie et rien que pour cela, ma dévotion leur est acquise, à condition que Bernard boive ce maudit élixir d'abord…

Merci à Brigitte, la seule avec qui la pire des galères peut finir en fou rire. Tu es une force pour nous tous. Merci à Sylvie pour sa fidélité, son sens inné de l'analyse et son petit rire mutin qui terrifie la plupart des créatures vivantes de notre planète. Merci à Katia – la vie a un autre sens depuis que je t'ai vue te retourner en kayak sur un loch d'Écosse. Merci à toi, Thomas, pour ta loyauté, pour cette amitié fraternelle sur laquelle je m'appuie chaque jour et pour ces citations absolues qui sont comme autant de soleils dans une nuit : « Un homme ne tombe pas tant qu'il est debout », « Tant que je caille pas des pieds, je caille pas », etc. Quant à toi Éric, vieux complice et frère d'armes, ne t'éloigne jamais. Si j'ai un cadavre à enterrer à trois heures du mat', c'est pour toi et je sais déjà que tu seras en retard et que tu auras oublié les outils…

Pour les trois derniers piliers de ma vie, les remerciements ne sont pas suffisants. Pascale, Guillaume et Chloé, vous êtes ma raison de vivre, mon moteur, mon abri. On s'est probablement connus avant, on se retrouvera sûrement après, mais ce que l'on vit maintenant est en soi une raison suffisante pour justifier l'invention de ce monde insensé.

Et pour finir, merci à toi, lecteur. Tout est de ta faute. Je ne te connais pas mais c'est pour toi que j'ai imaginé, veillé et espéré. Tes sentiments m'importent et j'espère un jour te croiser. Ma vie, comme ce livre, est entre tes mains.

Et vous, quel est le truc le plus idiot que vous ayez fait de votre vie ?

Gilles LEGARDINIER
DEMAIN J'ARRÊTE !

Au début, c'est à cause de son nom rigolo que Julie s'est intéressée à son nouveau voisin. Mais très vite, il y a eu tout le reste : son charme, son regard, et tout ce qu'il semble cacher...
Parce qu'elle veut tout savoir de Ric, Julie va prendre des risques de plus en plus délirants...

« 400 pages de pur bonheur ! »

Gérard Collard

Retrouvez toute l'actualité de Pocket sur :
www.pocket.fr

Prenez une belle tranche d'humanité, saupoudrez de beaucoup d'humour, et dégustez sans modération...

Gilles LEGARDINIER
COMPLÈTEMENT
CRAMÉ !

Lassé de tout, Andrew Blake quitte l'Angleterre et se fait embaucher comme majordome en France au Domaine de Beauvillier. Confronté à de surprenantes personnalités, lui qui pensait en avoir fini avec l'existence va être obligé de tout recommencer. Un hymne à la vie poignant, hilarant, qui réconcilie avec le monde.

« Un roman drôle et attachant qui redonne le sourire. »
20minutes.fr

Et soudain tout change

Gilles Legardinier

> *Bienvenue*
> *dans ce que*
> *nous partageons*
> *de plus beau*
> *et qui ne meurt*
> *jamais.*

Gilles LEGARDINIER
ET SOUDAIN
TOUT CHANGE

Pour sa dernière année de lycée, Camille a enfin la chance d'avoir ses meilleurs amis dans sa classe. Avec sa complice de toujours, Léa, avec Axel, Léo, Marie et leur joyeuse bande, la jeune fille découvre ce qui fait la vie.

À quelques mois du bac, tous se demandent encore quel chemin ils vont prendre. Ils ignorent qu'avant l'été le destin va leur en faire vivre plus que dans toute une vie...

Entre éclats de rire et émotions, Gilles Legardinier signe un nouveau roman comme il en a le secret.

Retrouvez toute l'actualité de Pocket sur :
www.pocket.fr

Achevé d'imprimer en juin 2014

Imprimé en Allemagne par
GGP Media GmbH, Pößneck
en février 2015

POCKET – 12, avenue d'Italie
75627 Paris – Cedex 13

Dépôt légal : octobre 2010
suite du premier tirage : juin 2014
S19633/09